HISTÓRIA DO CINEMA MUNDIAL

CIP-BRASIL. CATALOGAÇÃO NA PUBLICAÇÃO
SINDICATO NACIONAL DOS EDITORES DE LIVROS, RJ

B155h

Ballerini, Franthiesco
 História do cinema mundial / Franthiesco Ballerini. - 1. ed. - São Paulo : Summus, 2020.
 320 p. : il.

 Inclui bibliografia e índice
 ISBN 978-85-323-1148-1

 1. Cinema - História. 2. Indústria cinematográfica - História. I. Título.

19-61701
CDD: 791.4309
CDU: 791.6(091)

Meri Gleice Rodrigues de Souza - Bibliotecária CRB-7/6439

www.summus.com.br

Compre em lugar de fotocopiar.
Cada real que você dá por um livro recompensa seus autores
e os convida a produzir mais sobre o tema;
incentiva seus editores a encomendar, traduzir e publicar
outras obras sobre o assunto;
e paga aos livreiros por estocar e levar até você livros
para a sua informação e o seu entretenimento.
Cada real que você dá pela fotocópia não autorizada de um livro
financia o crime
e ajuda a matar a produção intelectual de seu país.

HISTÓRIA DO CINEMA MUNDIAL

Franthiesco Ballerini

summus editorial

HISTÓRIA DO CINEMA MUNDIAL
Copyright © 2020 by Franthiesco Ballerini
Direitos desta edição reservados por Summus Editorial

Editora executiva: **Soraia Bini Cury**
Assistente editorial: **Michelle Neris**
Imagens de capa e miolo: **Fotoarena**
Capa: **Buono Disegno**
Projeto gráfico: **Crayon Editorial**
Diagramação: **Santana**

2ª reimpressão, 2022

Summus Editorial
Departamento editorial
Rua Itapicuru, 613 – 7º andar
05006-000 – São Paulo – SP
Fone: (11) 3872-3322
http://www.summus.com.br
e-mail: summus@summus.com.br

Atendimento ao consumidor
Summus Editorial
Fone: (11) 3865-9890

Vendas por atacado
Fone: (11) 3873-8638
e-mail: vendas@summus.com.br

Impresso no Brasil

Este livro é dedicado à parte mais doce da minha história.
A Antonio Manso, o Vô Mansinho, e seu picolé de limão.
A Rozinda de Souza, a Vó Rosa, e seu pudim de leite.
A Maria de Lourdes Giordani, a Vó Lourdes, e seu brigadeirão.
A Dante Ballerini, o Vô Dante, e sua soda limonada com baralho.

In memoriam

Sumário

Prefácio O cinema pela raiz   11

Introdução   13

Parte I – Indústria   17

1. O nascimento do cinema e a era pré-industrial   19

2. Hollywood   27
   A linguagem hollywoodiana   28
   Cinema mudo e a chegada do som   30
   A era de ouro: *studio system* e *star system*   34
   Faroeste   42
   Cinema *noir*   46
   O colapso dos estúdios e o cinema moderno   50
   Nova Hollywood e a era dos *blockbusters*   56
   Hollywood autoral   63
   Hollywood digital   70

3. Chinawood   75
   Cinema chinês pré-industrial   75
   Cinema de Taiwan   78
   Cinema de Hong Kong   80
   O nascimento de Chinawood   82

4. Bollywood   87
   Construindo a indústria cinematográfica da Índia   87
   A crise do roteiro   92
   Nouvelle Vague indiana   94
   A censura no cinema   95
   Supremacia ameaçada   96

5. Nollywood   99
   Desafios estruturais   100
   Economia *versus* arte   102
   Internacionalização   103

Parte II – Movimentos cinematográficos   107

6. Vanguardas francesas   109
   Impressionismo   110
   Dadaísmo   112
   Surrealismo   113
   Realismo Poético francês   116

7. Expressionismo alemão   119
   Características e início do movimento   119
   O gabinete do dr. Caligari   121
   Temáticas recorrentes   122
   Metrópolis   123
   A chegada do nazismo   125
   Novo Cinema alemão   126

8. Neorrealismo italiano   131
   Primórdios e nascimento   131
   Primeiros filmes e suas propostas   133
   A Teoria Realista   134
   Características principais   135
   O Pós-Neorrealismo italiano   139
   Comédias e grandes produções   142

9. *Nouvelle Vague*   145
    A crítica de cinema   145
    Rompendo tradições: o cinema de autor   148
    O cinema francês pós-*Nouvelle Vague*   152

10. Cinema Novo   157
    Breve contexto histórico   157
    A era do Cinema Novo   160
    Legados e antilegados do Cinema Novo   164

Parte III – Mundo essencial   173

11. Europa   175
    Cinema russo/soviético   175
    Leste Europeu   181
    Cinema nórdico   186
    Reino Unido   191
    Europa Centro-Ocidental   196

12. Ásia   203
    Japão   203
    Coreia do Sul   211
    Irã   215
    Israel   221

13. África   227
    Breve histórico geral   227
    Egito   235
    África do Sul   238
    Cinema luso-africano   240

14. Américas   245
    Argentina   245
    México   254
    Canadá   262
    Latinidades: o cinema inventivo de Bolívia, Chile, Colômbia, Cuba, Paraguai, Peru, Uruguai e Venezuela   271

15. Oceania   279
   Austrália   279
   Nova Zelândia, Fiji, Papua Nova Guiné e Samoa   284

16. Documentário: construindo o real   289

Referências   301

Índice onomástico   305

Prefácio
O cinema pela raiz

Eram necessárias cem sessões para Cézanne construir uma obra, como sentencia muito bem Merleau-Ponty em ensaio memorável sobre o pintor. Eu diria que Franthiesco Ballerini se esmera à maneira de Cézanne ao produzir uma escrita que celebra o cinema na raiz de sua história. A seu trabalho em *História do cinema mundial* não se podem poupar elogios: trata-se de uma das melhores pesquisas já realizadas no campo editorial sobre o tema. Ballerini faz uma imersão na história com linguagem fluente e, ao mesmo tempo, acessível a todos os cinéfilos, estudantes ou pesquisadores, bem como ao público em geral.

Um trabalho que mergulha nas águas profundas da memória e analisa indústrias e movimentos cinematográficos em capítulos que esmiúçam, com frescor e elegância, o que há de mais fascinante no exame do cinema: a sua linguagem. Assim, depois de lançar *Poder suave (soft power)*, publicado em 2017 pela Summus Editorial, o autor emplaca este extraordinário ensaio, que vem preencher uma lacuna de publicações do gênero num país onde estudantes e admiradores da sétima arte vêm cada vez mais se interessando em aprofundar seus conhecimentos sobre a linguagem cinematográfica.

Embora existam diversas publicações voltadas para o conhecimento do cinema, como os livros lançados pela extinta Cosac Naify – que prestou um grande serviço ao mundo editorial –, entre tantas outras, este *História do cinema mundial* vem contribuir com eficácia para aqueles interessados em se aprofundar nas questões históricas e na sua linguagem.

Outro aspecto importante deste trabalho de Ballerini, além da organização em capítulos didáticos, é que ele compõe, ao final de cada um deles, uma relação dos filmes mais importantes objetos do seu estudo, que chama de essenciais. Por tudo isso, este guia serve de orientação para o leitor, seja especializado ou cinéfilo diletante, por dispor de material consistente. Podemos dizer, sem dúvida, que esse conjunto, que mergulha na história geral do cinema, compõe um livro necessário. Com o volume de informação e o aprofundamento das questões levantadas, Ballerini eleva o nível de acesso aos estudos existentes, juntando-se a obras importantes – de Paulo Emílio Sales Gomes e Alex Viany às publicações mais recentes de Ismail Xavier, bem como aos livros mais pontuais de Silvio Da-Rin, Amir Labaki, Sérgio Augusto e José Carlos Avellar.

Esta obra nos ensina e nos aproxima daqueles que de alguma forma são apaixonados pela sétima arte, seja no escurinho do cinema, seja em seu recanto de leitura. Recomendo-a certo de que promoverá uma extraordinária experiência estética e constituirá um belo desafio, cuja vitória será do leitor.

WALTER CARVALHO

Cineasta e diretor de fotografia. Dirigiu obras como *Cazuza – O tempo não para* (2004), *Budapeste* (2009) e *Raul – O início, o fim e o meio* (2012). Assina a direção de fotografia de mais de cem obras da televisão e do cinema, como *Terra estrangeira* (1995), *Central do Brasil* (1998), *Lavoura arcaica* (2001), *Abril despedaçado* (2001), *Carandiru* (2003), *O céu de Suely* (2006) e *Getúlio* (2014), entre outros.

Introdução

Quando comecei a escrever as primeiras palavras desta obra, eu já havia ministrado cerca de 150 cursos ou disciplinas ligados, direta ou indiretamente, à história do cinema mundial. Na grande maioria deles, sempre houve um aluno ou aluna que me perguntasse qual era o melhor livro de história do cinema para se ler. Foi graças a essa constante e repetitiva pergunta que decidi escrever este livro.

O mercado editorial está repleto de obras importantes que refletem o cinema historicamente. Parte considerável delas, especialmente as de autores de língua inglesa, privilegia as grandes produções industriais, com pequenos textos sobre inúmeros desses fenômenos de bilheteria. Outras, igualmente necessárias, recortam um ou mais momentos do cinema, sobretudo movimentos cinematográficos, e se debruçam sobre eles em sua quase totalidade. E muitas, também imprescindíveis, são especializadas no cinema de um único país, região ou nicho.

A proposta deste livro, ainda que pretensiosa, é outra. Desafiei-me a abraçar – nas linhas temporal e geográfica – a riqueza do cinema no âmbito cultural. Acredito que ele tenha sido, pelo menos no século 20, a melhor plataforma para exprimir as belezas por trás das diferentes expressões culturais do mundo. Belezas naturais, costumes seculares, formas de falar e agir, grandes convulsões sociopolíticas e econômicas que marcaram um povo etc. O cinema soube expressar todas essas características, nem sempre angariando grandes bilheterias, mas certamente marcando para sempre o acervo cultural de uma nação. Esse é o eixo central desta obra.

Isso não quer dizer que a indústria cinematográfica seja relegada a segundo plano. Ao contrário, ela abre estas páginas, pois é no mínimo fascinante entender como alguns poucos países – Estados Unidos, Índia e Nigéria – conseguem certa autossustentabilidade na produção de filmes, algo almejado pelo mundo inteiro. No caso desses países, também procurei privilegiar obras de valor artístico e cultural. Em seguida, abordei os movimentos cinematográficos – momentos em que determinada conjuntura política, social, econômica, cultural e psicológica dá a determinado país uma onda de produções tão significativas que mudam para sempre os rumos do cinema do mundo inteiro – como foram, por exemplo, o legado do Expressionismo alemão, do Neorrealismo italiano e da *Nouvelle Vague*. Por fim, proponho um passeio por quase todos os cantos do mundo e os filmes que mostraram, de forma eficiente, criativa e tecnicamente apurada, a riqueza cultural da região.

Em todas essas partes, selecionei o que considero ser os filmes essenciais de determinado país ou movimento cinematográfico. É evidente que muitas películas ficaram de fora, e talvez você, leitor, sinta a ausência das suas favoritas. Isso é inevitável, a não ser que se lançasse um livro-catálogo de milhares de páginas apenas citando todas as obras já feitas no cinema – o que seria certamente algo pobre, asséptico e pouco criativo, além de inútil. Um apontamento importante: quando o filme foi lançado em festivais ou salas de cinema de língua portuguesa, o nome dele está em português. Caso não tenha sido lançado nesse circuito, entra seu nome em inglês. Se o filme não circulou internacionalmente, entra seu nome no idioma original. Outro apontamento fundamental: a história cinematográfica de um país é concentrada em um único capítulo. Assim, ainda que o Expressionismo alemão tenha terminado com a ascensão nazista, em 1933, o cinema alemão é todo concentrado nesse capítulo, para que se tenha uma visão holística de sua produção cinematográfica ao longo das décadas.

A maior lacuna deste livro, porém, é não indicar ao leitor onde encontrar parte considerável desses filmes. Obviamente, isso fugiu do meu controle. Com a era do *streaming*, todos imaginávamos que o acesso aos filmes de arte dos vários cantos do planeta seria mais fácil, mas não tem sido o caso. Muitos deles, embora emblemáticos para a história, não são objeto de interesse comercial de nenhuma grande empresa e, portanto, correm sério risco de ser esquecidos – algo tão grave para a história da cultura quanto implodir um museu.

Talvez o leitor fique com a impressão de que os diretores são os grandes responsáveis pelo mérito dos filmes elencados. Não é bem assim. Cito, quase sempre, o nome do diretor, seguindo o costume vigente desde os tempos da chamada Política dos Autores da *Nouvelle Vague*, que o via como *réalisateur* (realizador). É fundamental deixar claro, porém, que nenhum dos filmes mencionados seria memorável sem todo o corpo técnico de som, direção de arte, fotografia, roteiro, edição, produção, atuação, pós-produção, produção executiva e, por que não dizer, o eixo ligado a legislações, festivais, distribuidores e exibidores, entre tantos outros departamentos.

Outro ponto fundamental para a leitura deste livro é ter clareza de que, em arte, o tempo não necessariamente significa evolução. Isso quer dizer que o filme que você verá nos cinemas no próximo fim de semana não será necessariamente melhor do que uma obra dos anos 1950 só porque está décadas à frente. Fosse assim, os cineastas em atuação, hoje, não precisariam estudar a fundo os grandes mestres, o que é impensável para produtores audiovisuais que queiram contribuir artisticamente com seu meio. Ao ler este livro, pense no esforço genial de artistas como Fritz Lang, que com todas as limitações técnicas e orçamentárias levou ao mundo uma obra-prima como *Metrópolis* (1927). Ou se seria fácil superar, em termos estéticos, técnicos e de linguagem, obras como o inigualável *2001 – Uma odisseia no espaço* (1968), de Stanley Kubrick. O tempo, definitivamente, não é garantia de evolução artística.

Ao longo de quase três anos de intensas pesquisas, leituras e, claro, sessões de filmes, deparei com várias definições sobre o que é cinema. Nenhuma delas abarca a grandeza dessa invenção capaz de gerar amor, ódio, amizades, casamentos, revoluções, reencontros. Prefiro, portanto, não usar nenhuma frase famosa ou definição elegante sobre o que é cinema. Leia estas páginas. Assista aos filmes recomendados. Se, depois disso, você conseguir conceber uma definição própria do que é cinema, significa que minha missão foi cumprida.

Boa leitura... e boas sessões!

Parte I – Indústria

1. O NASCIMENTO DO CINEMA E A ERA PRÉ-INDUSTRIAL

É muito provável que, desde 1826, quando Joseph Nicéphore Niépce registrou a primeira fotografia com duração permanente, ou 1839, quando Louis Daguerre anunciou uma invenção que acelerava e popularizava a fotografia, o daguerreótipo, o ser humano já se articulava para tentar captar imagens em movimento. Porém, da invenção da fotografia até a chegada do cinema transcorreram quase 70 anos de tentativas e erros, não só na terra natal desses inventores, a França – de onde sairia também a invenção do cinema –, mas ao redor do mundo inteiro.

Cinema é, basicamente, a projeção, para um coletivo de pessoas, de sequências de imagens em movimento. Por isso, os dois experimentos descritos a seguir foram fundamentais para sua invenção, embora não sejam considerados seu marco inicial. O primeiro foi realizado pelo fotógrafo inglês Eadweard J. Muybridge onde hoje fica a Universidade de Stanford (Estados Unidos). Em 1878, ele fotografou o galope de um cavalo usando 24 câmeras estereoscópicas a 21 polegadas de distância umas das outras, registrando o movimento a cada milésimo de segundo. O experimento, chamado *The horse in motion*, foi depois visto em sequência, dando a impressão de movimento.

Os Estados Unidos arrogam para si a invenção do cinema por conta do experimento seguinte. Em 1891, o inventor e empresário Thomas Edison, liderando uma equipe de técnicos supervisionada por William K. L. Dickson, criou o cinetógrafo, que registrava as imagens em sucessões fotográficas. Para ser observada, a sequência de imagens era, então, vista por um visor individual em outra invenção deles, o cinetoscópio. As invenções foram patenteadas e atraíram o público, que inseria uma moeda no aparelho para ver estas pequenas tiras de imagens em sequência, ou seja, em "movimento". Edison não inventou o cinema, pois seus equipamentos não projetavam o filme para um coletivo, mas talvez tenha sido o primeiro a explorar seus primórdios comercialmente, antes mesmo de seu nascimento oficial.

Menos de dois meses antes da invenção oficial do cinema, dois irmãos alemães, Max e Emil Skladanowsky, resolveram a questão da projeção para um coletivo de pessoas com o bioscópio. Em 1º de novembro de 1895, em Berlim, eles demonstraram a invenção, que consistia no uso de dois rolos de filmes de 54mm projetados de forma alternada; ao permitir a projeção de 16 quadros por segundo, o aparelho dava a ilusão de movimento. Mas os filmes não tinham perfuração lateral, o que causava uma desestabilização do movimento do filme pelo projetor, prejudicando a qualidade da exibição. Além disso, essa máquina projetava apenas fotografias previamente tiradas por outro aparelho – semelhante ao experimento de Muybridge – e montadas pelos Skladanowsky numa ordem que, quando o bioscópio girava, dava a impressão de movimento. O aparelho, portanto, não captava as imagens.

Foi então que, em 28 de dezembro de 1895, os irmãos franceses Auguste e Louis Lumière cumpriram, passo a passo, aquilo que denominamos cinema desde então. No Grand Café de Paris, numa sessão paga lotada com a alta sociedade francesa e a imprensa (demonstração pública do invento), os irmãos Lumière exibiram uma série de pequenos filmes, entre eles *A chegada do trem à estação*, que ficou conhecido como o primeiro filme da história do cinema. Num plano único, com a câmera colocada perto dos trilhos, o trem vai chegando, aumenta gradualmente de tamanho e atravessa quase por completo a tela. Leu-se na imprensa parisiense, no dia seguinte, que as pessoas se abaixaram, levaram sustos e até gritaram quando o trem passou. Não é de surpreender, já que era a primeira vez que nossa espécie via uma imagem em movimento que não ao vivo. Os filmetes foram feitos com o cinematógrafo, aparelho bem mais funcional e leve. Movido a manivela (sem eletricidade), usava rolos de 35mm perfurados, captando imagens a 16 quadros por segundo, revelando-as e projetando sobre uma parede branca.

Ao contrário de Thomas Edison, que patenteou muitos inventos e cobrava *royalties* pelo uso deles – o que dificultava sua maior circulação pelo globo –, os irmãos Lumière quiseram vender o cinematógrafo para o mundo todo. Em janeiro de 1896, quando o aparelho chegou aos Estados Unidos, Thomas Edison se apressou em fabricar o vitascópio, que aperfeiçoava o falho sistema de projeção do invento anterior. Em cerca de dois anos, uma quantidade imensa de países já havia visto o filme dos irmãos Lumière, tamanha a vontade destes de espalhar o invento pelo mundo. Fatos históricos importantes foram registrados pela primeira vez em filme, como a recém-coroação do czar Nicolau II, ocorrida em Moscou em 18 de maio de 1896.

Os filmetes produzidos nesse final do século 19 e início do 20 entravam na programação do chamado *vaudeville*, teatro de variedades que exibia, sem nenhuma conexão narrativa ou lógica, os filmetes entre várias outras atrações, como concertos, leitura de textos, dança, acrobacia, shows de humor, animais treinados, mágicos. Os irmãos Lumière foram hábeis em fornecer seus filmetes para esse tipo de teatro num "combo" que incluía também os operadores das máquinas e dois ou três filmes, numa sessão que durava em torno de 15 minutos. Isso fez que os franceses também dominassem essas salas nos Estados Unidos antes do surgimento do sistema industrial norte-americano (Hollywood).

Thomas Edison cerceou de tal forma suas patentes que começou a incomodar até mesmo seus aliados. William K. L. Dickson deixou sua companhia para fundar a American Mutoscope and Biograph Company, cujo principal invento, o mutoscópio, competia diretamente com os inventos de Edison, exibindo imagens de melhor qualidade.

Já na França, a empresa que competia diretamente com os irmãos Lumière era a Star Film, produtora do encenador e mágico Georges Méliès. Méliès faz parte de um capítulo especial e dramático da história do cinema. É autor do curta *Viagem à Lua* (1902) e não só se tornou o pai da ficção científica no cinema – narrando as aventuras de exploradores que chegam ao satélite e encontram seus habitantes, com efeitos especiais primitivos, mas divertidíssimos – como também reforçou o contraponto aos irmãos Lumière. Estes viam um potencial de documentação e registro no cinema, enquanto Méliès enxergava o invento como um novo horizonte para narrar ficções, embora ainda referenciando o cinema. Méliès, no entanto, visava criticar a vida apressada pós-Revolução Industrial, com cientistas malucos e descuidados

Viagem à Lua (1902), de Georges Méliès: marco inicial da ficção científica no cinema

invadindo a Lua e voltando às pressas após o contato com os "selvagens". Embora *Viagem à Lua* tenha transformado o cineasta no pai da ficção científica no cinema, ele já havia experimentado o gênero antes, em curtas como O *homem com a cabeça de borracha* (1901). Estrelado por ele próprio, contava a história de um cientista que conecta um tubo na cabeça para inflá-la até explodir. Méliès foi responsável pela produção de centenas de filmes até os anos 1910, distribuindo-os para várias cidades da Europa e da América do Norte. Talvez seu maior erro tenha sido nunca abandonar o estilo, a estética e as técnicas teatrais, mesmo com o cinema ao seu redor ganhando cada vez mais autonomia diante das outras artes.

Outros franceses importantes nessa época foram os irmãos Pathé (Charles, Émile, Théophile e Jacques), fundadores da Companhia Pathé, que adquiriu patentes dos irmãos Lumière enquanto concentrava a distribuição e a exibição dos filmes de Méliès – até sua falência (ele se tornou vendedor de bijuterias em uma estação de trem) em 1913. Uma mulher teve papel fundamental nessa era pré-industrial: alguns historiadores consideram a francesa Alice Guy-Blanché a responsável pelo primeiro filme roteirizado do mundo, A *fada dos repolhos* (1896), uma comédia sobre bebês que nasciam entre esses vegetais. Uma década mais tarde, em 1907, ela fundaria um dos primeiros estúdios cinematográficos, o Solax, na costa Leste dos Estados Unidos.

Por sua vez, na Inglaterra, R. W. Paul criou, em 1899, uma ferramenta importantíssima para o cinema: a *dolly*, plataforma sobre rodas na qual a câmera se move com suavidade.

Até essa época, o cinema não havia desenvolvido uma linguagem própria. Isso era evidente pela forma como muitos filmes eram feitos, com composições majoritariamente frontais, câmera distante da ação e personagens com pouca densidade. Os planos muito abertos lembravam a visão de um espectador numa sessão de teatro, mas eles eram também carregados de objetos, pessoas e ações. Além disso, como a nova invenção fugia de controles sociais e políticos, diversos filmes eram carregados de preconceitos religiosos, raciais e culturais. De qualquer forma, desde os primeiros anos já havia a diferença entre o que hoje denominamos documentário – vertente dos irmãos Lumière – e a ficção, desenvolvida na França principalmente por Georges Méliès, ainda que já houvesse claras hibridizações (atualidades reconstituídas em estúdio ou locações e cenas documentais em ficções).

Os primeiros cineastas do documentário, em geral, filmavam lugares distantes e exóticos, fatos da natureza, conflitos e guerras. Já os cineastas da ficção captavam danças, acrobacias, peças teatrais, poemas, sessões de mágica e os famosos *gags*, breves narrativas cômicas com surpresas visuais abruptas no final. E, apesar da invenção de técnicas como *close-ups*, *travelings* e panorâmicas, o cinema continuava atraindo mais como um espetáculo de imagens e movimento do que como meio narrativo. Aos poucos, no entanto, os primeiros cineastas começaram a perceber a diferença entre quadro – um mesmo enquadramento que pode ser feito em um ou mais *takes* (tomadas) – e plano, que pode ser feito de enquadramentos diferentes e em vários *takes*. Isso, então, foi sendo transformado em estratégias narrativas por meio da montagem.

Ex-operador de câmera de Thomas Edison, Edwin S. Porter entrou para a história por perceber as possibilidades narrativas do cinema. Em seu curta, *A vida de um bombeiro americano* (1903), ele mostra duas ações ocorrendo ao mesmo tempo: no lado esquerdo da tela, vê-se um bombeiro dormindo; no lado direito, o seu sonho, uma mulher e uma criança. Em outra sequência, ele intercala uma cena dentro do quarto com outra passada na rua. Também usou closes para mostrar uma mão apertando o alarme de incêndio e planos que ordenavam melhor a narrativa: 1) os bombeiros chegando; 2) a mulher gritando no quarto e sendo salva; 3) a mesma mulher sendo retirada da casa com o auxílio de uma escada. Os historiadores divergem quanto ao fato de Porter ter sido pioneiro ao dominar as primeiras técnicas de montagem graças a feitos como esses – alguns consideram que ele estava experimentando sem noções claras de linguagem. Porém, no mesmo ano, ele dirigiu O *grande roubo do trem* (1903), que não só se tornou o primeiro faroeste do cinema como foi um enorme sucesso comercial, com locações visualmente deslumbrantes e uma narrativa mais bem trabalhada.

Embora ainda longe do início da industrialização do cinema, foi na primeira década do século 20 que os exploradores do novo invento começaram a perceber que era preciso esticar a duração dos filmes para justificar a cobrança ao público e, assim, tornar a atividade lucrativa. Não demorou muito, portanto, para surgir o primeiro longa-metragem, *The story of the Kelly Gang* (1906), filmado na Austrália por Charles Tait. Entram em cena, aos poucos, os *nickelodeons*, salas-auditório em casas de espetáculo que cobravam um níquel – cerca de 5 centavos de dólar – e projetavam filmes. Mas, embora essas salas tenham se popularizado mais rapidamente nos Estados Unidos, foi a Itália que saiu na frente na produção de longas-metragens suntuosos: em *Quo vadis?* (1913), o diretor Enrico Guazzoni, por exemplo, utilizou 5 mil figurantes, enquanto Giovanni Pastrone filmou seu *Cabíria* (1914) em diversas locações. Este último foi certamente o primeiro grande épico do cinema, com 5 mil figurantes, 200 elefantes, mais de 1.200 cenas filmadas ao longo de seis meses e 13 horas de material bruto, além de movimentos de câmera ousados e cenários esplêndidos.

O uso de cartelas começou a se disseminar já na primeira década do século 20, ao passo que os diálogos foram a elas adicionados a partir de 1910. Esse foi um passo fundamental para dar densidade psicológica aos personagens. Também se passou a usar planos e contraplanos para explorar o ponto de vista de um personagem – colocando o público sob seu campo de visão e retornando ao plano em que se veem suas reações e emoções. Além disso, nessa mesma época os enquadramentos começam a mudar a favor do aprofundamento psicológico dos personagens: aos poucos, os diretores aproximam a câmera dos atores e usam planos mais fechados para detalhar suas expressões. O uso cada vez mais comum de *close-ups* se tornou uma forma de evitar atuações exageradas, necessárias para dar emotividade e chamar a atenção à trama, tornando, aos poucos, as reações mais naturais.

Percebendo, nesse momento, o valor narrativo dessa aproximação das câmeras, os diretores passaram a fracionar cenas em diversos planos de enquadramentos diferentes – a chamada montagem analítica, que servia para tornar mais evidente detalhes que perdiam intensidade narrativa quando apenas mostrados num plano geral. Com isso, os cineastas tiveram de se preocupar, também, com a organização espacial das cenas, de modo que as câmeras fossem posicionadas para dar coerência aos espaços próximos e não deixassem o espectador "perdido". No cinema italiano, por exemplo, como se pode ver em *Cabíria*, uma técnica cada vez mais utilizada eram os *travelings* (com o *dolly* criado pelos ingleses), cuja função principal era dar profundidade às cenas e, ao mesmo tempo, explorar alguns riquíssimos visuais (*sets*) construídos para as obras. Também no mesmo período os atores deixaram de atuar olhando para a câmera – algo muito comum nos primeiros anos, como se fosse uma saudação para o espectador. Os cineastas perceberam que, se isso fosse evitado, haveria mais chances de o público mergulhar na história, quase se esquecendo de estar vendo um filme.

A era pré-industrial, compreendida entre 1895 e 1914, foi marcada por uma corrida entre inventores, artistas, empresários e aventureiros em busca de novidades em torno desse novo meio de comunicação e entretenimento. As novidades se atropelavam, concentradas, sobretudo, nos Estados Unidos, na Inglaterra, na França e na Itália – os protagonistas dessa primeira fase do cinema. A famosa Exposição Universal de 1900, em Paris, tornou o cinema uma atração de multidões: nela, telões de 25 x 15 metros exibiam filmes coloridos (à mão) dos irmãos Lumière e de outros realizadores. Pode-se dizer que, antes de o cinema ter virado uma indústria milionária e multicontinental, todas as grandes técnicas – *close-ups*, fusões, *fades in* e *out*, sequências, *flashbacks* etc. – já haviam surgido, à exceção da captação em cor, do som e dos efeitos em 3D.

O cinema também virou sensação rápida no Oriente, sobretudo no Japão, onde os filmes dos irmãos Lumière chegaram em 1897, propiciando o surgimento de produtoras como a Shochiku, uma das maiores e mais antigas do país. O teatro popular (*shimpa* e *kabuki*) foi a base de desenvolvimento do cinema japonês. Além disso, havia a figura do *benshi* – pessoa contratada para, a cada sessão, ficar ao lado da tela explicando para os espectadores os acontecimentos, os personagens e até fazendo efeitos sonoros. Esse profissional perdurou na indústria de cinema japonesa até o final dos anos 1930, já que o cinema mudo teve uma sobrevida de mais de uma década em países do Oriente.

A figura do *benshi* foi a forma encontrada pelos japoneses de driblar o ainda alto nível de analfabetismo do país, ou seja, para que o cinema pudesse ser visto por todos. Mas especula-se que as cartelas não eram empecilhos e, ao contrário, que foi graças ao cinema ter nascido mudo que ele se disseminou mais rapidamente pelo mundo, dispensando custosas dublagens ou adaptações.

Essa nova invenção nem havia começado a gerar bilhões de dólares de lucro e envolver milhões de pessoas e já mostrava promessas não só de industrialização como de uma nova forma de manifestação artística. O termo "sétima arte", por exemplo, apareceu pela primeira vez em 1911, atribuído ao crítico italiano Ricciotto Canudo. Segundo ele, o cinema reunia todas as outras seis grandes artes (arquitetura, pintura, música, escultura, dança e poesia). No entanto, boa parte dos estudiosos e até do público torcia o nariz quando se chamava o cinema de arte. Essa situação perdurou até o advento do cinema moderno ou do Neorrealismo italiano, nos anos 1940, quando já não havia mais dúvidas de que a experiência dos irmãos Lumière iria muito além de um mero trem chegando à estação.

FILMES ESSENCIAIS
A chegada do trem à estação (1895)
A fada dos repolhos (1896)
Viagem à Lua (1902)
A vida de um bombeiro americano (1903)
O grande roubo do trem (1903)
Quo vadis? (1913)
Cabíria (1914)

2. HOLLYWOOD

"Fábrica de sonhos". Por décadas, a indústria de cinema dos Estados Unidos recebeu essa alcunha, até as pessoas perceberem que Hollywood era muito mais que essa mera simplificação. Os estúdios de Los Angeles produziam sonhos, mas também ajudaram a construir estereótipos terríveis sobre pessoas e outras culturas. Sua eficiência, no entanto, é inquestionável. Que outra indústria norte-americana é tão duradoura, exportando para todos os cantos do mundo o mesmo tipo de produto há mais de um século? E pensar que tudo começou numa terra que antes era uma grande fazenda de laranja e cevada, nas mãos de imigrantes que não entendiam nada de cinema, fugidos para a Costa Oeste, bem longe do todo-poderoso Thomas Edison e de suas patentes... Mas é melhor explicar essa história por partes.

Foi nos Estados Unidos que o cinema saltou da era pré-industrial (1895-1914) para a industrial. Pouquíssimos países conseguiram, ao longo do século 20, transformar o cinema numa indústria autossustentável. A esmagadora maioria deles depende até hoje de recursos públicos ou de leis de proteção e incentivo para manter sua roda cinematográfica girando internamente.

Até 1914, os franceses praticamente dominavam o mercado interno norte-americano, com muitos curtas e alguns longas-metragens. Para se ter uma ideia, uma única empresa francesa, a Pathé, era responsável por 40% dos filmes exibidos nos Estados Unidos em 1907. Porém, as produtoras e os futuros estúdios de Hollywood já estavam nascendo – e nem precisaram fazer grande esforço para tirar os franceses lá de dentro, uma vez que a Primeira Guerra Mundial reduziu bruscamente a exportação de filmes europeus para o continente americano. Começou, então, o domínio mundial dos Estados Unidos no cinema.

Um dos primeiros passos para a era industrial aconteceu em 1905, quando empresários da costa Leste americana passaram a levar os filmes das produtoras para as salas de cinema que surgem com velocidade espantosa nas grandes cidades. Era a figura do distribuidor, que ajudou a pressionar os produtores a esticar o tempo de duração das obras a fim de justificar a cobrança de 5 centavos nos *nickelodeons*. Estes substituíram os *vaudevilles* (teatro de variedades) e dedicaram-se exclusivamente a exibir filmes em espaços cheio de assentos, ainda que nem sempre confortáveis. Isso porque os primeiros *nickelodeons* funcionavam para entreter as classes menos abastadas. Lotavam todos os dias, o que foi suficiente para formar os primeiros ricos do cinema, antes mesmo de a indústria surgir: os exibidores.

A primeira iniciativa dos produtores em direção à industrialização se deu no ano de 1909. Visando aumentar seu poder econômico e competir com mais força com os filmes europeus, Thomas Edison e outros empresários propuseram a regulamentação da distribuição e da exibição criando a Motion Picture Patents Company (MPPC). Mas não demorou muito para os produtores perceberem que Edison queria, na verdade, controlar o mercado e reforçar suas patentes por meio da organização, num momento em que já havia salas de cinema luxuosas para as classes mais ricas. Edison não inventou o filme, mas patenteou os furos do tipo roda dentada, fundamentais para a película avançar na câmera. Se alguém nos Estados Unidos quisesse filmar com tal tecnologia, precisaria pagar a ele.

Além disso, o inventor iniciou uma briga entre sua produtora e outras gigantes da época, como a Biograph e a Vitagraph, quase sempre por conta de suas patentes. Embora a MPPC tenha ajudado a melhorar o padrão de higiene e a qualidade das salas, também impôs diversos limites à importação de filmes e até à distribuição das produtoras não afiliadas. Isso fez que surgissem as "produtoras independentes", que passaram a suprir distribuidores e exibidores não filiados ao MPPC. O distribuidor que melhor soube aproveitar a oportunidade foi Carl Laemmle. Descontente com seu então aliado, Laemmle iniciou a chamada guerra dos trustes contra a MPPC. Unindo outros desertores de Edison, ele fundou, em 1909, a Independent Motion Picture Company (IMP). A batalha contra Edison foi vencida por ele em 1912, quando sua empresa já estava bem longe dos fiscais da MPCC, tendo se estabelecido numa pacata cidade da Califórnia: Los Angeles. Habilidoso em alianças, após a junção com outras produtoras, em 1912, a IMP se tornaria a Universal Studios, o primeiro grande estúdio de Hollywood.

A linguagem hollywoodiana

Enquanto empresários e imigrantes judeus começavam a destravar o mercado cinematográfico, fazendo pressão pela derrubada das tarifas impostas por Edison e comprando lotes de terra daquilo que ia se tornar Hollywood, as experimentações técnicas e estéticas de David Llewelyn Wark Griffith, mais conhecido como D. W.

Griffith, ajudariam a compor o casamento perfeito para o surgimento da indústria de cinema dos Estados Unidos. De um lado, empresários criando redes de negócios e alianças entre produtores, distribuidores e exibidores. De outro, um diretor que começou a brincar com uma série de códigos e técnicas – alguns já existentes – que, juntos, se tornariam o que hoje chamamos de linguagem hollywoodiana, ou linguagem clássica do cinema.

Foi a prática intensiva que aperfeiçoou o olhar e as mãos de Griffith, que dirigiu mais de 500 filmes ao longo da vida – quase todos eles na Biograph. Algumas de suas obras se destacam como contribuições inestimáveis para o sucesso do cinema norte-americano. No curta *The fatal hour* (1908), ele experimentou a montagem alternada de planos ou sequências, que podiam acontecer em espaços ou até tempos diferentes. O objetivo era reforçar a interpretação pela proximidade (ricos/pobres; perigo/salvação) e intensificar a dramaticidade.

Mas foi o seu *O nascimento de uma nação* (1915) que deu o primeiro grande impulso – estético, técnico e narrativo – para o cinema de entretenimento dos Estados Unidos. Essa obra, que inaugurou a linguagem hollywoodiana, tornou-se um épico de enorme sucesso de bilheteria sobre a Guerra de Secessão americana (1861-1865). O mérito do filme não foi inventar nada em específico, mas aglutinar, como nenhum outro antes, códigos e técnicas que, juntos, formariam quase uma fórmula, a linguagem dos estúdios. Além da montagem alternada, Griffith posicionou as câmeras da maneira que melhor acomodasse o olhar do espectador, sem que ele precisasse se esforçar para ver a cena (câmera transparente); buscou o realismo – baseando-se no senso comum (estereótipo), no vestuário, nas formas de comportamento dos personagens e na composição cênica; fez um excelente trabalho de luz, mesmo com as limitações da época, também acomodando o olhar do espectador, que tudo conseguia ver sem grande esforço; e, por fim, criou subtramas e cenas que impediam a história de seguir para o fim de forma rápida demais, entrelaçando personagens e mantendo o ritmo da história (subjetividade). De modo geral, Griffith ajudou a dar o salto da imagem mecânica para a lente que desvenda a vida interior dos personagens, explorando da fotografia difusa à iluminação traseira, que destacava fortemente os atores.

Entretanto, *O nascimento de uma nação* entrou de forma controversa para a história do cinema. Ainda que o diretor diga, nas cartelas iniciais, que se trata de um filme que denuncia os horrores da guerra, diversas cenas eram explicitamente racistas, sugerindo a inferioridade dos negros e o apoio à escravidão e à Ku Klux Klan. Seu filme seguinte, *Intolerância* (1916), aprofundou o conceito de montagem alternada – que ia do simplesmente "enquanto isso" para acontecimentos que não ocorrem simultaneamente –, com cortes que focavam na semelhança de ações em pontos geográficos e temporais distintos. Esse tipo de montagem – combinação de cenas para sugerir uma interpretação – teve forte impacto em outro mestre da montagem, o soviético Sergei Eisenstein, como veremos adiante.

Em resumo, a linguagem hollywoodiana não tem um criador, mas muitos, que entre 1903 e 1918 foram aperfeiçoando cada detalhe técnico e estético – como edição de continuidade, montagem alternada, *close-ups*, iluminação, campo-contracampo e, por último, a chamada continuidade do olhar, modo de enquadramento que indicava, de forma mais clara, que dois personagens estavam olhando um para o outro, independentemente de suas posições na cena.

FILMES ESSENCIAIS
O nascimento de uma nação (1915)
Intolerância (1916)

Cinema mudo e a chegada do som

Quando a linguagem hollywoodiana ainda estava se consolidando, um rapaz recém-imigrado, pobre e talentosíssimo começou a dar fôlego à indústria antes mesmo que os estúdios estivessem implantados em Los Angeles. No início da década de 1910, o londrino Charles Chaplin chegou aos Estados Unidos e, em pouco tempo, começou a produzir, roteirizar, dirigir e atuar em seus curtas-metragens, que se tornaram símbolos do cinema mudo mundial. Chaplin era tão talentoso em expressar sentimentos e conduzir a história sem a necessidade de diálogo que chegou a se opor ao uso do som quando do seu surgimento. "Chaplin e eu tínhamos uma disputa entre amigos: quem faria o filme com menos legendas?", disse certa vez Buster Keaton, outro talento da comédia do cinema mudo, habilidosíssimo nos tombos e tropeços. De Keaton, o destaque é certamente o filme *A general* (1926), comédia tão bem-feita que extrapola os próprios limites, sendo também suspense e reconstituição histórica. Além disso, a película demonstra uma precisão técnica e visual quase inédita na época.

Mas Chaplin tinha vantagens extras diante do amigo. Por ser produtor, roteirista, diretor e protagonista de seus filmes, foi um dos primeiros a obter um raro controle sobre as obras em que trabalhava. Além disso, com seu estrondoso sucesso em *O vagabundo* (1915), optou por continuar em outros curtas, em vez de começar uma história do zero. Com isso, foi um dos pioneiros no mundo a driblar a falta de profundidade dos personagens de filmes de ação – em geral consequência da própria natureza da curta duração das obras e da construção dos atos de um roteiro hollywoodiano – e a iniciar os primeiros rudimentos das franquias cinematográficas.

Chaplin criou o vagabundo em 1914, quando estreou no estúdio Keystone. Mas saiu de lá um ano depois, já como astro. Em 1916, ganhava US$ 10 mil por semana e bonificações altas. Com todo esse poder, não foi difícil fundar um estúdio, a United Artists, em 1919 – ao lado de D. W. Griffith, Mary Pickford e Douglas Fairbanks. Porém, foi na década seguinte que a invenção do som assombrou esse talentoso comediante.

Foram anos de tentativas e erro até finalmente o som chegar aos cinemas, em grande parte porque as maiores dificuldades residiam na sincronização e ampliação das ondas sonoras. Ainda que, tecnicamente, nenhum filme fosse assistido sem som, pois a música ambiente acompanhava a trama, a captação do som direto, que possibilitava o uso de diálogos e dos ruídos do ambiente, só aconteceu em 1927, quando a Warner Bros. lançou o primeiro filme (parcialmente) sonoro da história, *O cantor de jazz*. O estúdio usou um sistema de captação de áudio em disco denominado Vitaphone, ou seja, o áudio ainda não era captado pela câmera, mas em um disco. No ano seguinte, *Luzes de Nova York* (1928) se tornou o primeiro filme completamente sonoro da história. Ou melhor, completamente falado, porque o primeiro introduziu o som e poucos diálogos, enquanto o segundo iniciou a verborragia típica dos filmes de Hollywood.

Assim que alto-falantes foram instalados nas salas de cinema dos Estados Unidos para receber o som, o número de ingressos vendidos aumentou em 10 milhões em comparação com os números registrados no ano anterior. Porém, quando os produtores começaram a ousar filmar fora dos estúdios, eis que o som os forçou a voltar para dentro, uma vez que a captação ainda não era sofisticada e o ruído das ruas interferia na fala dos personagens. Outro problema era filmar as cenas com som. A solução, de início, foi usar três câmeras: uma para o plano geral (central) e duas para closes dos atores ao lado do operador de microfone. O elenco fazia a cena inteira, para que o som de cada câmera tivesse a devida correspondência e não fosse um problema na montagem.

A própria interpretação dos atores foi drasticamente modificada com a chegada do som. No cinema mudo, o diretor e a equipe técnica falavam com os atores durante a filmagem. Como as primeiras captações eram rudimentares, os atores tinham de falar alto e artificiosamente para que sua fala fosse inteiramente registrada. Quem começou a carreira no finalzinho do cinema mudo acabou se adaptando melhor ao som. Foi o caso de Oliver Hardy e Stan Laurel, de *O gordo e o magro*, que rapidamente se consolidaram como ícones da comédia em filmes como *Ajudante desastrado* (1932).

O fato é que a chegada do som foi um baque enorme para os estúdios de Hollywood. Como se pode ver no premiado *O artista* (2011), de Michel Hazanavicius, muitas estrelas foram jogadas de escanteio por não serem consideradas, pelo público ou pelos produtores, "artistas do som". Charles Chaplin se recusou até o último momento a trabalhar com o recurso. O seu *Luzes da cidade* (1931) é considerado um dos últimos grandes filmes do cinema mudo e uma das maiores comédias de todos os tempos. Dois anos depois, em parte inspirados no talento de Chaplin, os Irmãos Marx lançariam *O diabo a quatro* (1933), sátira política que, embora sonora, mantinha o pastelão e as piadas visuais, como a famosa cena do espelho quebrado.

    Charles Chaplin foi, sem dúvida, o primeiro grande ícone da história do cinema, um talento de múltiplos talentos, autor de obras-primas como *O garoto* (1921), *Em busca do ouro* (1925), *Tempos modernos* (1936) e o corajoso *O grande*

O garoto (1921), de Charles Chaplin: primeiro grande ícone da história do cinema

ditador (1940), sátira a Adolf Hitler lançada em plena Segunda Guerra Mundial. Chaplin parecia predestinado a interpretá-lo. Bancou o orçamento de US$ 2 milhões do próprio bolso, gastou dois anos para terminá-lo e foi ameaçado pelos censores do Código Hays[1]. Sua estreia, em 15 de outubro de 1940, foi badalada, por ser o primeiro filme falado de um artista que tanto brigou com o som. Embora a película tenha sido proibida na Alemanha, Hitler assistiu a ela duas vezes. Porém, ela trouxe certo arrependimento a Chaplin, que disse depois – quando os horrores do Holocausto se tornaram evidentes – que não teria feito a comédia se soubesse dos planos do déspota alemão. De qualquer forma, *O grande ditador* se eternizou no cinema, especialmente graças ao discurso final, que Chaplin levou dois meses para escrever e foi elogiadíssimo pelo escritor George Orwell.

Não à toa, o dramaturgo George Bernard Shaw o chamava de "o único gênio do cinema". Mas nem com tudo isso ele deixou de sofrer dentro do país que faturou milhões com seus filmes. Admirado na União Soviética porque suas comédias faziam crítica social, em 1952, após uma viagem para fora dos Estados Unidos, ele teve o visto de entrada negado no país, por boatos de que era comunista. Felizmente, em 1972, cinco anos antes de morrer, Chaplin recebeu um Oscar honorário, com as mais emocionantes homenagem e salva de palmas já vistas na cerimônia de Los Angeles. Charles Chaplin e D. W. Griffith prepararam o terreno para os anos mais importantes e lucrativos dos estúdios de Hollywood: a chamada era de ouro.

FILMES ESSENCIAIS
O vagabundo (1915)
O garoto (1921)
Em busca do ouro (1925)
A general (1926)
O cantor de jazz (1927)
Ajudante desastrado (1932)
Luzes da cidade (1931)
O diabo a quatro (1933)
Tempos modernos (1936)
O grande ditador (1940)

---

1 Criado em 1930 pela Motion Picture Producers and Distributors of America (MPPDA), entidade à época chefiada por Will H. Hays, o código visava censurar filmes considerados "imorais".

A era de ouro: *studio system* e *star system*

Depois que a guerra de patentes com Thomas Edison acabou, nos anos 1910, culminando na dissolução da Motion Picture Patents Company, os investimentos em cinema nas recém-instaladas produtoras (estúdios) em Los Angeles decuplicaram. Os estúdios viraram verdadeiras fábricas de filmes, gerando comparações com a famosa linha de montagem da Ford na época.

O que se denomina era de ouro de Hollywood não tem, necessariamente, ligação direta com uma fase áurea dos filmes em si – algo que seria difícil de mensurar qualitativamente. Trata-se dos anos mais lucrativos do setor, que transformaram os estúdios em impérios do entretenimento no mundo. Esse período começou por volta dos anos 1920, quando todos os grandes estúdios já se situavam nesse distrito de Los Angeles, e terminou em 1948, quando eles sofreram uma perda irreversível na Suprema Corte Americana, como veremos adiante.

Dois fatores importantíssimos para o domínio de Hollywood no cinema mundial foram o *studio system* e o *star system*, ambos fundamentais para a manutenção do poder da indústria até o fim da década de 1940. Talvez o estopim para o início do sistema de estúdio tenha sido a escandalosa demissão do diretor Erich von Stroheim da Universal. Até então, vivia-se a era dos diretores-estrelas, curtíssimo período em que esses profissionais eram as figuras mais importantes de um filme em Hollywood e, não raro, estouravam o orçamento e o tempo de filmagem. Stroheim já havia produzido alguns sucessos na Universal quando o produtor Irving Thalberg assumiu as rédeas do estúdio. Stroheim, além de esbanjar, era adepto da corrente naturalista, que buscava um realismo extremo nas filmagens, respeitando ao máximo as locações reais da trama e evitando cortes abruptos na história. Para *Esposas ingênuas* (1922), por exemplo, ele queria uma reprodução em tamanho natural de uma rua. Stroheim chegou a apresentar 50 horas de material filmado para o longa, irritando Thalberg, que comandou a edição da película à revelia do diretor. Seu próximo filme, *O carrossel da vida* (1923), já estava sob uma série de regras impostas por Thalberg; durante as filmagens, Rupert Julian assumiu a direção e a demissão de Stroheim ficou patente. Mas o destino de ambos ainda se cruzaria no clássico *Ouro e maldição* (1924), que Stroheim faria na MGM justo na época da fusão desta com a Universal. Stroheim queria lançar o filme com oito horas de duração – seguindo a vertente naturalista –, mas conseguiu reduzi-lo para quatro. Thalberg, porém, mandou editá-lo até restarem 150 minutos. Só 12 pessoas viram a versão integral, que virou um mito "arqueológico". Em 1999, a Turner Entertainment e a Turner Classic Movies restauraram a antiga versão de quatro horas, que foi aclamada pela crítica.

Começavam, então, o *studio system* e o *star system*, era na qual quem mandava no filme eram os produtores e logo abaixo, na hierarquia de importância, os atores ou os roteiristas. Até um ano antes da queda desses sistemas, Hollywood tinha quase 500 dos maiores astros da época – como Ingrid Bergman, Gregory Peck, John Wayne, Clark Gable e Humphrey Bogart – presos por contratos bem mais vantajosos para os estúdios do que para eles. Nesses contratos, que duravam sete anos, os atores eram não apenas exclusivos do estúdio como também obrigados a aceitar – sob pena de altíssimas multas – qualquer papel que lhes fosse designado. Os salários em geral eram fixos. Não importava se o filme fosse um grande fracasso ou um enorme sucesso: o astro ganharia sempre o mesmo valor por obra. Marilyn Monroe, por exemplo, foi o sustentáculo financeiro da Fox durante anos graças a essa cláusula, pois seus filmes rendiam muitíssimo mais do que ela ganhava.

Havia também o "escambo de atores", troca de astros entre os estúdios caso estes precisassem de um perfil específico, desde que pagassem um valor maior que o salário interno do astro. Dentro do *star system*, o departamento de Relações Públicas dos estúdios ditava quando, como e onde as estrelas poderiam falar em público, para tirar o melhor proveito da divulgação dos filmes. Os produtores também orientavam a equipe técnica a explorar cada vez mais a imagem das estrelas por meio de enquadramentos mais fechados, popularizando aos poucos o "plano americano" (dos joelhos para cima) e o close do rosto. Por contrato, os estúdios também tinham o direito de solicitar mudanças na aparência dos astros (como foi o caso do cabelo de Marilyn). E, se fosse conveniente, poderiam pedir até para alterar o nome de futuros astros promissores, caso este não fosse suficientemente americano. Foi assim que Issur Danielovitch se tornou Kirk Douglas e Marion Morrison virou John Wayne. O contrato de Joan Crawford com o estúdio, por exemplo, lhe rendia um bom salário, mas especificava até a hora em que ela deveria dormir. Quando Johnny Weissmuller fechou o contrato para fazer *Tarzan, o filho da selva* (1932), havia uma multa salgada para cada quilo que ultrapassasse os 86 estabelecidos no papel.

Apesar de todo esse aparato, os filmes hollywoodianos eram tachados de produtos industriais – vale lembrar que o cinema só passou a ser visto indubitavelmente como arte a partir do Neorrealismo italiano, nos anos 1940. Assim, era preciso camuflar aquele esquema industrial e econômico com uma imagem que ressaltasse a arte e o entretenimento. Foi então que, em um jantar em 1927 no Ambassador Hotel, o alto executivo da MGM Louis B. Mayer propôs aos demais 35 colegas que criassem uma maneira de homenagear as próprias produções. Nascia, assim, a Academia de Artes e Ciências Cinematográficas, que a partir de 1929 passaria a distribuir uma série de estatuetas para as produções dos estúdios, enquanto o resto do cinema dos outros 194 países disputava praticamente uma só categoria: a de melhor filme estrangeiro. Mas é claro que, quando o peso econômico das bilheterias do mundo se tornava mais importante para os cofres dos estúdios, o Oscar coincidentemente também aumentava as premiações de filmes estrangeiros em outras categorias.

Houve, porém, um elemento que dificultou o avanço ainda maior não só das bilheterias de Hollywood como também de um cinema menos caricato e falso e mais realista. A partir da metade dos anos 1920, o Código Hays passou a censurar imagens que remetiam a sexo e violência. Fortemente apoiado por grupos religiosos, o conjunto de preceitos deu alguns passos atrás na narrativa realista de Hollywood, inibindo abordagens coerentes sobre raça, sexualidade, desigualdade social etc. O código, porém, chegou ao auge em 1935, dando tempo aos estúdios para que aproveitassem o início da era sonora e lançassem filmes de terror emblemáticos – como O *médico e o monstro* (1931), que tinha forte conotação sexual, e *Drácula* e *Frankenstein*, ambos do mesmo ano, inspirados no terror gótico. Tal código, nunca tido como oficial, durou até o final da era de ouro, com diretores como Cecil B. DeMille se curvando explicitamente a ele, ao apresentar cenas de sexo entre personagens, que, logo depois, eram punidos por tal comportamento.

Foi nesse período que também floresceram os filmes de gângsteres em Hollywood, impulsionados pela Lei Seca, que proibiu a venda de bebidas alcoólicas nos Estados Unidos entre 1920 e 1933. Na prática, porém, infratores, muitos deles de descendência italiana e irlandesa, vendiam clandestinamente bebidas nas grandes cidades, criando impérios que inspiraram os dramas feitos por Hollywood. Alguns estúdios, como a Warner, tornaram-se verdadeiros especialistas em adaptar histórias saídas dos jornais da época. Destaque para *Vidas tenebrosas* (1927), sobre a decadência moral de um gângster e de sua esposa. E, claro, *Scarface – A vergonha de uma nação* (1932), de Howard Hawks, o melhor de todos, no que se refere tanto à fotografia – uma iluminação impecável e fortemente influenciada pelos expressionistas alemães – quanto à composição do personagem principal, inspirado em Al Capone. O diretor travou uma batalha sofrida para garantir a estreia do filme e driblar os censores do Código Hays. *Scarface* tornou Hawks cultuado na França décadas depois; os críticos da *Nouvelle Vague* afirmavam que ele era um exemplo de diretor que, apesar de não empreender grandes ousadias estéticas, era um contador de histórias versátil como poucos nos Estados Unidos.

Os filmes de gângsteres incomodavam os censores porque seus protagonistas eram, em geral, figuras carismáticas com forte identificação por parte da plateia que, em seguida, cometiam crimes horrendos. O sucesso aumentou graças ao surgimento do som, que justificava o uso cada vez maior de armas nas cenas (o "rá-tá-tá" constante), ampliando o grau de violência dos filmes hollywoodianos. De certa forma, o cinema ajudou a aumentar a fama de bandidos famosos da época, como John Dillinger (ladrão de bancos tido por alguns como uma espécie de Robin Hood). Em contrapartida, os censores começaram a proibir filmes em que eles apareciam "menos vilões", com uma vida de luxo e um final pouco punitivo. Os estúdios reagiram e lançaram filmes como *G-men contra o império do crime* (1935), acentuando a dicotomia bem *versus* mal. Aos poucos, atores como Humphrey Bogart passaram a viver menos criminosos e mais detetives, deixando os vilões para atores menos conhecidos.

No ano de 1931, os oito grandes estúdios que se estabeleceram em Los Angeles – Paramount, Warner Bros., Columbia, Universal, United Artists, MGM, Fox e RKO – formaram uma oligarquia que controlava o cinema de todos os Estados Unidos e dominava as bilheterias de outros países. Esses estúdios transformaram a então pacata cidade de laranjais e cevada em uma próspera metrópole, com alta tecnologia misturada ao estilo *déco*.

Durante a era de ouro, grandes filmes saíram das "caldeiras" cinematográficas e entraram para a história. *King Kong* (1933), por exemplo, foi um sucesso de bilheteria por seus efeitos especiais – à época vistos como malfeitos –, como o uso do *stop motion*.

Durante a era de ouro, inúmeros diretores souberam aprimorar ainda mais a linguagem hollywoodiana. Um dos mais prolíficos foi Howard Hawks, que trafegava entre dramas e comédias com talento ímpar. Destaque para *Levada da breca* (1938), comédia excêntrica que desconstrói a imagem de ícones de beleza (comum no *star system*) por meio de seus protagonistas – o arqueólogo desengonçado vivido por Cary Grant e a ricaça moderna de Katharine Hepburn. Esse filme é a prova de que a linguagem hollywoodiana não proibia os diretores de inovar em alguns aspectos. Além de desconstruir o mito de beleza dos astros, Hawks construiu uma personagem feminina dominante em plenos anos 1930, com insinuações sexuais que driblaram inteligentemente a censura da época. No quesito técnico, inovou ao criar diálogos nos quais os personagens se sobrepunham mutuamente, algo que nunca tinha sido feito antes e acentuou o realismo das cenas. Para que o espectador não perdesse o essencial do que os personagens diziam, a sobreposição das falas se dava apenas no início ou no fim das sentenças, cortando informações irrelevantes previamente estabelecidas em roteiro. Isso sem falar na própria construção do roteiro, de forma espiralada, em que os eixos dramáticos vão confluindo no final em pontos semelhantes aos do início do filme.

Mas a obra que representa o poder do produtor na era de ouro é *...E o vento levou* (1939). Esqueça a imagem de diretores autorais. George Cukor foi demitido logo após o início das filmagens e substituído por Victor Fleming, pois não concordava com o peso dado pelo produtor David O. Selznick aos personagens de Vivien Leigh e Clark Gable. Adaptação da obra de Margaret Mitchell, ambientada durante a Guerra de Secessão, o filme também teve cenas consideradas racistas ao mostrar com nostalgia o velho Sul escravocrata – embora com menos alarde que o de Griffith –, e foi o primeiro a ganhar dez Oscars. No mesmo ano, Hollywood viveu um esplendor visual e musical com O mágico de Oz (1939), muito mais fruto do talento dos produtores do que, de fato, de Victor Fleming, que assinou a direção.

Durante a era de ouro, antes e durante a Segunda Guerra Mundial, o governo dos Estados Unidos solicitou ajuda dos estúdios nos seus esforços de guerra, uma vez que países como Alemanha e União Soviética estavam habilmente usando o cinema como arma de propaganda ideológica nazista e comunista. John Ford chegou a fazer um curta-metragem chamado A batalha de Midway (1942) logo depois de ter sido ferido por aviões japoneses. Antes disso, Alfred Hitchcock cutucou o isolacionismo norte-americano em Correspondente estrangeiro (1940), já que o país só entraria na guerra em 1942. Quando os japoneses atacaram Pearl Harbor, os Estados Unidos entraram no conflito e Hollywood, idem, com filmes como Os carrascos também morrem (1943) e Trinta segundos sobre Tóquio (1944). Mas foi o diretor Frank Capra quem melhor cumpriu a encomenda do governo para filmes de propaganda capitalista, especialmente com sua série de documentários chamada Por que lutamos (1943-1945), tão importante que o presidente Franklin D. Roosevelt liberou todos os filmes de direitos autorais para que fossem vistos em qualquer lugar do mundo. Na metade da Segunda Guerra Mundial, Hollywood lançou Casablanca (1942), com Humphrey Bogart e Ingrid Bergman vivendo uma história de amor sacrificada por um bem maior em tempos de guerra. Personagens, trilha musical e produção com apreço aos detalhes elevaram o filme de Michael Curtiz ao *status* de clássico da era de ouro dos estúdios.

Ao lado de Howard Hawks, outro diretor talentoso das comédias excêntricas foi Ernst Lubitsch, que em plena Segunda Guerra lançou Ser ou não ser (1942), libelo antifascista que misturou elementos de diversos gêneros e, assim como Levada da breca, estava à frente do seu tempo em termos de linguagem. É dele também Ninotchka (1939), comédia de situação que coloca Greta Garbo num raro papel cômico – ela é uma agente soviética que tenta resolver o roubo de joias do país, com clarÍssimas provocações dos Estados Unidos aos costumes e pensamentos do regime soviético. O mesmo se pode dizer de King Vidor, um dos melhores diretores da era de ouro dos estúdios. Com estilo próprio, ele raramente retratava vilões e registrava fotografias inesquecíveis, como em A turba (1928) – sem falar em seu esplêndido trabalho de direção em A cidadela (1938).

Os estúdios eram, desde essa época, chamados de Grandes Irmãs, porque o paralelo com as relações fraternas é bastante preciso. Assim como irmãos, os estúdios brigavam entre si dentro de casa (bilheteria interna nos Estados Unidos), mas se uniam fora dela contra as ameaças externas (filmes estrangeiros). Por isso, até hoje, muitas das operações de lançamento internacional de filmes de um estúdio são feitas em conjunto com outro, a fim de ganhar força fora dos Estados Unidos. Existe também um forte senso de comunidade dentro de Hollywood. Steven

Spielberg comentou, certa vez, que os diretores frequentemente se encontram para trocar roteiros, comentar a montagem do filme alheio, bisbilhotar o negócio do concorrente e especular como estará o negócio deles daqui a algumas décadas. Um executivo europeu confidenciou ao jornalista Edward Jay Epstein, ao ser transferido para Hollywood, que aquilo parecia um "'sistema feudal': 'um pequeno número de príncipes, completamente obcecados com a lealdade pessoal, firma alianças temporárias para controlar territórios, incluindo os astros e os direitos sobre as continuações' e, então, 'recruta mercenários para lutar por ele'".

Entre os poderosos de Hollywood, destaca-se um jovem talento que foi caçoado por outros executivos quando compartilhou a intenção de produzir um longa-metragem de animação para crianças: Walt Disney. Em vez de se tornar dono de um estúdio nos moldes da oligarquia existente desde os anos 1920 em Los Angeles, ele focou na produção de licenças de personagens como Mickey Mouse, distribuindo para os Estados Unidos e para o mundo brinquedos, discos, livros e joguinhos, seduzindo milhões de crianças desde o berço. E seu filme, à revelia do que pensavam os demais executivos dos estúdios, foi um sucesso. *Branca de Neve e os sete anões* (1937) se tornou o primeiro filme da história a faturar US$ 100 milhões, com 400 milhões de ingressos vendidos em uma década. A animação é uma obra-prima em diversos aspectos. Além de ter um roteiro cheio de reviravoltas, animais fofinhos, heróis infalíveis, vilões aterrorizantes e imagens inesquecíveis – como a transformação da rainha má –, a animação traz à tona nossos medos mais primitivos, como solidão e traição. Com cenas inspiradas no Expressionismo alemão e no Surrealismo – vide as árvores que ganham vida na floresta –, Disney ainda cativou os ouvidos de gerações com canções fáceis e repetitivas, como "Eu vou, eu vou, pra casa agora eu vou!". Sem falar no final feliz, que gerava grande alívio na plateia pós-Grande Depressão.

Os estúdios Disney foram responsáveis por várias das maiores bilheterias dos Estados Unidos durante quatro décadas, destacando-se o ousado e inesquecível *Fantasia* (1940) e também *Pinóquio* (1940), *Bambi* (1942), *Peter Pan* (1953) e *Mary Poppins* (1964). Embora não tenha sido pioneiro na produção de desenhos animados – projetados desde 1896, ressaltando-se *Fases cômicas de faces engraçadas* (1906), de James Stuart Blackton, e *Gertie, o dinossauro* (1909), de Winsor McCay –, Disney foi o expoente da área no mundo por muitos anos. Afinal, ao contrário dos donos dos estúdios concorrentes, ele era um talentoso artista, o que reduzia as chances de imitação. Fã de Chaplin, conheceu em Nova York o imigrante holandês Ub Iwerks, que se tornou seu colaborador. Juntos, foram para Los Angeles, onde tiveram a ideia de criar um bicho animado para competir com os cães e gatos surgidos anteriormente no mercado. Disney, então, criou o rato Mortimer, cujo nome sua esposa, Lilian, odiou, e foi trocado por Mickey. Iwerks produziu 70 desenhos do personagem por dia para lançar o primeiro filmete mudo do ratinho, *O maluco do avião* (1928). Era o início de um império que ajudou o governo dos Estados Unidos em tempos de guerra, com a criação de personagens que aproximavam Hollywood dos vizinhos latino-americanos, a exemplo de Zé Carioca.

A era de ouro de Hollywood se beneficiou com a imigração de talentos do mundo inteiro. Responsável pelo primeiro filme falado da Grã-Bretanha, *Chantagem e confissão* (1929), o londrino Alfred Hitchcock foi levado a peso de ouro para Hollywood pelo produtor David O. Selznick, em 1939. Seus primeiros filmes, *Rebeca* (1940) e *Correspondente estrangeiro* (1940), foram sucessos retumbantes. Hitchcock conseguiu, já no fim do período áureo, amealhar multidões para o cinema e ainda ser ovacionado pela crítica e em festivais. Em *Janela indiscreta* (1954), provocou a linguagem cinematográfica ao fazer o próprio espectador questionar se aquilo que ele via na tela era realidade. Outras de suas maiores obras talvez sejam *Um corpo que cai* (1958) e *Psicose* (1960). O diretor quebrou diversos padrões da época, como assassinar a mocinha (Janet Leigh) na primeira meia hora de *Psicose*, e, em muitos de seus suspenses, não deixava para as últimas cenas a revelação de quem era o assassino, algo comum nas obras de Stephen King e Agatha Christie. Hitchcock achava esse recurso preguiçoso, uma manipulação fácil dos sentimentos do espectador. Preferia revelar antes do final e fazer que a plateia acompanhasse, com ele, o desenrolar do destino de vilões e mocinhos.

Ainda que a era de ouro já estivesse terminando, *Cantando na chuva* (1952) representava perfeitamente a ostentação financeira daqueles anos, em que musicais lotavam as salas de cinema. O filme de Gene Kelly e Stanley Donen é metalinguístico: reflete o fim do apogeu dos musicais e da era muda, e o medo do personagem Don Lockwood (Gene Kelly) de ser substituído por "atores que falam". Ao abordar a relação do artista com a mídia, com os donos dos estúdios e com a própria arte, *Cantando na chuva* se sobressai à média dos musicais por rir de si próprio e mostrar que o talento, acima de tudo, é o que garante a fama e a alegria de um artista. Não tão ousado, mas outro sucesso retumbante foi *A noviça rebelde* (1965), mais um musical trazido da Broadway, que tinha elenco bem escalado, trilha sonora afinadíssima e uma das aberturas mais famosas de Hollywood – em que acompanhamos do alto a personagem de Julie Andrews correndo pelos campos.

Com seus altos e baixos, os musicais sempre estiveram presentes em Hollywood – embora muitas vezes limitassem o talento de ícones da atuação como Marilyn Monroe, que felizmente foi bem aproveitada nas mãos de diretores como Howard Hawks em *Os homens preferem as loiras* (1953). Às vezes acontecia o contrário: o filme tinha um elenco mal escalado, mas este era compensado pelo pioneirismo na abordagem quase shakespeariana de dramas adolescentes, caso de *Amor, sublime amor* (1961), adaptação da Broadway para o cinema assinada por Robert Wise.

Frank Sinatra e Grace Kelly estrelaram *High society* (1956), que marcou no imaginário popular os olhos azuis do cantor. Isso encorajou até mesmo Elvis Presley a estrear no cinema, com *Ama-me com ternura* (1956), início de uma série de filmes musicados que focavam em seu charme e não em sua aptidão para atuar. O astro aproveitou a era do rock como forma máxima de expressão da rebeldia juvenil. Porém, depois que ele serviu o exército, seus filmes começaram a se tornar cada vez mais certinhos e cansativos, até mesmo nos musicais.

FILMES ESSENCIAIS
Ouro e maldição (1924)
O médico e o monstro (1931)
Scarface – A vergonha de uma nação (1932)
King Kong (1933)
Branca de Neve e os sete anões (1937)
Levada da breca (1938)
A cidadela (1938)
...E o vento levou (1939)
O mágico de Oz (1939)
Ninotchka (1939)
Fantasia (1940)
Correspondente estrangeiro (1940)
Casablanca (1942)
Ser ou não ser (1942)
Por que lutamos (1943-1945)
Cantando na chuva (1952)
Os homens preferem as loiras (1953)
Janela indiscreta (1954)
Um corpo que cai (1958)
Amor, sublime amor (1961)
Mary Poppins (1964)
A noviça rebelde (1965)

Faroeste

Tão populares foram os faroestes ao longo das décadas que até mesmo historiadores não americanos chegaram a considerá-los um gênero cinematográfico. Contudo, ainda que tenha sido assistido no mundo inteiro e referenciado na cinematografia de outros países (*spaguetti western*, Itália), o faroeste não é um gênero cinematográfico – como a comédia, o drama, o musical. Afinal, está intrinsecamente ligado a especificidades da história dos Estados Unidos, ao contrário dos verdadeiros gêneros, que compartilham códigos e características em comum, não importando a cultura e a história do país (cenas de pastelão vistas em comédias japonesas, brasileiras, francesas etc.). Mas não há dúvida de que o faroeste ajudou, e muito, a fortalecer a indústria hollywoodiana ao redor do planeta, ainda que acompanhado de polêmicas – como ter transformado os índios em obstáculos para a conclusão do Destino Manifesto (crença comum entre os primeiros imigrantes brancos de que todo o território ao Norte, entre o Atlântico e o Pacífico, deveria ser ocupado por eles). Foi em virtude de todas as suas polêmicas, inclusive, que os faroestes ganharam pouquíssimos Oscars, se considerarmos a quantidade de filmes produzidos, o lucro obtido com eles pelos estúdios e a longevidade do tema.

Com quase todas as histórias localizadas a Oeste do rio Mississipi, e com tramas ambientadas entre 1865 e 1890, o faroeste tem raízes muito anteriores ao próprio surgimento do cinema – da música colonial à literatura de James Fenimore Cooper, passando por romances açucarados dos séculos 18 e 19. Mas quando as grandes aventuras do homem branco chegam aos cinemas, sobretudo após o advento da linguagem hollywoodiana, os fatos históricos deram lugar à construção de mitos do Oeste distante, como a do homem branco livre e íntegro, cheio de pecados, mas de alma pura. Essa imagem do bravo aventureiro conquistador de terras ganhou cada vez mais espectadores masculinos ao longo da primeira metade do século 20. E, mesmo quando o faroeste teve sua maior queda de prestígio – durante e após a Segunda Guerra Mundial e a Guerra do Vietnã –, esse tipo de produção conseguiu se adaptar aos novos tempos, rever suas formas narrativas e manter-se como uma opção lucrativa de entretenimento.

O grande roubo do trem (1903) não foi apenas o primeiro faroeste da história do cinema como trouxe, também, o primeiro caubói, Bronco Billy. Mas foi nas mãos de D. W. Griffith que o faroeste realmente deu um salto de qualidade estética e narrativa. O uso da montagem alternada tornou seus filmes cheios de carga dramática, emocionando plateias imensas, do curta *Fighting blood* (1911) ao seu último épico mudo, *América* (1924). Contemporâneo, Thomas H. Ince foi outro diretor fundamental para os faroestes, popularizando o uso de roteiros ricos em diálogos e detalhes de personagens, cenários, objetos e luz, hoje muito comuns, mas raros na época.

Mas o maior nome do faroeste de todos os tempos foi John Ford. Antes mesmo de dirigir seus maiores filmes, no final dos anos 1910, ele já havia feito mais de 20 longas. Quando o faroeste deu os primeiros sinais de cansaço, Ford dirigiu *No tempo das diligências* (1939), narrativa sofisticada que apresentava conflitos morais e protagonistas dúbios até então raros nos *westerns*. Além de ter locações esplendorosas, o filme marcou mesmo pela densidade e diversidade dos personagens, inesquecíveis. Foi o começo do fim da era de ouro dos faroestes, uma vez que os Estados Unidos se urbanizavam rapidamente e a Segunda Guerra tiraria a "inocência" do Destino Manifesto, com suas fronteiras sem limites a ser conquistadas.

Dois bons exemplos do que se consideram faroestes clássicos são *Paixão dos fortes* (1946), de John Ford, e *Os brutos também amam* (1953), de George Stevens. O primeiro é protagonizado por Henry Fonda e ambientado numa cidade onde igreja e escola tomaram o lugar de ladrões de gado e índios bêbados. O segundo tem um *cowboy* com passado inglório que liberta uma cidade de vilões e volta ao mundo selvagem. Em ambos, existe a luta entre os fora da lei e a lei, fazendeiros e empregados oprimidos, índios, negros e mulheres como pessoas muito menos importantes que o homem branco.

Mas os estúdios de Hollywood adaptaram os *westerns* aos novos tempos do pós-guerra: o chamado faroeste psicológico tinha tramas e personagens ainda mais inadaptados à urbanização e à civilização, e os valores do herói branco eram colocados em xeque. Talvez um bom exemplo seja *Matar ou morrer* (1952), de Fred Zinnemann, no qual o mocinho entra em crise por defender uma sociedade violenta e inescrupulosa. Quando o faroeste deu sinais de cansaço irreversível, John Ford retomou a parceria com John Wayne em *Rastros de ódio* (1956), tirando a mácula de filme B que assombrava os faroestes e antecipando a renovação temática ao mostrar o Velho Oeste de forma mais áspera e menos inocente, onde *cowboys* nem sempre são mocinhos e índios nem sempre são vilões. *Rastros de ódio* é uma obra-prima, talvez a maior de Ford e Wayne: subverte a imagem mítica do *cowboy* com atuações soberbas e uma direção de fotografia que enche os olhos mesmo de quem não é fã de *westerns*.

Os anos 1960 mudaram novamente o perfil do *cowboy*, em clássicos como *O homem que matou o facínora* (1962), de John Ford. Carregado de símbolos em sua narrativa, o filme mostra um senador já idoso retornando a Shinbone, agora uma próspera cidade, para o enterro de Tom Doniphon (John Wayne), *cowboy* outrora admirado e valente que morreu quase como indigente e cujo enterro foi pago pela cidade. Os *flashbacks* transmitem a clara mensagem de que os tempos gloriosos do faroeste ficaram para trás. Outra película fundamental da época foi *Meu ódio será tua herança* (1969), de Sam Peckinpah. Nele, a linha já tênue que dividia vilões de mocinhos é apagada de vez e o faroeste como conhecíamos vai sumindo simbolicamente a cada cena, pois o filme mostra, talvez de forma mais fidedigna ao Velho Oeste real, inocentes morrendo no fogo cruzado entre inimigos.

O faroeste também se adaptou aos tempos da televisão, graças a diretores como Robert Altman, Sam Peckinpah e Arthur Penn. Estúdios como a Universal passaram a produzir inúmeros faroestes de baixo orçamento para a televisão, os chamados faroestes B, já que o público da TV não se importava tanto, à época, com roteiros simplórios, desde que houvesse bangue-bangue.

A Guerra do Vietnã provocou o maior baque no prestígio dos ideais propagados pelos faroestes, deixando esse tipo de produção bem longe dos grandes investimentos dos estúdios. No entanto, é dessa época a contribuição europeia para a renovação desse tipo de produção: o *western spaguetti*. O primeiro filme nessa linha foi *Armas selvagens* (1962), coprodução anglo-espanhola dirigida por Michael Carreras, embora grande parte das produções fosse filmada na Itália.

O grande diretor desse período foi o italiano Sergio Leone. Ele começou a carreira em *Ladrões de bicicleta* (1948) e depois foi assistente de direção em *Ben-Hur* (1959). Após uma série de trabalhos nessa função, Leone escalou Clint Eastwood para protagonizar *Por um punhado de dólares* (1964) – num momento em que os faroestes tinham caído de 30% da produção norte-americana, nos anos 1950, para apenas 10% nos anos 1960. O diretor deixou de lado os temas tradicionais e patrióticos dos faroestes anteriores para dar lugar a uma ambientação europeia da trama e da fotografia, com violência acentuada, ao gosto da década. O filme faz parte de uma trilogia, seguido por *Por uns dólares a mais* (1965) e *Três homens em conflito* (1966). Essas são as obras mais emblemáticas do chamado *western spaguetti*. O primeiro, inspirado em *Yojimbo* (1961), de Akira Kurosawa, não tem personagens bondosos. Clint Eastwood é um pistoleiro egoísta com poucos momentos de bom-mocismo. Nos filmes de Leone, as trilhas de Ennio Morricone dão o tom dramático das histórias. O diretor sacudiu também o faroeste tradicional em *Era uma vez no Oeste* (1968) – história cheia de *flashbacks*, contada de modo confuso, porém surpreendente para a época, que inspirou diversos diretores, como Sam Peckinpah e Stanley Kubrick. Mas outros diretores também contribuíram para o gênero. Sergio Corbucci, por exemplo, dirigiu *Django* (1966), um dos filmes mais violentos da época, em que o anti-herói Franco Nero caça o inimigo num ambiente lamacento. Outro italiano, Gianfranco Parolini, marcou a produção desses *westerns* com a trilogia *Sabata* (1969-1971). Considerado o último faroeste *spaguetti* clássico, *Keoma* (1976), de Enzo Castellari, mostra o protagonista homônimo (de aparência *hippie*, diga-se de passagem) voltando para casa e entrando em conflito com bandidos sádicos.

E, novamente, quando se achava que a produção viraria coisa do passado, eis que Clint Eastwood produziu a obra-prima *Os imperdoáveis* (1992). Na trama, quando dois *cowboys* esfaqueiam uma prostituta, as colegas dela juntam dinheiro para pagar um pistoleiro para se vingar deles. Elas chamam William Munny (Clint Eastwood), que na primeira cena no filme é visto caindo entre porcos imundos em sua pequena propriedade, onde cuida sozinho dos filhos. De início ele nega a proposta, dizendo que, antigamente, era movido a álcool e muita violência (a quebra do mito do herói). Mas, como precisa do dinheiro para os filhos, aceita a missão. Ao longo da aventura, porém, todas as suas fragilidades são postas em evidência, mostrando que o branco desbravador do Oeste era, de fato, apenas um mito do cinema.

No século 21, o faroeste diminuiu consideravelmente sua presença nas telas, mas ainda assim adotou novas roupagens para sobreviver. Conseguiu abraçar temáticas homossexuais, como no premiado *O segredo de Brokeback Mountain* (2005), de Ang Lee. Inverteu os clichês do negro submisso em *Django livre* (2012), de Quentin Tarantino. Ganhou personagens densos e um roteiro muito mais complexo com *Bravura indômita* (2010) e *Onde os fracos não têm vez* (2007), ambos dos irmãos Joel e Ethan Coen, e abriu espaço para revisitações do faroeste clássico, como *Os indomáveis* (2007), de James Mangold.

FILMES ESSENCIAIS
América (1924)
No tempo das diligências (1939)
Paixão dos fortes (1946)
Matar ou morrer (1952)
Os brutos também amam (1953)
Rastros de ódio (1956)
Armas selvagens (1962)
O homem que matou o facínora (1962)
Por um punhado de dólares (1964)
Por uns dólares a mais (1965)
Três homens em conflito (1966)
Django (1966)
Era uma vez no Oeste (1968)
Meu ódio será tua herança (1969)

Continua →

Continuação →

Keoma (1976)
Os imperdoáveis (1992)
O segredo de Brokeback Mountain (2005)
Onde os fracos não têm vez (2007)
Os indomáveis (2007)
Bravura indômita (2010)
Django livre (2012)

Cinema *noir*

Assim como o faroeste, o *noir* tampouco é um gênero. Ainda que popular nos Estados Unidos a partir dos anos 1940, o termo foi criado pelos franceses no pós-guerra – especificamente pelo crítico Nino Frank, em 1946 – para designar obras norte-americanas de fotografia densa e escura e uma narrativa quase sempre negativa e fatalista da sociedade daquele país, contrariando o otimismo e o *happy ending* típicos de Hollywood até então. A categorização desses filmes pela crítica francesa se tornou tão conhecida que os próprios norte-americanos começaram a adotar o termo a partir dos anos 1950.

Relíquia macabra (1941), de John Huston, é considerado por muitos historiadores o primeiro filme *noir* dos estúdios, dando largada a uma série de películas que colocavam protagonistas pouco íntegros, muito cínicos, impiedosos e solitários em cenários urbanos hostis – tudo com forte contraposição ao universo feliz dos musicais. O início da Segunda Guerra Mundial aumentou ainda mais a popularidade desses filmes, realçando o clima de paranoia, medo e fatalismo. A fotografia com iluminação *chiaroscuro* ganhou espaço permanente, dando fama a fotógrafos como Arthur Edeson, um dos melhores da era *noir* clássica.

Esse tipo de produção se inspirou fortemente em seu primeiro e maior filme: *Cidadão Kane* (1941), de Orson Welles. Esse jovem príncipe do "feudo hollywoodiano" se tornou conhecido no país por meio de uma brincadeira no rádio em 1938, quando a Columbia Broadcasting System (CBS) interrompeu sua programação musical para noticiar uma invasão de marcianos. Na verdade, tratava-se de uma peça de radioteatro (adaptação de *Guerra dos mundos*, de H. G. Wells) que levou a rádio à liderança de audiência e o país ao pânico generalizado. Em vez de ser demitido, o autor da interpretação ganhou um contrato milionário no estúdio RKO para fazer o filme que quisesse. Em 1941, Orson Welles tinha apenas 25 anos quando lançou *Cidadão Kane*, um dos maiores filmes norte-americanos de todos os tempos, obra que se tornou referência imagética e narrativa para o cinema *noir*. Esse drama grandiloquente conta a história do magnata da mídia Charles Foster Kane, inspirado no empresário William Randolph Hearst – que inclusive usou seu império midiático para tentar derrubar o filme. Mas Hearst não teve sucesso, e o longa foi a sexta maior bilheteria do ano. Porém, das nove indicações ao Oscar, o "maior filme americano de todos os tempos", como muitos críticos o chamavam, levou apenas uma estatueta, a de melhor roteiro original. Misturando elementos de documentário com ficção, a obra sacudiu a já travada fórmula hollywoodiana, com um começo enigmático (Rosebud), profundidade de câmera até então inédita, enquadramentos ousados, desapego ao *happy ending* e direção de fotografia que serviria de referência para os demais diretores do cinema *noir* – e até para a futura escola francesa intitulada *Nouvelle Vague*.

Cidadão Kane perdeu nas categorias melhor filme, melhor direção e melhor fotografia para *Como era verde meu vale* (1941). Foi a oportunidade encontrada pela Academia para premiar o talento de John Ford sem precisar dar estatuetas

Cidadão Kane (1941): injustiçada pelo Oscar, obra de Orson Welles é um dos maiores filmes de todos os tempos feitos em Hollywood

aos controversos faroestes, já que esse filme é um belíssimo drama de memória passado na Irlanda, terra da família do diretor.

O fato é que *Cidadão Kane* expôs o talento de um dos maiores diretores de fotografia dos Estados Unidos: Gregg Toland. Estudioso dos conceitos de montagem dentro do plano, Toland aproveitou, em 1938, o surgimento das películas de ASA 64 a 120 criadas pela Kodak e Agfa para manipular a abertura da objetiva sem prejudicar a iluminação, uma vez que essas películas eram mais sensíveis. Isso permitia "distorções visuais" como as vistas no filme de Welles, no qual foram usadas lentes de 24 mm, criando o "efeito balão" – expansão do centro da imagem que joga o fundo para longe da câmera, diminuindo ou aumentando a perspectiva para manipular as distâncias de objetos e pessoas. Além disso, ficou notório pela combinação de diversos fatores, como o uso de superposições sonoras, diálogos naturalistas e narrativa com múltiplos pontos de vista.

Outros filmes que despertaram a atenção dos críticos para essa nova estética narrativa foram obras como *Pacto de sangue* (Billy Wilder, 1944) e *Um retrato de mulher* (Fritz Lang, 1944). A estética *noir* se popularizou nos estúdios de Hollywood graças à chegada, na década anterior, de grandes cineastas alemães fugidos da Alemanha nazista, como o próprio Lang. Outros diretores que também fugiram do nazismo – a exemplo de Billy Wilder, Robert Siodmak e Michael Curtiz – levaram influências do Expressionismo alemão e de outras vanguardas europeias para Hollywood, não só pela fotografia contrastante como pela temática e construção de personagens. O *noir* mostrava os Estados Unidos como um lugar ambíguo e conturbado, com homens obcecados por dinheiro e mulheres que não se importavam com questões morais.

Um dos grandes filmes *noir* foi *Crepúsculo dos deuses* (1950), de Billy Wilder, um drama sombrio sobre a decadência das estrelas da era muda. Gloria Swanson vive Norma Desmond, estrela esquecida na era falada, moradora de uma mansão em ruínas. Nela, aparece por acaso um roteirista fracassado (William Holden). É de Norma a frase mais emblemática do cinema de Hollywood: "Eu sou grande. Foram os filmes que ficaram pequenos!" A terceira ponta do elenco é o mordomo interpretado por Erich von Stroheim, que aceitou o convite do diretor para um "papel menor" justamente como crítica e referência à era muda e à decadência de Hollywood. Igualmente metalinguístico é outro grande filme de Billy Wilder, *A Montanha dos Sete Abutres* (1951). Nele, Kirk Douglas vive um jornalista inescrupuloso que cria notícias sensacionalistas e mentirosas numa pequena cidade. É até hoje um filme referência sobre imprensa e mídia.

Com fortes elementos *noir* e um dos mais bem escritos roteiros sobre os bastidores de Hollywood é *A malvada* (1950), de Joseph L. Mankiewicz, com Bette Davis no papel principal de uma atriz da Broadway cujos tempos áureos já passaram. O filme recebeu 14 indicações ao Oscar, um recorde para a época.

Orson Welles, cujo *Cidadão Kane* serviu de inspiração para o *noir*, é também o diretor considerado autor do último filme *noir* da era clássica. *A marca da maldade* (1958), estrelado por Charlton Heston, Janet Leigh e Marlene Dietrich, conta uma história angustiante de corrupção em uma cidadezinha. Welles também tornou o filme notório tecnicamente, com uma cena de três minutos sem interrupção e uma perseguição final caprichada em termos visuais e sonoros.

A produção desse tipo de película se estendeu por décadas e, ainda que alguns estudiosos não considerem filmes em cores parte do cinema *noir*, é inegável que obras como *Chinatown* (Roman Polanski, 1974) e *Taxi driver* (Martin Scorsese, 1976) têm características *noir* – da densidade perturbada dos personagens à direção de fotografia pesada, urbana e pessimista. Alguns denominam essa fase neo-*noir*, entrando nessa classificação obras como *Blade runner* (Ridley Scott, 1982), *Veludo azul* (David Lynch, 1986) e *Los Angeles: cidade proibida* (Curtis Hanson, 1997). Como se pode ver, não é possível categorizar o *noir* como gênero, uma vez que esses filmes pertencem a gêneros e subgêneros dos mais diversos (drama, ficção científica, policial surrealista etc.). *Noir*, portanto, é a atmosfera que o cineasta constrói por meio da manipulação de diversos elementos fílmicos, da luz ao enquadramento.

Como se percebe, não importa a época: praticamente todos esses filmes compartilham características próximas entre si. Crimes permeiam a narrativa, fruto do pessimismo americano no pós-guerra. A corrupção é generalizada, bem como a hipocrisia e a amoralidade. Sentimentos de paranoia e desconfiança, mentes desajustadas, beirando o fatalismo, tudo ambientado por um ar pesado, claustrofóbico. Os roteiros mesclam referências da literatura policial norte-americana com temas recorrentes do Expressionismo alemão, com muito uso de *flashbacks* e *voice-over* masculina. Sombras, uso de lentes grande-angulares que deformam os personagens, closes, enquadramento *plongée* (câmera alta) e *femmes fatales* (mulheres fortes, determinadas e de caráter tão duvidoso quanto o dos homens) são algumas das características dessas produções que, até hoje, se renovam e encantam o público visualmente.

FILMES ESSENCIAIS
Cidadão Kane (1941)
Relíquia macabra (1941)
Como era verde meu vale (1941)
Pacto de sangue (1944)
Um retrato de mulher (1944)
Crepúsculo dos deuses (1950)

Continua →

Continuação →

A malvada (1950)
A Montanha dos Sete Abutres (1951)
A marca da maldade (1958)
Chinatown (1974)
Taxi driver (1976)
Veludo azul (1986)
Los Angeles: cidade proibida (1997)

O colapso dos estúdios e o cinema moderno

Os estúdios lucraram muito com filmes de propaganda de guerra durante a Segunda Guerra Mundial e no primeiro ano após o conflito. Em 1946, por exemplo, houve recorde de público com filmes como *A canção do Sul*, da Disney, e *Os melhores anos de nossas vidas*, de William Wyler. Mas até mesmo em obras de diretores acostumados a filmes de propaganda, como *A felicidade não se compra*, de Frank Capra, percebia-se um tom sombrio típico daquele momento. Esse momento pesado alterou o uso de luz e sombra. Além disso, as atuações ficaram mais densas. E, para piorar, em 1938 entrou em cena o Comitê de Atividades Antiamericanas do Congresso (HUAC, em inglês), encarregado de identificar simpatizantes do comunismo dentro dos estúdios. Mais de 250 pessoas da elite cinematográfica foram afastadas de suas atividades nos anos subsequentes. Entre seus detratores mais famosos estava o brilhante diretor Elia Kazan, cujo filme *Sindicato de ladrões* (1954) parece provocar/dialogar com seus delatados ao eleger como protagonista um informante da máfia (Marlon Brando). Estava formado o clima de paranoia que paulatinamente encerrou a era de ouro dos estúdios.

Em 1947, a chegada do HUAC a Los Angeles apavorou os estúdios. Muitos deles se prontificaram rapidamente a ajudar o governo na caçada anticomunista. Filmes como *A morte num beijo* (1955) e *Vampiro de almas* (1956) mostravam espiões comunistas e até alienígenas que invadiam a Terra e assumiam o corpo dos seres humanos. Mas o primeiro filme ligado diretamente à Guerra Fria foi *A cortina de ferro* (1948), de William A. Wellman, inspirado em fatos reais sobre um grupo de espiões no Canadá.

Com seu *Anjo do mal* (1953), o diretor Samuel Fuller deixou claro que não apoiava a caça às bruxas. Na trama, espiões comunistas andam livremente em Nova York. Fuller só não foi "caçado" pelo HUAC porque os criminosos eram sempre inferiores aos caçadores capitalistas. Uma obra-prima, com personagens construídos para não ser clichês bem *versus* mal. Seus enquadramentos, intrigas e diálogos inspiraram diversos diretores, como Scorsese e Tarantino. Mesmo assim, o lendário chefão do FBI, J. Edgar Hoover, detestou o filme.

O clima de paranoia contaminou, inclusive, filmes de óvnis, que foram impulsionados por destroços não identificados encontrados no Novo México em 1947. E também as películas de ficção científica, como O incrível homem que encolheu (1957), de Jack Arnold, uma obra boba, mas simbólica do medo do norte-americano em relação à contaminação nuclear. O próprio "caçador de bruxas", o senador Joseph McCarthy, inspirou o personagem principal de Sob o domínio do mal (1962), de John Frankenheimer, numa época em que a Crise dos Mísseis e a morte de John Kennedy deram outro patamar à paranoia norte-americana.

Além de todos esses componentes sociopolíticos, a linguagem clássica também entrou em crise. Ela parecia inocente demais para aqueles pais e filhos que sobreviveram à tragédia nos campos de batalha europeus e asiáticos. Alguns críticos chamam esse momento de "adultização do espectador norte-americano", que passou a exigir tramas mais realistas e menos ingênuas.

A Segunda Guerra Mundial, portanto, foi um grande baque para Hollywood. O retorno dos veteranos também esvaziou as salas de cinema, pois era preferível guardar o dinheiro do ingresso para a reorganização familiar. A economia também entrou em crise e, com isso, as bilheterias despencaram. Mas a lua de mel financeira dos estúdios norte-americanos entrou em declínio de fato no ano de 1948. À época, a Suprema Corte Americana decidiu contra os estúdios num processo antitruste movido por empresários insatisfeitos com o controle absoluto que eles exerciam na cadeia cinematográfica (produção-distribuição-exibição). A decisão, inclusive, exigiu que os estúdios abrissem mão de um desses três elos – obviamente o mercado de exibição, o que custou a perda de quase 50% do faturamento de muitos lançamentos. A ação contra o oligopólio dos estúdios ficou conhecida como "Os Estados Unidos contra Paramount et al.", e era fruto de uma longa pressão antitruste, que alegava que os estúdios agiam contra o comércio ao controlar, juntos, a distribuição e a exibição de filmes. Os estúdios tiveram de cessar a venda de pacotes de filmes para as salas e também suas redes de exibição. Só a Paramount, por exemplo, vendeu todos os seus 1.450 cinemas em 1949. Além disso, ficou proibida a fixação do preço dos ingressos. Para piorar, o cinema voltou a ser um orgulho nacional para países como França, Inglaterra e Itália, derrubando a bilheteria de Hollywood fora dos Estados Unidos.

Quem também pressionou os estúdios pela via da justiça foram os executivos do novo modelo de entretenimento que se tornara a grande ameaça ao cinema: a televisão. As Grandes Irmãs fizeram de tudo para atrapalhar o desenvolvimento dessa plataforma, impedindo a venda de seu acervo ou a contratação de sua equipe técnica e artística, presas a contratos ainda mais restritivos. Mas não adiantou: ainda que houvesse poucas TVs no país, os estúdios perderam na justiça. Para termos uma ideia da força avassaladora da TV, no ano de 1940 havia pouco menos de

4 mil televisores nos Estados Unidos. Duas décadas depois, 90% das casas já tinham o aparelho. As recém-nascidas emissoras de TV passaram a criar séries baseadas nos gêneros mais bem-sucedidos dos estúdios. Em menos de dez anos, os estúdios menores estavam falidos. A fim de tentar se proteger, os grandes investiram em um tipo de entretenimento que as emissoras ainda não conseguiam oferecer, já que os aparelhos eram pequenos, em preto e branco e com sinal nem sempre bom. Hollywood aumentou a produção de épicos, como a refilmagem de *Quo vadis* (1951), *Os dez mandamentos* (1956) e aquele que se tornou um dos maiores sucessos de bilheteria e de indicações ao Oscar até então, *Ben-Hur* (1959). Entrou em cena também o CinemaScope, tecnologia de filmagem e projeção com lentes anamórficas criada pela Twentieth Century Fox em 1953 para filmagem em *widescreen* – formato moderno que se replicou no mundo inteiro.

Por isso, a partir de 1948, com o surgimento de redes de TV e de produtoras que não tinham todos os gastos inerentes a um grande estúdio, a vida das Grandes Irmãs tornou-se mais onerosa. Algumas décadas depois, com a pirataria e os *downloads* ilegais, a situação piorou, forçando os estúdios a lançar os grandes sucessos simultaneamente no mundo inteiro. Durante a era de ouro e um pouco mais adiante, eles podiam se dar ao luxo de esperar esgotar o público das grandes cidades para levar o filme para o interior e para outros países menores. Isso sem contar que o *star system* foi substituído por um "custo de estrelas", no qual os grandes astros ditavam as regras do jogo, e não o contrário. Em vez de lidar com o salário fixo e todas as restrições anteriores, os astros passaram a trabalhar por obra. Para usar um exemplo mais recente: Arnold Schwarzenegger cobrou US$ 29,25 milhões para fazer *O exterminador do futuro 3* (2003), mais US$ 1,5 milhão em benefícios (jatos, limusines...) e 20% de participação na receita do filme, caso desse lucro. Tal salário era inimaginável antes do colapso dos estúdios.

Foi nesse período de crise iniciado no final dos anos 1940 que nasceu uma tecnologia que não vingou na época: o cinema estereoscópico ou 3D, no qual duas câmeras adjacentes filmavam uma cena com quase o mesmo ângulo, replicando o olho humano. Com o uso de óculos especiais, a técnica dava a sensação de tridimensionalidade. O primeiro filme colorido em 3D foi *Bwana, o demônio* (1952), que não teve sucesso e tampouco ajudou a popularizar a tecnologia. *Disque M para matar* (1954), de Alfred Hitchcock, também foi feito em 3D, mas na época o público já estava irritado com o incômodo dos óculos e com os efeitos nada surpreendentes da tecnologia.

O advento da TV, o colapso financeiro dos estúdios e a crise econômica deram força às produções que ficaram conhecidas como filmes B, ou seja, películas de baixo orçamento. Uma das produtoras mais conhecidas nessa área foi a American International Pictures (AIP), que lançava filmes adolescentes de ficção científica, terror e aventura baratos, mas criativos. Um dos grandes produtores de filmes B foi Roger

Corman. Influenciado por técnicas europeias da época e conhecido por colocar cenas rápidas de nudez em seus filmes, Corman era notório por achar soluções criativas para suas histórias quando não havia muito dinheiro para efeitos ou produções grandiloquentes. Como em *O homem dos olhos de raio X* (1963), cujos efeitos especiais tornavam o filme cafona e risível, mas ao mesmo tempo a solução perfeita para tão baixo orçamento. Corman ensinou diversos truques aos futuros grandes mestres de Hollywood, como Francis Ford Coppola, Brian De Palma e Martin Scorsese. Dirigiu, depois, *Viagem ao mundo da alucinação* (1967). Escrito por Jack Nicholson, o filme mostra a história de um diretor de TV viciado em LSD. Estrelado por Peter Fonda e Dennis Hopper, a película brincou com distorções visuais e sobreposições, com edições rápidas de imagem. Assim, se tornou um filme B *cult*, cujas imagens chocavam os norte-americanos e, ao mesmo tempo, remetiam ao impressionismo de Germaine Dulac cinco décadas depois das produções surrealistas da artista.

Apesar de todo esse cenário, houve um lado positivo no colapso financeiro de Hollywood e na adultização do público dos Estados Unidos: a abertura, por parte dos estúdios, a projetos mais arriscados em termos de narrativa, com forte influência dos filmes que vinham do outro lado do Atlântico, especialmente da Itália (Neorrealismo) e da França (*Nouvelle Vague*). Além disso, estamos falando de uma década – os anos 1950 – com características muito particulares. Por exemplo: só em 1957, havia quase 6 mil cinemas *drive-in* espalhados pelos Estados Unidos exibindo filmes de baixo orçamento, os chamados filmes B. A partir da virada da década, porém, o público norte-americano começou a pedir temas que envolvessem drogas, sexo, raça e violência.

Um desses filmes é *Um bonde chamado desejo* (1951), de Elia Kazan, adaptação da peça de Tennessee Williams na qual Kazan trabalhou com temas controversos para a época, como estupro e homossexualidade. Além disso, a atuação de Marlon Brando, que logo depois faria com o diretor *Sindicato de ladrões* (1954), foi impecável. Kazan também teve outra posição importante no cinema: foi cofundador do Actor's Studio, em Nova York. Escola de atuação inovadora para a época, misturava referências que iam do diretor de teatro Constantin Stanislavski a teorias da psicanálise de Sigmund Freud. Foi frequentada por James Dean, Marlon Brando e muitos outros em seguida, incentivando os alunos a acessar seus medos, desejos e traumas reprimidos a favor de uma atuação mais verdadeira.

Para tentar conter a sangria da bilheteria da época, a classificação indicativa para os filmes ficou mais suave. Em 1952, a Suprema Corte eliminou uma decisão que cerceava a liberdade de expressão dos estúdios desde 1915. Isso permitiu, por exemplo, que Otto Preminger usasse a palavra "virgem" em *Ingênua até certo ponto* (1953), o que certamente seria censurado antes. E que Sidney Lumet abordasse de forma direta os direitos sociais em *Doze homens e uma sentença* (1957). Sem essa liberdade, Billy Wilder jamais faria *Quanto mais quente melhor* (1959). Estrelado por Marilyn Monroe, a comédia tinha como pano de fundo o Massacre do Dia de São Valentim – chacina ocorrida em 1929 durante uma disputa entre duas gangues de Chicago –, apresentava uma travesti em cena e mostrava assassinatos em massa. A suavização da censura e da classificação indicativa permitiu, também, abordar temas e exibir cenas mais fortes, de nudez e violência, por exemplo. Outro filme de destaque à época foi *Tudo que o céu permite* (1955), de um dos grandes nomes de melodramas do cinema, Douglas Sirk. Com direção de arte e fotografia estonteantes, o filme fala de um casamento de aparência mantido por pressões da sociedade de uma pequena cidade e da crítica que Cary (Jane Wyman) sofre ao ter um caso com seu jardineiro (Rock Hudson). O filme inspirou Todd Haynes em *Longe do paraíso* (2002). Protagonizado por Julianne Moore, a película acrescentou a homossexualidade e o racismo no caldeirão de críticas às convenções sociais. Curiosamente, o astro da versão de Sirk, Rock Hudson, era gay e, à época, escondeu a orientação sexual se casando com uma secretária.

Outro astro que supostamente também era gay – fontes de Hollywood diziam que ele tivera um tórrido relacionamento com Marlon Brando –, mas viveu um galã aventureiro de derreter o coração das mulheres foi James Dean. O ator protagonizou *Juventude transviada* (1955), de Nicholas Ray, uma dura crítica ao *baby boom*, geração pós-guerra que cresceu na abundância econômica e sem as agruras do conflito. Para fazer o longa, Ray não se prendeu ao livro homônimo, cujos direitos haviam sido adquiridos pela Warner Bros., tampouco à opinião e aos livros de psicólogos e pedagogos. Foi para a rua conversar diretamente com jovens rebeldes como Frank Mazzola, adolescente encrenqueiro de Los Angeles cuja consultoria sobre a cultura das gangues de rua ao diretor lhe rendeu até uma ponta no filme. Este fala dos rebeldes sem causa, angustiados em meio a relacionamentos hipócritas, como o dos pais de Jim Stark (Dean), que mimam o filho, mascarando sua rebeldia ao mudar de cidade a cada surto do garoto. O filme transcendeu a própria fama pela morte violenta do ator e também pela vida conturbada da mocinha, vivida por Natalie Wood. Dean também foi protagonista de outro importante filme da época, *Vidas amargas* (1955), de Elia Kazan. O fato é que Nicholas Ray foi um dos grandes nomes do cinema moderno dos Estados Unidos. Outras três produções fundamentais do diretor foram *Amarga esperança* (1948), *No silêncio da noite* (1950) e *Johnny Guitar* (1954) – este último um filme de baixo orçamento que criticou abertamente a caça às bruxas (simpatizantes do comunismo) à época e colocou Joan Crawford num papel de mulher forte que enfrenta um mundo masculinizado e violento.

O próprio Hitchcock percebeu claramente essa mudança do gosto do público e pegou carona nessa nova tendência, sendo *Psicose* (1960) seu exemplo máximo. No primeiro terço do filme, a mocinha Lila Crane (Vera Miles) é brutalmente esfaqueada no chuveiro. Mas o importante é notar, aqui, que Hitchcock mudou seu estilo de filmar para intensificar a violência da cena e o gosto do público naquele momento. O diretor inglês filmou a cena com trechos bem curtos, durante uma semana, e usando 70 ângulos distintos, tudo para uma sequência de apenas 45 segundos. Com essa "fórmula", fez a película render 20 vezes seu custo e estabeleceu um novo padrão para filmes de violência. E, embora estejamos falando de uma época em que o cinema dos Estados Unidos estava importando referências e ousadias dos europeus, o método hitchcockiano é um exemplo no lado oposto do Atlântico.

Porém, apesar de obras bem-sucedidas em crítica e algumas boas bilheterias, os estúdios ainda insistiam na velha fórmula pré-colapso. Às vezes acertavam, como aconteceu com a adaptação do romance de Boris Pasternak *Doutor Jivago* (1965), épico de 197 minutos sobre a sociedade russa no início do século 20, com sequências de ação magníficas. Mas o maior exemplo da derrocada final da era de ouro foi a milionária produção por trás de *Cleópatra* (1963) – que, apesar da inesquecível atuação de Elizabeth Taylor, quase quebrou a Twentieth Century Fox. Isso levou os estúdios a repensar seu rumo e a abrir as portas para um novo ciclo de produções, mantendo as contribuições do cinema moderno, mas com produções menos caras, mais controladas por produtores e mais ousadas em termos narrativos.

FILMES ESSENCIAIS
A felicidade não se compra (1946)
A cortina de ferro (1948)
Um bonde chamado desejo (1951)
Anjo do mal (1953)
Sindicato de ladrões (1954)
Disque M para matar (1954)
Johnny Guitar (1954)
Vidas amargas (1955)
A morte num beijo (1955)
Tudo que o céu permite (1955)
Juventude transviada (1955)
Doze homens e uma sentença (1957)
Quanto mais quente melhor (1959)
Ben-Hur (1959)

Continua →

Continuação →

Psicose (1960)
Sob o domínio do mal (1962)
O homem dos olhos de raio X (1963)
Cleópatra (1963)
Doutor Jivago (1965)

Nova Hollywood e a era dos *blockbusters*

O termo "Nova Hollywood" não designa propriamente um movimento cinematográfico, mas um "momento cinematográfico" importante da indústria norte-americana. O Neorrealismo italiano, nos anos 1940-1950, e posteriormente a *Nouvelle Vague*, nos anos 1960-1970, influenciaram sobremaneira muitos diretores dos Estados Unidos, que buscavam inovar, por exemplo, afastando-se da fórmula clássica vigente desde 1915. Esse período vai do início dos anos 1960 até o advento dos *blockbusters*, em 1977, com *Star wars*, de George Lucas.

Há outras três importantes influências, tanto para os filmes da Nova Hollywood quanto para a era de *blockbusters* que vem em seguida. Em primeiro lugar, nesse período começaram a se consolidar importantes escolas de cinema dos Estados Unidos – UCLA, New York Film Academy, USC (Los Angeles), American Film Institute, Columbia University etc. Os alunos dessas instituições souberam mesclar influências do bom cinema europeu com o aprendizado *business* voltado para os estúdios. Em segundo, o processo antitruste de 1948 baixou a guarda dos estúdios. Em crise, eles abriram o orçamento para filmes de maior risco ou experimentação, buscando uma saída/renovação que tirasse as bilheterias do marasmo.

Em terceiro lugar, e não menos importante, os anos 1960 tiveram classificações indicativas menos rigorosas nos cinemas dos Estados Unidos, uma forma – um tanto hipócrita – de o governo ajudar os estúdios a recuperar a bilheteria dos velhos tempos. Com isso, pela primeira vez, uma fatia maior dos norte-americanos pôde ver, por exemplo, cenas de nu frontal de filmes europeus – especialmente da *Nouvelle Vague* – estrelados por Brigitte Bardot e Jeanne Moreau.

O marco inicial desse novo cinema é *Bonnie e Clyde – Uma rajada de balas* (1967), de Arthur Penn. Nas primeiras cenas já se vê um estilo mais ousado de narrativa, com pouca música, as costas nuas de Faye Dunaway e movimentos fálicos (o refrigerante na boca de Bonnie e a arma na mão de Clyde), além de enquadramentos pouco usuais e trama não protagonizada por mocinhos. Violência e sexualidade em alta como raramente se tinham visto no país. Outro filme notório desse período foi *A primeira noite de um homem* (1967), de Mike Nichols. Nele, o estudante Benjamin Braddock (Dustin Hoffman), sem rumo, se envolve sexualmente com uma mulher mais velha e com a filha dela. Com diálogos muito mais sofisticados do que as do cinemão clássico e uma atuação naturalista de Hoffman e de Anne Bancroft, que interpretou Mrs. Robinson, o filme sacudiu a vidinha pacata e falsa da classe média norte-americana da época. Claramente, o diretor teve ampla liberdade e ousadia. Braddock simbolizava a rebeldia dos jovens contra as regras sociais e os formatos familiares tradicionais.

Em paralelo à Nova Hollywood, surgiu também o cinema independente ou *indie*. Enquanto os diretores da primeira eram ligados aos estúdios, mas tinham mais liberdade autoral, no cinema independente quase toda a produção passava ao largo dos estúdios; eram filmes de ideias muito pessoais, às vezes ligados à contracultura e cujos direitos das obras eram retidos pelos próprios diretores. Não que fosse algo novo, visto que artistas como Andy Warhol, Robert Altman e George A. Romero haviam produzido obras nesse padrão nas décadas anteriores. Mas foi nos anos 1970 que surgiu um dos maiores ícones do cinema *indie* norte-americano: John Cassavetes. Seu primeiro trabalho de destaque foi *Sombras* (1958). Rodado com US$ 20 mil e uma altíssima dose de improvisação a cada cena, o filme acompanha a história de três afro-americanos em Nova York. Foi influenciado pelo Neorrealismo italiano e pelo Actor's Studio, sendo considerado um dos precursores do chamado novo cinema americano, como também é conhecida parte da produção desse período. Cassavetes também foi diretor de obras-primas como *Uma mulher sob influência* (1974), estrelado por sua mulher, Gena Rowlands, no papel de uma dona de casa perturbada e refratária às regras sociais vigentes. Com baixíssimo orçamento, a película, que foi filmada na casa do próprio diretor, foi descoberta por Martin Scorsese, que ajudou a distribuí-la. Após os anos 1970, outros diretores também fizeram bons filmes independentes, como John Sayles com *Matewan – A luta final* (1987), sobre os efeitos do autoritarismo, e Jim Jarmusch, cujo estilo icônico já pode ser visto desde sua primeira grande produção, *Estranhos no paraíso* (1984), até sua série de curtas, *Coffee and cigarettes* (1986).

Nos anos 1980, o cinema independente dos Estados Unidos ganhou um forte porta-voz com o surgimento do Sundance Festival, em 1982, parte de uma reação ao conservadorismo da era Reagan. Sundance não enfoca apenas o cinema independente, mas seus destaques são diretores autorais, muitos deles cuja carreira deslanchou graças ao próprio festival, como Steven Soderbergh e seu *Sexo, mentiras e videotape* (1989) e Robert Rodriguez e seu *El mariachi* (1992), ambos filmes de baixo orçamento e vencedores de prêmios em Cannes, no Oscar e, claro, em Sundance. O cinema independente possibilitou experimentações com diversas temáticas, como o universo adolescente (*Kids*, 1995, de Larry Clark) e crime e vingança (*Buffalo 66*, 1998, de Vincent Gallo). Não tão independente, porém bem autoral, Sofia Coppola ganhou elogios por direção, roteiro e atuação de filmes como *As virgens suicidas* (1999) e *Encontros e desencontros* (2003).

A Nova Hollywood também surgiu graças à contribuição de cineastas estrangeiros contratados pelos estúdios. Um exemplo é *À queima-roupa* (1967), do inglês John Boorman, sobre um matador frenético, fortemente influenciado pela *Nouvelle Vague*. *Perdidos na noite* (1969), do também inglês John Schlesinger, retratou as classes mais pobres dos Estados Unidos e a prostituição masculina, com Jon Voight e Dustin Hoffman nos papéis centrais. Já o franco-polonês Roman Polanski apavorou as plateias com *O bebê de Rosemary* (1968), estrelado por Mia Farrow e John Cassavetes. Ambientado num apartamento sinistro de Nova York, o filme acompanha a gravidez conturbada da protagonista perante uma conspiração do marido com vizinhos adoradores do diabo, que querem trazer o anticristo ao mundo. O filme tem um clímax ao mesmo tempo terrível e sentimental, e uma trilha que marcou gerações.

Mas, como um pêndulo, Hollywood se voltou, a partir do final dos anos 1970, para o *mainstream* menos sexualizado, igualmente violento e mais voltado para o sucesso comercial. Para competir com a televisão, os estúdios concentraram recursos em poucos filmes, a fim de garantir espetáculos cinematográficos dignos de *widescreen*. Porém, é importante lembrar que a nostalgia pelo retorno de uma era próspera de Hollywood se arrastou por todos os anos 1970. Basta lembrar que, em 1946, dois anos antes do colapso, os Estados Unidos vendiam em média 78,2 milhões de ingressos por semana, enquanto no início dos anos 1970 o número de ingressos não passava de 16 milhões por semana. A Twentieth Century Fox arcou com um prejuízo de US$ 77 milhões em 1971, enquanto o estúdio mais sofisticado de Hollywood, a MGM, só não fechou graças à sua cadeia de hotéis em Las Vegas e em outras cidades.

Alguns filmes prepararam o terreno para essa nova era, marcando o início da recuperação financeira de Hollywood. Robert Altman fez sucesso com *M*A*S*H* (1970); ambientada na Guerra da Coreia, a película retrata um grupo de cirurgiões e suas operações horripilantes, regadas a coquetéis e golfe, vivendo num mundo de fantasia em meio ao horror ao redor. É dele, também, o belíssimo *Nashville* (1975), em que várias histórias se entrelaçam ao longo de cinco dias, quando um festival de música e uma campanha política cruzam caminhos – aqui, Altman compara o cinismo político com o amoralismo da indústria do entretenimento. Dessa mesma época, filmes-catástrofe como *O destino do Poseidon* (Ronald Neame, 1972), *O exorcista* (William Friedkin, 1973) e *Terremoto* (Mark Robson, 1974) também angariaram muito público.

A era dos *blockbusters* ainda não tinha começado, mas já aparecia no horizonte em virtude das novas características de produção, como a prioridade para grandes efeitos especiais. Porém, como eles custam muito caro, acabaram derrubando o número de filmes produzidos pelos estúdios, enquanto o custo típico de um filme quintuplicou. Ao mesmo tempo, para evitar o risco de um fracasso de bilheteria, intensificou-se o que já existia antes, mas agora de forma sofisticada, os chamados *previews* – sessões prévias para uma amostragem bem selecionada de espectadores, convidados (e até pagos) para comentar suas impressões sobre todas as cenas dos filmes. Aquelas que sofriam mais rejeição eram cortadas, enquanto as mais envolventes podiam ser até estendidas na montagem final. A fim de reduzir custos, a produção foi alinhada com um novo perfil de exibição: salas multiplex, bem menores, para possibilitar mais filmes em cartaz num mesmo local.

A era dos *blockbusters* se deu nas mãos dos chamados *movie brats*, como ficaram conhecidos os cineastas geniais – quase todos com formação acadêmica, mas grande tino para o cinema comercial. Eram diretores brancos e formados nas grandes universidades norte-americanas, que se conheciam, frequentavam as festas um do outro e compartilhavam ideias, atores e namoradas, numa rivalidade profissional que só beneficiou Hollywood.

Um dos primeiros *movie brats* foi Francis Ford Coppola, que iniciou, em 1972, a trilogia milionária de *O poderoso chefão*. O primeiro filme sacudiu a já combalida fórmula dos filmes de gângsteres, trazendo chefões da máfia com dilemas psicológicos mais profundos e menos estereotipados. O roteiro, escrito com o autor do livro homônimo, Mario Puzo, é tão rico em detalhes dos relacionamentos internos da família que chegou a irritar os italianos, que repudiaram o filme por criar um

O poderoso chefão (1972): Francis Ford Coppola criou o mafioso mais paradigmático do cinema, interpretado por Marlon Brando

estereótipo mundial do país. Coppola foi habilidoso ao dar densidade quase ímpar ao personagem de Michael Corleone (Al Pacino), transformando-o de jovem íntegro a chefe da família mafiosa. Além disso, Coppola só decidiu adaptar o livro quando viu nele a oportunidade de criar uma metáfora – do primeiro ao terceiro filme – sobre a expansão do capitalismo dos Estados Unidos, das treze colônias iniciais aos rincões do planeta e sua decadência.

Logo em seguida, um jovem de 27 anos recém-chegado à indústria abalou o sistema hollywoodiano. Em seu *Tubarão* (1975), Steven Spielberg reuniu enquadramentos espetaculares (câmera semissubmersa), trilha musical (John Williams) em momentos precisos, um roteiro afiado na composição do xerife protagonista e efeitos especiais que, embora um tanto risíveis, levaram a plateia ao delírio. Embora a prática que desenharia a era de *blockbusters* ainda não tivesse começado, em *Tubarão* ela dava sinais mais claros, pois a Universal gastou, pela primeira vez, US$ 700 mil só em anúncios de 30 segundos do filme na TV, lançando-o em inéditas 400 salas de uma só vez. Os lucros vieram na mesma megalomania que a estratégia.

Os estúdios estavam respirando liberdade e ousadia. Mesmo não sendo um filme preparatório para a nova era, é inegável a contribuição de *Todos os homens do presidente* (1976), de Alan J. Pakula. A película foi inspirada na história real dos jornalistas Bob Woodward e Carl Bernstein, do *The Washington Post*, que revelaram a rede de corrupção que ficara conhecida como escândalo de Watergate e derrubara, dois anos antes do filme, o presidente Richard Nixon. Embora se passe em cenários "monótonos" como uma redação de jornal, o roteiro de William Goldman conseguiu manter o fôlego do filme até o final da trama, graças também a atuações impecáveis de Dustin Hoffman, Robert Redford e Jason Robards.

O próximo *movie brats* a preparar o tapete da era dos *blockbusters* foi Brian De Palma, com *Carrie, a estranha* (1976) – melodrama de terror gótico e talvez a adaptação mais fiel ao livro de Stephen King até hoje. Depois dele veio o amigo Martin Scorsese com *Taxi driver* (1976). Filme *noir*, *Taxi driver* centraliza a narrativa na transformação psicológica de Travis Bickle (Robert De Niro) de taxista paranoico a assassino frio de impulsos fascistas, na Nova York imunda e violenta dos anos 1970. A densidade de personagem atingida é coisa rara, até hoje, num filme de estúdio, e foi intensificada pela fotografia onírica e alucinógena de neons, bem como pela trilha musical sofisticada e pela bela atuação de Jodie Foster, que tinha apenas 18 anos. Seu filme seguinte, *Touro indomável* (1980), em outra atuação estupenda de Robert De Niro, é considerado por muitos críticos a melhor película da década.

Coppola, Spielberg e Scorsese deixaram o cenário pronto para a estreia oficial da era dos *blockbusters*, que aconteceu dois anos depois com George Lucas e seu *Star wars* (1977). O filme inaugurou uma série de características que se tornaram padrão dessa nova fase: altíssimos gastos com os efeitos especiais e os cachês do elenco e, sobretudo, gastos exorbitantes com o lançamento do filme. Estes chegaram à metade do orçamento total, por conta de uma estratégia de *marketing* voltada para campanhas de publicidade veiculadas em televisão, *outdoors*, locadoras, jornais e revistas semanas antes do lançamento do filme em si. Assim, a estreia tornou-se um "compromisso obrigatório" do público. O início indubitável da era de *blockbusters* tinha números para provar: custou US$ 11 milhões. Faturou US$ 460 milhões só nos cinemas, porque depois Lucas aprofundou uma tática usada por Walt Disney décadas antes: faturar com produtos relacionados ao filme (franquias), como bonecos, espaçonaves de brinquedo, jogos etc. Nada atingira tamanho sucesso no cinema dos Estados Unidos até então.

Mas não eram só números que faziam de *Star wars* um grande filme. Havia a trilha musical, os efeitos sonoros – gravados no novo formato Dolby –, réplicas de naves filmadas com câmeras movidas precisamente por computadores. Embora as atuações não sejam lá dignas de prêmio, o roteiro se tornou o exemplo máximo da aplicação eficiente do chamado monomito, ou jornada do herói, conceito desenvolvido pelo mitólogo Joseph Campbell em seu livro *O herói de mil faces* (1949). Sem cenas de sexo e com pouca violência, o filme é todo alicerçado na aventura de Luke Skywalker universo afora.

Enquanto nascia a franquia de *Star wars*, os filmes de super-heróis renasceram com *Super-Homem* (1978), com Christopher Reeve no papel principal. As sequências da película foram filmadas quase ao mesmo tempo que o primeiro filme, apostando no gosto do público por continuações. Outro gênero que pegou carona na era dos *blockbusters* foi o musical, agora menos certinho e mais adaptado aos ritmos e gostos da juventude pós-rebelde. Com o rock, veio *Grease – Nos tempos da brilhantina* (1978). Com a discoteca, *Os embalos de sábado à noite* (1977). Também se destacam *Flashdance* (1983), *Footloose* (1984) e *Dirty Dancing – Ritmo quente* (1987), símbolos dessa nova era de musicais. Por fim, outro gênero caríssimo que ressuscitou com grandes produções foi o de filmes de guerra, sobretudo os que abordavam o Vietnã. Alguns claramente como propaganda pró-intervenção dos Estados Unidos no país, como *Os boinas verdes* (1968). Mas merecem destaque, na verdade, os filmes críticos à intervenção norte-americana, como *Apocalypse now* (1979), de Francis Ford Coppola, *Nascido para matar* (1987), de Stanley Kubrick, e *Nascido em 4 de julho* (1989), de Oliver Stone.

Hollywood não conseguiu repetir os lucros exorbitantes dos tempos em que controlava, também, o mercado exibidor, mas soube diversificar suas fontes de renda, lançando e adquirindo diversos canais pagos – a TV paga estava em plena ascensão nos Estados Unidos nos anos 1980, atingindo 42 milhões de lares nos anos 1990 – e faturando alto com a era VHS (60 milhões de casas com o aparelho nos anos 1990), sendo os próprios estúdios donos de algumas redes de locadoras.

Nessa nova fase, as bilheterias do cinema já respondiam por apenas 30% das fontes de renda dos estúdios. Mesmo assim, quando um *blockbuster* se tornava um fracasso de bilheteria – por seu alto custo e sua saída rápida das salas –, ele ainda tinha chances de se recuperar nas outras pontas da cadeia, inclusive na TV aberta. E isso porque a era dos *games* adaptados de filmes – ou filmes oriundos de *games* – ainda nem havia começado para engrossar o lucro dos estúdios.

A partir dos anos 1980, os filmes mais ousados da década anterior passaram a dar espaço aos do gênero de ação e aventura, recheados de efeitos especiais, mas com roteiros nem sempre muito inventivos. É a década de *Os caçadores da arca perdida* (1981), de Steven Spielberg, *O exterminador do futuro* (1984), de James Cameron, e *Uma cilada para Roger Rabbit* (1988), no qual Robert Zemeckis misturou animação com atuações reais.

FILMES ESSENCIAIS

Sombras (1958)
À queima-roupa (1967)
Bonnie e Clyde – Uma rajada de balas (1967)
A primeira noite de um homem (1967)
Os boinas verdes (1968)
O bebê de Rosemary (1968)
Perdidos na noite (1969)
*M*A*S*H* (1970)
O poderoso chefão (1972)
O exorcista (1973)
Terremoto (1974)
Uma mulher sob influência (1974)
Tubarão (1975)
Um estranho no ninho (1975)
Nashville (1975)
Todos os homens do presidente (1976)
Carrie, a estranha (1976)
Rede de intrigas (1976)
Star wars (1977)
Os embalos de sábado à noite (1977)

Continua →

Continuação →

Super-Homem (1978)
Grease – Nos tempos da brilhantina (1978)
Apocalypse now (1979)
Touro indomável (1980)
Os caçadores da arca perdida (1981)
Flashdance (1983)
Footloose (1984)
O exterminador do futuro (1984)
Estranhos no paraíso (1984)
Coffee and cigarettes (1986)
Matewan – A luta final (1987)
Dirty dancing – Ritmo quente (1987)
Nascido para matar (1987)
Uma cilada para Roger Rabbit (1988)
Sexo, mentiras e videotape (1989)
Nascido em 4 de julho (1989)
El mariachi (1992)
Kids (1995)
Buffalo 66 (1998)
As virgens suicidas (1999)
Encontros e desencontros (2003)

Hollywood autoral

Num país em que a indústria cinematográfica abocanha qualquer faísca de sucesso, é difícil separar o cinema autoral (principalmente de direção e roteiro) do puramente comercial. Percebendo a importância de uma zona híbrida entre ambos para garantir prêmios, boas críticas e atrair novos talentos, os estúdios de Hollywood criaram braços para investir na produção e distribuição desses filmes "de risco", como Fox Searchlight, New Line, Sony Classics e Warner Independent Pictures. Às vezes, porém, diretores que começaram a carreira de maneira tímida se tornam, em determinado momento, captadores de grandes orçamentos para filmes em que eles controlam os eixos centrais da autoralidade, como direção e roteiro.

Stanley Kubrick foi um desses raros exemplos, e se tornou um dos maiores cineastas de todos os tempos. O jovem aficionado por fotografia e xadrez renegou os primeiros filmes – *Medo e desejo* (1953) e *A morte passou por perto* (1955) – justamente por não ter tido controle autoral deles e por considerar a si próprio ainda um amador – um claro exagero de um diretor, que já era absolutamente preciosista com cada detalhe. E, também, renegou obras em que não teve controle do roteiro, da produção e da escolha da equipe, como *Spartacus* (1960). Por último, renegou obras que foram censuradas pelos estúdios à época, como as cenas mais tórridas de *Lolita* (1962). Só então conquistou o olimpo dos diretores com quase total independência autoral, fazendo cada vez menos concessões aos produtores. O primeiro filme da fase *cult* de Stanley Kubrick foi *Dr. Fantástico* (1964), uma visão satírico-apocalíptica da Guerra Fria como nunca antes vista no cinema, que mistura ainda referências sádico-sexuais entre homens que amam ogivas nucleares e grossos charutos. O filme irritou o Pentágono justamente pela perfeição quase documental das imagens, mas também pela brilhante atuação de Peter Sellers como Dr. Strangelove e seu braço mecânico que adora ficar ereto na forma de saudação nazista.

Com o controle autoral já consolidado, Kubrick produziu, então, sua obra-prima, e o maior filme de ficção científica da história do cinema. *2001 – Uma odisseia no espaço* (1968) manipula toda a rígida fórmula hollywoodiana, mas ainda assim foi capaz de amealhar uma multidão nos cinemas, tendo custado US$ 12 milhões e faturado mais de US$ 200 milhões mundo afora. Para desespero do estúdio, Kubrick deixou uma tela preta por alguns minutos no início da película e quase meia hora

2001 – Uma odisseia no espaço (1968): maior ficção científica de todos os tempos, revolucionou o cinema em termos técnicos, estéticos e de linguagem

inicial sem diálogo nenhum. Impediu que fosse feita qualquer edição no trecho que resumia, como nunca antes no cinema, o surgimento do universo até o nascimento do *Homo sapiens*, na famosa cena do macaco dominando a arma (osso) e jogando-a para o céu. O filme ainda avança milhares de anos ao mostrar, de forma onírica e sem respostas fechadas, o contato humano com a resposta para nossa maior pergunta: de onde viemos? Com efeitos especiais impecáveis – único Oscar de sua carreira –, *2001* é reverenciado mundialmente e nunca envelheceu, mesmo sendo uma ficção científica nascida antes da revolução dos efeitos especiais por computador.

A independência autoral de Kubrick continuou por toda sua vida, fosse na visão apocalíptica de um futuro amoral, como em *Laranja mecânica* (1971), fosse no estupendo trabalho de fotografia e direção de arte em *Barry Lyndon* (1975). Mas justamente por seu excesso de controle autoral sobre a obra, Kubrick distanciou cada vez mais um filme de outro. *O iluminado* (1980), um dos maiores filmes de terror do cinema, traz, além de uma atuação ímpar de Jack Nicholson, uma direção de fotografia, som e arte com detalhes que beiram o preciosismo microscópico (as imagens e símbolos espalhados pelo hotel geraram diversas teorias conspiratórias) e um roteiro que fala sobre o medo primitivo. Contrariando todas as expectativas, Kubrick ainda daria sua visão sobre a Guerra do Vietnã quando todas as grandes obras sobre o tema já haviam sido lançadas. *Nascido para matar* (1987) retoma a visão satírica da guerra, numa ácida crítica à forma como os Estados Unidos preparavam suas "armas de guerra" para aquele conflito. Depois desse filme, escreveu diversos roteiros que nunca foram levados adiante, como *A. I. – Inteligência artificial* – que foi adaptado por Steven Spielberg. Seu último filme, *De olhos bem fechados* (1999), menos cultuado, ainda permanece como exemplo de seu controle e independência autoral, da direção de atores – com o então casal Tom Cruise e Nicole Kidman – à fotografia, ao roteiro, som e arte.

Outro diretor que conquistou e manteve a independência autoral dentro dos estúdios foi David Lynch, um dos poucos cineastas diretamente inspirados no Surrealismo. Após curtas premiados como *A avó* (1970), o diretor fez seu longa de estreia, *Eraserhead* (1977). Com orçamento de US$ 20 mil, este se tornou um dos filmes mais cultuados da época – um marco do cinema experimental que mistura influências das vanguardas europeias, cinema *noir* e terror. É nesse filme que se estabelece o perfil visual e narrativo de todas as suas obras posteriores, como *Veludo azul* (1986), *Cidade dos sonhos* (2001) e sua experimentação máxima no cinema, *Império dos sonhos* (2006), quando ele mesmo – tomado pela independência autoral – se cansou das pressões do estúdio e deu adeus (ou até logo) ao cinema. Nos três filmes, Lynch satiriza a visão artificial sobre a vida e as memórias construídas por Hollywood, o que fica claríssimo na abertura de *Veludo azul*: um subúrbio americano perfeitinho que, aos poucos, vai revelando um subterrâneo dominado por insetos asquerosos – metáfora do mito da felicidade superficial dos filmes norte-americanos.

Além do sistema de lançamento que nasceu com os *blockbusters*, nos anos 1970, outro aspecto ajudou os estúdios a reviver uma fase financeiramente vultuosa. Na década de 1980, graças a um pesado *lobby* político, os estúdios conseguiram afrouxar a imposição de 1948 que os impedia de produzir, distribuir e também exibir os próprios filmes. Com isso, a Paramount se juntou à Universal, criando uma cadeia própria de salas, a United Cinema International (UCI). Os estúdios também penetraram em um fortíssimo negócio na mesma década: os videoclipes de emissoras novas, como a MTV, que exibiam esse formato por 24 horas a fio. A "era MTV" também influenciou a linguagem hollywoodiana. Com uma nova geração impaciente diante de planos longos, a duração média dos planos caiu 40% em uma década, de dez para seis segundos. A edição ficou ainda mais acelerada com a chegada dos primeiros computadores da IBM, que desobrigavam os montadores a lidar com a película e permitiam carregar um filme inteiro no micro.

Woody Allen também trafegou, nem sempre de modo confortável, entre o cinema independente, no começo de sua carreira, e a independência autoral dentro dos estúdios. Nova-iorquino fã de jazz, Ingmar Bergman e Federico Fellini, Allen veio da comédia *stand up* e da televisão, mas logo migrou para o cinema e passou a escrever, produzir e dirigir seus filmes – inclusive atuando neles, como fazia Charles Chaplin. Em 1977, Allen lançou aquele que, para muitos, é seu melhor filme até hoje: *Noivo neurótico, noiva nervosa*. Inspirado no próprio relacionamento do diretor com Diane Keaton, trata-se de uma comédia sofisticada, que lança um olhar cínico e complexo para questões ao redor do próprio Woody Allen, como ser judeu nos anos 1970, morar em Nova York em vez de Los Angeles, o culto esnobe aos filmes de Federico Fellini, as reflexões de Groucho Marx – tudo baseado em diálogos inesquecíveis. Após *Noivo neurótico, noiva nervosa*, Woody Allen transitou entre produções modestas financeiramente e orçamentos vultuosos, com destaque para filmes como *A rosa púrpura do Cairo* (1985), *Hannah e suas irmãs* (1986), *Match point* (2005) e *Meia-noite em Paris* (2011).

Há casos em que, num mesmo filme, se pode ver a versão autoral do diretor, a versão do estúdio e até uma versão estendida – tudo, claro, autorizado pelos estúdios para capitalizar ainda mais com sucessos como *Blade runner – O caçador de androides* (1982), de Ridley Scott. Com uma visão apocalíptica do futuro da humanidade e forte influência do Expressionismo alemão e do cinema *noir*, o diretor e sua equipe de roteiristas foram habilidosos em criar uma roupagem belíssima de efeitos especiais para a trama, que discute a pergunta "o que significa ser humano?" num futuro onde estes convivem com máquinas inteligentes, as chamadas replicantes, a ponto de ser difícil distinguir uns dos outros.

Nos anos 1980, quando a trilogia d'*O poderoso chefão* de Coppola ainda não tinha sido concluída, Sergio Leone voltou a oxigenar os filmes de gângsteres com *Era uma vez na América* (1984), um épico de quase quatro horas de duração que vai da Lei Seca dos anos 1930 até os anos 1960 numa Lower East Side de Nova York toda reproduzida em estúdio. Com atenção notável aos detalhes de cada época, é um filme que mostra a raiz do diretor no Neorrealismo italiano ao ressaltar o poder da imagem como narradora máxima de um filme. Já nos anos 1990, quando Hollywood produziu uma série de filmes em memória da Segunda Guerra Mundial, que completara meio século, diretores como Steven Spielberg combinaram sua narrativa autoral fortemente calcada na jornada individual do herói com as novas possibilidades de efeitos digitais em filmes que abocanharam muito público e indicações ao Oscar, como *A lista de Schindler* (1993) e *O resgate do soldado Ryan* (1998) – este último criticado pelo nacionalismo exacerbado, típico dos filmes de guerra hollywoodianos daquela década.

Também de 1998 e também sobre a Segunda Guerra Mundial foi *Além da linha vermelha*, de Terrence Malick, que praticamente dividiu com Spielberg a disputa das principais categorias do Oscar em 1999. Adaptação da obra de James Jones, mostra grande apuro narrativo e visual ao abordar o conflito de Guadalcanal. Malick é cultuado pela crítica norte-americana, e sua fama é acentuada por sua personalidade reclusa. Trabalha com temas filosóficos e poéticos em muitas de suas obras, com destaque também para o belíssimo *A árvore da vida* (2011), estrelado por Brad Pitt, uma de suas viagens oníricas mais desapegadas da narrativa comercial até hoje.

Quentin Tarantino foi outro que ficou conhecido por começar a carreira como cineasta autoral e pouco comercial. Sem formação universitária – ele devorava filmes da locadora onde trabalhava –, seu longa de estreia, *Cães de aluguel* (1992), marcou seu estilo de violência extrema bizarra ou bem-humorada. Nele, refletimos também sobre os ícones da cultura pop dos Estados Unidos. Seu longa seguinte, *Pulp fiction: tempo de violência* (1994), que tinha um orçamento muito maior, apoio da Miramax e foi indicado a sete Oscars, não pode ser caracterizado como independente. Mesclando referências que incluem faroeste, filmes asiáticos, filmes B, suspense e terror, e diálogos cuidadosamente esculpidos, Tarantino criou um mosaico que, visto de cima, parece bastante original e criativo. A partir de *Pulp fiction*, o diretor passou a mesclar cada vez mais gêneros e estilos diferentes, sempre marcados pelo uso da narrativa não linear (ao estilo de *O grande golpe*, de 1956, de Stanley Kubrick), e uma moralidade inconstante e confusa, segundo a qual os protagonistas são docemente engraçados e bem-intencionados, mas também capazes de atos de violência cruéis e sádicos.

Essa mescla de autoral-comercial também abarca o trabalho de Spike Lee. Dois de seus filmes são considerados totalmente independentes: *Ela quer tudo* (1986) e *Garota 6* (1996). Já *Todos a bordo* (1996), por exemplo, foi financiado de forma independente, mas distribuído pela Columbia. Um de seus filmes mais emblemáticos, *Faça a coisa certa* (1989), é fruto do sistema de estúdio, mas o diretor manteve uma proposta bem semelhante à aplicada a suas obras independentes. Ambientada num Brooklyn fustigado por uma onda de calor que serve de metáfora para o desconforto entre brancos, negros e imigrantes italianos, a película aborda a discriminação racial sem dicotomia entre vilões e mocinhos. Uma provocação entre vizinhos perde totalmente a noção dos limites e descamba para o caos e a violência. A predileção de Lee por trabalhar os paradoxos e complexidades do racismo nos Estados Unidos lhe rendeu o Oscar de melhor roteiro adaptado por *Infiltrado na Klan* (2018).

Quem melhor soube mesclar a linguagem hollywoodiana com elementos da estética do Expressionismo alemão foi Tim Burton. No seu primeiro sucesso, *Edward Mãos de Tesoura* (1990), percebe-se o uso de maquiagem forte e contrastes fotográficos típicos do movimento alemão. A Gotham City criada por ele em *Batman: o retorno* (1992) foi uma homenagem a *Metrópolis* (1927), de Fritz Lang. Suas obras posteriores partiram para uma mistura de elementos expressionistas com cinema fantástico, inclusive nas animações, como *A noiva cadáver* (2005).

Dois diretores que também conseguiram manter um forte traço autoral dentro dos estúdios foram os irmãos Joel e Ethan Coen, que iniciaram a carreira com o *noir Gosto de sangue* (1984), mas ganharam notoriedade mundial com *Fargo* (1996) – tragicomédia inspirada em fatos reais e ambientada nas gélidas Minnesota e Dakota do Norte. O forte do filme, além do roteiro permeado de diálogos memoráveis, é a atuação de William Macy, Steve Buscemi e Frances McDormand, que compõem personagens ora estúpidos, ora simplórios. O espectador vai do riso ao calafrio em questão de segundos, de personagens amorais a uma detetive cuja gravidez simboliza fé e esperança. Os irmãos Coen ainda fizeram outros filmes igualmente respeitáveis, como *Um homem sério* (2009), sempre alinhadíssimos com o próprio estilo – Joel em geral dirige e Ethan produz os filmes que ambos escrevem juntos –, colocando personagens aparentemente burros que, num ato impulsivo, acabam gerando uma cascata de acontecimentos desastrosos.

Outro diretor de destaque autoral em Hollywood é Gus Van Sant. Fã do trabalho de Andy Warhol, estreou no cinema com *Mala noche* (1986), a partir do qual começou a falar de temáticas do universo gay. Van Sant chamou a atenção do mundo com *Garotos de programa* (1991), com River Phoenix e Keanu Reeves, protagonistas de um dos finais mais tocantes do cinema norte-americano daquela época. Embora tenha feito alguns "desvios" do seu estilo pessoal – como *Gênio indomável* (1997) e a refilmagem de *Psicose* (1998) –, o diretor ainda deu ao cinema obras intimistas como *Elefante* (2003) – inspirado no massacre da escola de Columbine – e *Milk: a voz da igualdade* (2008) – sobre o ativista e primeiro político abertamente gay a ganhar uma eleição nos Estados Unidos.

FILMES ESSENCIAIS

Spartacus (1960)

Lolita (1962)

Dr. Fantástico (1964)

2001 – Uma odisseia no espaço (1968)

Laranja mecânica (1971)

Barry Lyndon (1975)

Eraserhead (1977)

Noivo neurótico, noiva nervosa (1977)

Cinzas do paraíso (1978)

O iluminado (1980)

Blade runner – O caçador de androides (1982)

Era uma vez na América (1984)

Gosto de sangue (1984)

A rosa púrpura do Cairo (1985)

Mala noche (1986)

Ela quer tudo (1986)

Hannah e suas irmãs (1986)

Faça a coisa certa (1989)

Edward Mãos de Tesoura (1990)

Garotos de programa (1991)

Thelma & Louise (1991)

O silêncio dos inocentes (1991)

Cães de aluguel (1992)

A lista de Schindler (1993)

Short cuts – Cenas da vida (1993)

Forrest Gump: o contador de histórias (1994)

Pulp fiction: tempo de violência (1994)

Fargo (1996)

Garota 6 (1996)

Todos a bordo (1996)

O paciente inglês (1996)

Continua →

Continuação →

O resgate do soldado Ryan (1998)
Além da linha vermelha (1998)
Beleza americana (1999)
De olhos bem fechados (1999)
O sexto sentido (1999)
Traffic (2000)
A. I. – Inteligência artificial (2001)
Cidade dos sonhos (2001)
Elefante (2003)
Kill Bill: volume 1 (2003)
Crash (2004)
A noiva cadáver (2005)
Match point (2005)
Império dos sonhos (2006)
Pequena miss Sunshine (2006)
Milk: a voz da igualdade (2008)
Um homem sério (2009)
Meia-noite em Paris (2011)
A árvore da vida (2011)
Infiltrado na Klan (2018)

Hollywood digital

As novas tecnologias foram alterando a estrutura de negócios dos estúdios de Hollywood a partir do final dos anos 1980, bem como o portfólio de produtos, as apostas e, claro, o perfil das produções. Com o aumento da pirataria, os estúdios se viram forçados a fazer estreias simultâneas em milhares de salas de cinemas espalhadas pelo mundo. O lucro por filme também se tornou mais apertado, graças ao surgimento da internet e ao gradual aumento da velocidade da banda larga, o que permitiu *downloads* de filmes em questões de minutos. E, ainda que o poder de Hollywood tenha se tornado mais complexo, no alvorecer do século 21, um "sexpólio" cooperava entre si para dominar o entretenimento audiovisual no mundo: Time Warner, Viacom, Sony, Disney, NBC, Universal e Fox. Até hoje essas empresas dominam uma parte considerável do entretenimento do planeta. Esse poder dos Estados Unidos foi tão blindado contra empresas internacionais por décadas que só no final do século 20, de fato, uma empresa estrangeira conseguiu penetrar no sistema. A Sony foi a primeira empresa não norte-americana do mundo a comprar um estúdio de Hollywood. Tendo grande poder no Japão pela tecnologia digital, ela adquiriu a Columbia Pictures da Coca-Cola em 1989. Em seguida, outras empresas japonesas seguiram o rastro. A Matsushita comprou a MCA-Universal em 1991 por US$ 6,1 bilhões e a Toshiba pagou US$ 1 bilhão para ser sócia minoritária da Time Warner em 1992.

Embora o Oscar continue a eleger os filmes de Hollywood como seu produto mais importante e sofisticado, a partir dos anos 1990 praticamente nenhum *blockbuster* era aprovado pelos estúdios sem que pudesse gerar aquilo que, muitas vezes, era mais lucrativo (e menos suscetível à pirataria) que um filme: os *games*. Sejam franquias de *games* que viram filmes (*Resident evil*), ou franquias cinematográficas originárias de franquias literárias que viram *games* (*Harry Potter* e *O senhor dos anéis*), a ordem, a partir do final do século 20, passou a ser diversificar as fontes de renda dentro da mais lucrativa indústria do entretenimento no mundo.

Foi nesse cenário que floresceu uma nova era em Hollywood, toda pautada por filmes que usavam, cada vez mais, a tecnologia intitulada *computer-generated imagery* (CGI), ou seja, imagens geradas por computador. Ao contrário do que muitos pensam, essa tecnologia começou a ser empregada ainda nos anos 1970, como em *Westworld – Onde ninguém tem alma* (1973), escrito por Michael Crichton, considerado o primeiro filme a usá-la. Depois, o fracasso de bilheteria de *Tron – O legado* (1982) e *O último guerreiro das estrelas* (1984) deixaram a tecnologia em banho-maria até *O exterminador do futuro 2 – O julgamento final* (1991) e seu homem de metal líquido criado por James Cameron ressuscitarem com grande impacto esses efeitos especiais.

O ano de 1995 entrou para a história de Hollywood por dar início a uma virada no universo de animações. Seguindo a linha de pensamento que os japoneses já aplicavam havia décadas, as animações deixaram de ser um gênero infantil e se tornaram um meio narrativo-tecnológico. Isso começa com *Toy story* (1995), da Pixar, primeiro *blockbuster* totalmente gerado por computador que mescla piadas mais sofisticadas para público adulto com visual lúdico para crianças e adolescentes. A aposta deu tão certo que as animações digitais se tornaram fonte de grandes investimentos dos estúdios, e hoje chegam a ser mais caras que filmes de guerra. Concorrente da Pixar, a DreamWorks pegou carona em personagens excêntricos como *Shrek* (2001), e a Blue Sky Studios fez sucesso com a franquia *A era do gelo*. Produtoras do mundo inteiro pegaram carona no sucesso da animação para adultos, com destaque para os ingleses Peter Lord e Nick Park, de *Wallace & Gromit* (2005), e o francês Sylvain Chomet, de *As bicicletas de Belleville* (2003).

A segunda trilogia de *Star wars*, lançada a partir de 1999, foi quase toda feita digitalmente, enquanto *A bruxa de Blair* (1999) inovou com uma nova forma de assustar os fãs de filme de terror e suspense – usando imagens "amadoras", filmadas em digital com baixa tecnologia, e comercializado também pela internet. Se nos tempos de *2001 – Uma odisseia no espaço* os filmes de ficção científica trabalhavam com modelagem e efeitos físicos, na Hollywood digital são as imagens geradas por computador que criam as cenas estonteantes de produções como *Independence Day* (1996), *Gladiador* (2000) e *Avatar* (2009), este último o ícone máximo da digitalização no cinema, primeiro filme a alcançar a bilheteria de US$ 2,8 bilhões no mundo. *O senhor dos anéis: a sociedade do anel* (2001), por exemplo, foi considerado o primeiro filme a criar um personagem totalmente em CGI em Hollywood, Gollum.

Já o ano de 2010 entrou para a história – absolutamente tardia – como o primeiro em que uma diretora, Kathryn Bigelow, ganhou o Oscar de melhor direção. Na premiação daquele ano, Kathryn venceu com *Guerra ao terror* (2008), derrotando o ex-marido, James Cameron, diretor do *blockbuster Avatar* (2009). Sucesso de bilheteria, *Guerra ao terror* mostra uma narrativa visceral e nervosa da Guerra do Iraque. A diretora comandou, em 2012, mais um filme de guerra, *A hora mais escura*, sobre a captura de Osama bin Laden.

Os *blockbusters*, a partir de então, tornaram-se extremamente dependentes da tecnologia digital, muitos deles feitos com tamanha quantidade de efeitos que se tem a sensação de que apenas os atores são de fato reais. É o caso de filmes como *Parque dos dinossauros* (1993), de Steven Spielberg, e *Titanic* (1997), de James Cameron, que certamente não teriam tamanha repercussão de bilheteria não fosse a computação gráfica que se popularizou nos estúdios nos anos 1990.

E nem mesmo os atores são necessariamente reais na era digital. Vejamos dois exemplos vistos de perto por este autor que vos escreve. Em 1994, o diretor Robert Zemeckis havia arrebatado seis Oscars e gerado muita comoção nos cinemas com o seu *Forrest Gump: o contador de histórias* (1994). Dez anos depois, ele lançou *O expresso polar* (2004), que utilizou uma tecnologia chamada de *performance capture* (captura de desempenho), a qual consiste em colocar inúmeros pontos no rosto do ator para, depois, transformá-lo em diversos personagens. No filme, Tom Hanks faz mais de dez papéis, todos transformados digitalmente. No lançamento do filme em São Francisco, naquele ano, Zemeckis disse que essa tecnologia revolucionaria Hollywood em pouquíssimo tempo. Não foi bem assim. Levou muitos anos para que os rostos transformados digitalmente não parecessem de plástico, artificiais ou repletos de Botox. No caso das animações, porém, os rostos humanos deram um salto incrível na segunda década do século 21. O segundo exemplo de como Hollywood digital mudou radicalmente a produção cinematográfica é *Speed racer* (2008), das irmãs Lana e Lilly Wachowski. Quando perguntei a Susan Sarandon como foi atuar com atores como John Goodman e Emile Hirsch, a atriz, com sua franqueza admirável, respondeu: "Não sei, quase todo o filme foi feito com *chroma key*", referindo-se à tela verde na frente da qual os atores interpretam seus papéis (às vezes separadamente) e, depois, cenários e efeitos são adicionados digitalmente.

Foram as mesmas irmãs Wachowski (à época, elas ainda não tinham se assumido transgênero) que ajudaram o cinema digital a dar um salto imenso a partir de 1999, com o início da trilogia de *Matrix*. Um novo patamar de efeitos especiais foi estabelecido quando elas (à época, ainda eles) colocaram 80 câmeras num estúdio forrado de fundo verde para captar todos os mínimos movimentos de Keanu Reeves, inserindo os mais variados fundos e objetos posteriormente no computador. Além disso, personagens apareceram nos filmes seguintes, que foram primeiramente introduzidos em curtas-metragens abertos para o público na internet, conceito conhecido como transmídia.

Porém, no anoitecer do século 20, a tecnologia deu outro golpe financeiro nos estúdios – uma sacudida menor que o trauma de 1948, mas, ainda assim, mudanças que forçaram uma rápida adaptação ou reação por parte de Hollywood. Surgida como um serviço de entrega de DVDs em 1997, a Netflix logo migrou para a plataforma on-line, a fim de suprir a sede dos internautas de baixar diversos filmes e séries, já que a banda larga se popularizou rapidamente nos anos 2000. Num primeiro momento, a Netflix conseguiu comprar os direitos de diversos filmes e séries dos grandes estúdios. Porém, percebendo que a imensa disponibilidade de títulos derrubaria ainda mais a bilheteria dos cinemas e a audiência dos seus canais por assinatura, estúdios como Warner, Disney, Paramount e Fox começaram a tirar seus títulos da plataforma de *streaming*. Alguns, como a HBO e a Disney, abriram serviços de *streaming* próprios, além de outras empresas de tecnologia que entraram no setor, como a Amazon. A corrida de Hollywood passou a ser suprir de conteúdo de qualidade e em grande volume um público que não mais aguenta esperar uma semana para ver um novo episódio da série ou nem sempre está disposto a sair do conforto de casa para ver filmes. Por isso, passaram a apostar cada vez mais em filmes com muitos efeitos especiais, que justificavam os ingressos altos das salas IMax e 3D das grandes cidades do mundo. Mas, apesar de todos esses solavancos, Hollywood continua sendo a mais lucrativa indústria de cinema do mundo. Tão importante que inspirou outras indústrias, também poderosas, no planeta, como veremos adiante.

FILMES ESSENCIAIS

Westworld – Onde ninguém tem alma (1973)
O exterminador do futuro 2 – O julgamento final (1991)
Parque dos dinossauros (1993)
Toy story (1995)
Independence Day (1996)
Titanic (1997)
A bruxa de Blair (1999)
Matrix (1999)
Gladiador (2000)
Harry Potter e a pedra filosofal (2001)
O senhor dos anéis: a sociedade do anel (2001)
Shrek (2001)
Resident evil (2002)
O expresso polar (2004)
Sweeney Todd: o barbeiro demoníaco da Rua Fleet (2007)
Guerra ao terror (2008)
Avatar (2009)

3. CHINAWOOD

A China tem sede de poder e, há décadas, vem se preparando para tomar a dianteira da economia mundial. Porém, o Partido Comunista chinês, no poder desde 1949, sabe que para estar em primeiro lugar é preciso fortalecer diversas fontes de poder. E uma das mais relevantes – que "vende" todas as outras em seus produtos – é a indústria do entretenimento, que já conta com um vastíssimo mercado consumidor interno, capaz de compensar com folga a incapacidade (talvez momentânea) dos chineses de exportar seu audiovisual com a mesma eficácia que os Estados Unidos.

A indústria cinematográfica chinesa se tornou uma máquina tão lucrativa que já ganhou a alcunha, usada até mesmo dentro do país, de Chinawood, em referência a Hollywood. Porém, mesmo antes de o cinema se tornar uma grande fonte de dinheiro, os chineses já tinham produções com considerável impacto nos festivais mundiais, driblando a censura e retratando o país com arte e ousadia.

Cinema chinês pré-industrial

O cinema chegou à China há mais de um século. É preciso lembrar, também, que o termo "cinema chinês" engloba os filmes feitos na China continental, em Hong Kong e em Taiwan, esta última invadida pelo Japão no ano do nascimento do cinema, 1895, e liberada em 1945. A tecnologia do cinema chegou à China em 1896, embora o primeiro filme chinês, o curta *Dingjun Shan*, tenha estreado apenas em 1905. As produções eram escassas até 1911, data da queda do último imperador manchu. Elas foram centralizadas, no início, em Xangai, sendo o primeiro filme sonoro chinês, *Genu Hongmudan*, de 1930. Nessa época, iniciou-se no país uma próspera era de produções cinematográficas, ainda que tensionadas ideologicamente por disputas narrativas entre nacionalistas e comunistas e coincidindo com a invasão japonesa na Manchúria. Os filmes, com grande qualidade narrativa, traziam uma tônica realista de oposição aos japoneses, como é o caso de *Tao Hua Qi Xue Ji* (*The peach girl*, 1931). Dirigida por Bu Wagang e filmada em Xangai, a película conta a história de uma garota e um pessegueiro, metáfora que ia além da trama vivida pela atriz Ruan Lingyu, conhecida como a Greta Garbo chinesa.

Na época da invasão total japonesa na China, o melhor diretor em atividade era Yuan Muzhi, de *Malu Tianshi* (*Street angel*, 1937), até hoje um dos melhores filmes chineses já realizados: uma história de amor que tem como pano de fundo a sobrevivência à ocupação japonesa. Nessa época, Xangai permaneceu com uma forte produção cinematográfica, mas aqueles não alinhados aos nacionalistas migraram para Hong Kong, iniciando, em 1938, a produção de filmes locais. Um exemplo é a película *Canção da noite* (1935), de Ma-Xu Weibang, inspirada no romance *O fantasma da ópera*, de Gaston Leroux. Um dos primeiros grandes filmes chineses da história, sua narrativa é mais complexa e o fantasma, benevolente – além disso, a atmosfera remete ao Expressionismo alemão. Vale citar, também, um belíssimo filme que aborda, de maneira concisa, os dramas do pós-guerra: *Primavera numa pequena cidade* (1948), de Fei Mu – destaque para a narrativa da esposa (protagonizada por Wei Wei), de forma que assistimos à trama sob o olhar poético e o ponto de vista da personagem.

Mao Tsé-Tung venceu de vez os nacionalistas em 1949, ano no qual 47 milhões de chineses foram ao cinema. Uma década mais tarde, com cinemas itinerantes bancados pelo Estado, esse número saltou para 4 bilhões por ano. É claro que Mao controlava rigidamente o cinema, usando-o como forma de doutrinação ideológica e pouco se importando com sua qualidade artística. No fim dos anos 1940, o ator e diretor Yuan Muzhi – figura popular entre os chineses que, naquele momento, foi colocada em uma posição estrategicamente alinhada ao governo – tornou-se chefe do Conselho de Cinema da China, época em que foi filmado *Corvos e pardais* (1949). Um dos filmes chineses mais importantes da história, tinha a vitória de Mao como linha condutora da trama. Os cineastas que não concordavam com esse nacionalismo iam para Hong Kong, que passou a abrigar clássicos como *Yi ban zhi ge* (*The dividing wall*, 1952), de Zhu Shilin. O filme tinha um estilo bem realista, diferentemente de sua vertente na década seguinte, mais melodramática.

Outro cineasta fundamental da época foi Xie Jin. De família riquíssima e formado na Academia de Cinema de Pequim, ele produziu os clássicos *Hong se niang zi jun* (*The red detachment of women*, 1961) e *Irmãs de palco* (1964), este último sobre uma irmã seduzida pela fama e outra pela revolução – um melodrama socialista, mas que contém, nas entrelinhas, inteligentes críticas sociais à época.

Em 1966, teve início a Revolução Cultural de Mao – e, com ela, o forte controle à liberdade de expressão e artística. Quando os pais de Xie se mataram, logo em seguida, este foi acusado de ser simpatizante do confucionismo cinematográfico que Mao detestava, ligado à antiga filosofia chinesa. Xie acabou forçado a limpar vasos sanitários do estúdio em que, antes, era o diretor mais importante. Só voltou a fazer cinema com a deposição dos líderes da revolução, sendo *Cidade de hibiscos* (1986) um ataque mordaz ao regime de Mao, que mandou fechar a Academia de Cinema de Pequim entre 1966 e 1976.

Quando a Academia voltou a funcionar plenamente, em 1978, aos poucos se originou dela a chamada quinta geração de cineastas chineses. Denomina--se geração um grupo de cineastas que têm em comum influências políticas, culturais e intelectuais específicas de uma época. A quinta geração foi influenciada diretamente pela Revolução Cultural e, mais tarde, pelos acontecimentos da Praça da Paz Celestial, em 1989. O destaque desse grupo fica com *Terra amarela* (1984), de Chen Kaige, fábula de final trágico sobre as tradições de uma aldeia e as crenças comunistas trazidas por um soldado. O filme subverteu vários elementos da linguagem clássica, usando enquadramentos pouco usuais e planos muito abertos, sem centralização dos corpos. Chen faria, depois, *O rei das crianças* (1987), película ousada sobre um professor que ensina seus alunos a ter liberdade intelectual.

FILMES ESSENCIAIS
Dingjun Shan (1905)
Genu Hongmudan (1930)
Tao Hua Qi Xue Ji (The peach girl, 1931)
Canção da noite (1935)
Malu Tianshi (Street angel, 1937)
Primavera numa pequena cidade (1948)
Corvos e pardais (1949)
Yi ban zhi ge (The dividing wall, 1952)
Hong se niang zi jun (The red detachment of women, 1961)
Irmãs de palco (1964)
Terra amarela (1984)
Cidade de hibiscos (1986)
O rei das crianças (1987)

Cinema de Taiwan

Taiwan, que ficou sob o domínio japonês entre 1895 e 1945 e foi tomada pelos nacionalistas chineses, teve produções numerosas, mas pouco conhecidas mundialmente até os anos 1970.

Aos poucos, surgiram em Taiwan diversos festivais de cinema, nos quais despontaram cineastas como Hou Hsiao-Hsien, diretor de *A cidade do desencanto* (1989), ambientado entre 1945 e 1949 – os anos traumáticos da saída do Japão da ilha. Com uma narrativa densa e um tanto confusa, o filme fala, indiretamente, da ascensão econômica da ilha, com fortes toques autobiográficos e uma visão nostálgica e impressionista dos acontecimentos da época. Por ter ganhado o Leão de Ouro em Veneza, é tido como o filme que colocou definitivamente a ilha no mapa cinematográfico mundial. Em seguida, Hou fez dois outros belíssimos filmes, *O mestre das marionetes* (1993) e *Bons homens, boas mulheres* (1995). Outro diretor fundamental para a internacionalização do cinema de Taiwan foi Lin Cheng-sheng, com destaque para *Murmúrio da juventude* (1997) e *Vício e beleza* (2001), seus filmes mais significativos no que se refere a público e prêmios.

A partir de então, a ilha ganhou os festivais do mundo inteiro. Nessa mesma época, Ang Lee dirigiu dois longas, *A arte de viver* (1991) e *O banquete de*

O tigre e o dragão (2000), de Ang Lee: um dos maiores sucessos internacionais do cinema de Taiwan

casamento (1993). Ambientados nos Estados Unidos, ambos falam dos choques culturais entre o ocidente e a Ásia e garantiram um alto orçamento para Lee dirigir, mais tarde, *O tigre e o dragão* (2000) – até então o maior sucesso da carreira do diretor, vencedor de quatro Oscars, entre eles o de melhor filme. Na história, toda rodada na China continental, Lee faz um trabalho de fotografia magnífico e cria uma narrativa sobre honra, destino, amor e perdas no fim da dinastia Qing.

Do mesmo ano é *As coisas simples da vida* (2000), de Edward Yang, filme sobre três gerações de uma família que mostra as mudanças ocorridas no país rumo à modernização. Vencedor de Cannes, foi proibido em Taiwan e também o último filme do diretor antes de morrer, em 2007. Outro diretor fundamental da ilha é Tsai Ming-liang, com seus filmes que parecem se comunicar entre si, com destaque para *Vive l'amour* (1994), vencedor de Veneza, e *O rio* (1997), vencedor de Berlim. Este último aborda um drama familiar com forte sensação de clausura e crise existencial; remete ao vazio humano e à incomunicabilidade, aproximando-se das realizações do italiano Michelangelo Antonioni. O diretor é famoso pelos seus planos longos, quase sempre fixos, de lugares asfixiantes – como é o caso de *Vive l'amour* e da mulher que passeia por um parque cheio de máquinas, com prédios ao fundo, contrastando com a solidão da protagonista no primeiro plano.

FILMES ESSENCIAIS
A cidade do desencanto (1989)
A arte de viver (1991)
O banquete de casamento (1993)
O mestre das marionetes (1993)
Vive l'amour (1994)
Bons homens, boas mulheres (1995)
O rio (1997)
Murmúrio da juventude (1997)
O tigre e o dragão (2000)
As coisas simples da vida (2000)
Vício e beleza (2001)

Cinema de Hong Kong

Em Hong Kong, o cinema de artes marciais sempre foi um grande atrativo de bilheteria e influenciou diretores do mundo inteiro, como Quentin Tarantino. Um destaque é King Hu. Fã de cineastas como Sergio Leone e Akira Kurosawa, dirigiu *A tocha de zen* (1971), filme de época extremamente realista que retrata a dinastia Ming. Com batalhas épicas em florestas de bambu e monges budistas que sangram ouro e alcançam o nirvana, a trama tem personagens densos e questionamentos morais, o que levou Hu a ser conhecido como "poeta cinematográfico". O filme levou três anos para ser finalizado e recebeu um prêmio técnico em Cannes em 1975. Nessa época, King Hu se tornou um dos melhores diretores em atividade na região.

A ilha também fez coproduções com os Estados Unidos que ficaram notórias, como *Operação dragão* (1973) – estrelado por Bruce Lee, o filme foi um sucesso retumbante no mundo inteiro, mas não foi visto pelo astro, que morreu subitamente de um edema cerebral aos 32 anos, antes da estreia.

Também de Hong Kong veio um clássico do cinema fantástico: *Uma história chinesa de fantasmas* (1987), de Ching Siu-tung, mistura fantasmas, espadas, magia e comédia. Trata-se de uma obra saborosa, especialmente nas cenas noturnas, quando os esqueletos ganham vida com efeitos especiais bem trabalhados. Na mesma época foi lançado *O matador* (1989), escrito por John Woo – diretor muito conhecido no Ocidente –, um dos maiores sucessos internacionais de Hong Kong, que com suas cenas de ação sanguinolenta inspirou diretores como Quentin Tarantino e Robert Rodriguez.

Nos últimos anos, o diretor mais importante de Hong Kong é, certamente, Wong Kar-Wai. Nascido na China continental e avesso a filmes de artes marciais – o que o torna ímpar na tradição de filmes da ilha –, o diretor sofreu influência de cineastas ocidentais, mas acabou por ganhar personalidade própria em filmes como *Dias selvagens* (1990) – que fala da perda por meio de imagens trabalhadas minuciosamente. Fez, depois, *Felizes juntos* (1997), história de amor homossexual vivida em Buenos Aires e inspirada nos filmes do alemão Rainer Werner Fassbinder. A partir de então, o diretor se tornou notório por sua direção de fotografia, com cores oníricas, personagens solitários e permeados pela incompletude do amor – marcas irresistíveis de *Amor à flor da pele* (2000) e *2046 – Os segredos do amor* (2004), por exemplo. Já com fama e prêmios internacionais, Wong Kar-Wai foi o escolhido da Ásia para fazer um curta com a visão do continente sobre sexualidade, no belíssimo *A mão* (2004), que tem trilha de Caetano Veloso – o diretor é fã de música latina, a qual está presente em muitos de seus filmes. A película faz parte do filme *Eros*, cujos outros dois episódios foram dirigidos por Michelangelo

Amor à flor da pele (2000), de Wong Kar-Wai: o diretor criou uma estética própria em tramas que envolvem a incompletude do amor

Antonioni e Steven Soderbergh. Semelhante, em alguns aspectos, a algumas obras de época de Kar-Wai é o filme *Ruan Lingyu* (1991), que conta a história da "Greta Garbo chinesa". Mistura de cenas documentais e encenação, a película deu à atriz Maggie Cheung a Urso de Prata de melhor atriz.

Hong Kong apresenta uma peculiaridade, pois não sofre censura direta da China continental. Porém, se seus cineastas querem abocanhar as bilheterias do restante do país, precisam se alinhar ao sistema. Ao mesmo tempo, diversas coproduções internacionais, financiadas por países como Japão e Coreia do Sul, surgiram no século 21, e astros como Jackie Chan atraíram milhões de espectadores com filmes como *O grande desafio* (1999) e *Arrebentando em Nova York* (1995).

FILMES ESSENCIAIS
A tocha de zen (1971)
Operação dragão (1973)
Uma história chinesa de fantasmas (1987)
O matador (1989)

Continua →

Continuação →

Dias selvagens (1990)
Ruan Lingyu (1991)
Arrebentando em Nova York (1995)
Felizes juntos (1997)
O grande desafio (1999)
Amor à flor da pele (2000)
2046 – Os segredos do amor (2004)
A mão (2004)

O nascimento de Chinawood

Na China continental, até os anos 1980, o cinema era majoritariamente bancado pelo Estado, que objetivava fazer com ele propaganda ideológica. O cenário começou a mudar em 1978, com a chegada de Deng Xiaoping ao poder. A partir daí, o país começou a se abrir para o mercado, forçando os estúdios a arrecadar fundos por conta própria e iniciando, aos poucos, a formação de uma indústria cinematográfica que ganhou, em seguida, a alcunha de Chinawood.

Inicialmente, porém, antes da guinada industrial, o cinema chinês sofreu um período de crise, com o desaparecimento de 150 mil cinemas itinerantes em questão de poucos anos. Os filmes de kung fu, até então proibidos, foram retomados, mas muitos ainda esbarravam na proibição após a chamada "campanha contra a poluição espiritual", iniciada pelo governo em 1983. No entanto, alguns desses filmes foram recebidos calorosamente no exterior. Um dos exemplos mais dramáticos foi o do diretor Tian Zhuangzhuang, que ousou filmar a Revolução Cultural em *O sonho azul* (1993) e, por conta dele, foi proibido pela China Film Group Corporation de filmar por uma década dentro do país.

Porém, quanto mais o regime apertava, mais os diretores arriscavam, e a sexta geração, iniciada nos anos 1990, foi considerada pelo Estado a mais "antipatriótica" de todas, com seu olhar crítico para o país, fortemente influenciado pelos acontecimentos de 1989 – com destaque para Zhang Yuan e Wang Xiaoshuai. Zhang lançou *Os bastardos de Pequim* (1993), sobre a juventude rebelde da capital. Wang fez *Os dias* (1993), também sobre essa nova geração, seus anseios e frustrações. Perto da estreia no Festival Internacional de Cinema de Roterdã, o governo chinês ordenou que as películas não fossem exibidas, mas a direção do evento resolveu mantê-las na programação. Ao voltar para casa, ambos os diretores foram proibidos de filmar no país, mas continuaram trabalhando, agora fazendo "filmes ilegais", mas com financiamento de simpatizantes e fundos internacionais – como

Hubert Bals Fund (Holanda), Fabrica (Itália) e Fonds Sud (França). São filmes interessantíssimos, filmados às pressas, quase ao vivo, que trazem personagens proibidos pelo sistema, como o ladrão, o homossexual, a prostituta, o drogado etc. Os cineastas driblaram policiais e autoridades locais, levando as cópias para Hong Kong até mesmo pelo aeroporto de Pequim, às vezes com a ajuda de embaixadas de países ocidentais. Alguns diretores, no entanto, acabaram cedendo às pressões do governo. O Festival de Cannes pediu a Zhang Yimou que retirasse seu filme, *Fique frio* (1997), alinhado com o governo, para que Zhang Yuan apresentasse o seu, *O outro lado da cidade proibida* (1996), sobre um homossexual chinês. A China pediu a retirada da película, mas Cannes negou. Quando Yuan voltou ao país, foi preso e proibido de filmar em território nacional. Com apoio internacional minguado, lançou *17 anos* (1999), que venceu o prêmio de direção do 56º Festival de Cinema de Veneza.

Também na década de 1990 os cineastas chineses levaram o Leão de Prata em Veneza – dado para *Lanternas vermelhas* (1991), de Zhang Yimou – e a Palma de Ouro em Cannes por *Adeus, minha concubina* (1993), de Chen Kaige. Os dois filmes foram aplaudidos no exterior, mas proibidos na China, pois abordavam, direta ou indiretamente, as questões sociais chinesas do século 20. Nessa época, o governo chinês se utilizava de todas as formas possíveis para controlar os cineastas. Chegou a proibir a retirada de negativos dos laboratórios sem autorização, mas a era digital veio para salvá-los – permitindo, por exemplo, que Jia Zhangke e Diao Yinan mandassem para o exterior, respectivamente, os filmes *Prazeres desconhecidos* (2002) e *Night train* (2007).

O nascimento de Chinawood foi, portanto, uma clara estratégia do governo de fazer frente a esses diretores que começavam a ganhar renome internacional no momento da industrialização do cinema do país. Mas, sobretudo, foi também uma forma de internalizar o poder suave (*soft power*) do cinema e concorrer com as bilheterias dos filmes de Hollywood.

A entrada da China na Organização Mundial do Comércio (OMC), em 2001, forçou o país a organizar sua produção cinematográfica. A partir de então, oito grandes produtoras formaram a China Film Group, produtoras independentes receberam autorização para funcionar e empresas privadas com conexões internacionais foram criadas. E, aos poucos, o milagre das explosões de bilheteria interna se apresentou. Dentro deste sistema, Feng Xiaogang levou milhões de chineses para ver comédias como *Shou ji* (*Mobile phone*, 2003). Paralelamente, as salas de cinema se modernizaram, os ingressos ficaram mais caros e o então novo líder do país, Hu Jintao, propôs um perdão aos cineastas proibidos às vésperas das Olimpíadas de Pequim, em 2004, permitindo a exibição de filmes como *O mundo* (2004), de Jia Zhangke.

Paulatinamente, o governo fez vista grossa e permitiu que empresas financiassem os cineastas outrora tidos como rebeldes. Nasceram daí obras belíssimas, como *Sonhos com Xangai* (2005), de Wang Xiaoshuai, vencedor de Cannes, e *O casamento de Tuya* (2006), de Wang Quan'an, vencedor de Berlim. Também ciente da necessidade de ter mais estrelas internacionais, a China usou seu poder duro para se "infiltrar" na produção audiovisual de países como os Estados Unidos, comprando participação em diversas empresas estrangeiras por meio de gigantes chinesas como o Grupo Wanda, a maior rede de cinemas do mundo. O grupo controla a Legendary Pictures, fruto da maior aquisição no setor cultural na história da China, cujo valor chegou a US$ 3,5 bilhões. Na ocasião, Wang Jianlin, dono do Grupo Wanda e o homem mais rico da China, disse que "as empresas americanas de cinema lideram a indústria cinematográfica mundial", mas a compra "mudaria essa situação".

Com muito dinheiro para investir e visando usar o audiovisual como forma de poder suave ao redor do mundo, faltava apenas a concretização física dessa meta, que finalmente foi entregue ao mundo em meados dos anos 2000 na cidade de Dongyang, província de Zhejiang. Ela agora abriga o maior estúdio de cinema do mundo, o Hengdian World Studios, operado pelo grupo homônimo, fundado por Xu Wenrong, ao custo de 6,6 bilhões de euros. Suas proporções são tão gigantescas – mais de 10 mil quilômetros quadrados, maior que a Paramount e a Universal juntas – que logo o termo Chinawood se popularizou dentro e fora do país. Nela, existe tanto uma réplica da Cidade Proibida quanto da floresta tropical de Hong Kong. Em 2010, o estúdio já era o terceiro maior produtor de longas do mundo. Ao contrário do que ocorre em Hollywood, em Hengdian os cineastas podem filmar gratuitamente, forma encontrada por Xu Wenrong para atrair produtores do mundo inteiro. O estúdio, por sua vez, fatura indiretamente por meio de restaurantes, hotéis, equipamentos e figurinos instalados no complexo. Tudo isso tornou o local uma das maiores atrações turísticas da China. Janeiro, por exemplo, é um mês de baixa temporada turística, mas mesmo assim há filas enormes para visitar os estúdios, com ingressos que custam no mínimo US$ 79. Em 2014, o estúdio já atraía 11 milhões de turistas por ano.

Porém, apesar da internacionalização, continua havendo censura, o que faz que muitos produtores procurem o estúdio para filmar obras históricas, sem riscos de criticar o Partido Comunista. Isso torna as produções pouco ousadas e de difícil penetração em festivais e bilheterias internacionais. A própria imprensa do país reconhece esse problema. O *China Daily*, veículo oficial do governo e voz principal do país internacionalmente, chegou a dizer que "a criatividade e a força da arte e da cultura do país não são fortes o bastante para competir com produtos ocidentais, como os filmes americanos. Assim, fomentar a criatividade também fomentará a força cultural chinesa".

Com cerca de 20 filmes rodados por lá todos os dias e atrativos que podem resultar numa economia de até um terço em comparação com as filmagens nos Estados Unidos, Chinawood quer concentrar para si grande parte das produções cinematográficas da China. Em 2010, foram produzidos 520 filmes, salto gigantesco diante dos 100 realizados em 2003. Diversas produções internacionais já foram filmadas em Chinawood, como a minissérie *Marco Polo* (2014-2016).

A indústria cinematográfica chinesa cresce a passos tão largos que se costuma dizer que o país ganha dez novas salas de cinema por dia. Exagero ou não, a China está ultrapassando os Estados Unidos e vem se concretizando como o maior mercado cinematográfico do mundo, com 7,6 bilhões de euros em ingressos vendidos em 2016. No primeiro quadrimestre de 2018, o país superou os ianques: algumas produções de Hollywood, como *Jogador nº 1* (2018), de Steven Spielberg, e *Círculo de fogo: a revolta* (2018), tiveram estreias maiores na China do que nos Estados Unidos. As produções domésticas estão, aos poucos, batendo o sucesso das poucas produções internacionais que lá podem estrear, caso do sucesso de filmes como *O mestre dos jogos 2* (2015).

Num país de quase 1,4 bilhão de pessoas e apenas 9% de cidadãos urbanos que vão ao cinema, a indústria só tende a crescer, ainda mais porque a China só permite que 34 filmes estrangeiros estreiem lá anualmente. Para driblar a pouca abertura externa, as coproduções são a saída para os estúdios, como *Batalha dos impérios* (2015), de Daniel Lee, estrelado por Jackie Chan, John Cusack e Adrien Brody, e *A grande muralha* (2016), dirigido por Zhang Yimou e protagonizado por Matt Damon, Willem Dafoe e elenco chinês. Ambos foram sucesso de bilheteria na China, mas tiveram uma recepção morna nos Estados Unidos. "A China reconhece o poder suave dos Estados Unidos, mas tem de aprender com eles. Não se trata de dinheiro. A razão pela qual os produtos americanos são bem-sucedidos é porque contam experiências humanas, e isso a China não entende", disse a produtora de elenco chinesa Catrina Siu à agência EFE.

O que mostra o grande desafio para Chinawood nos próximos anos: se ela quiser de fato bater Hollywood como a maior indústria de cinema em faturamento e prestígio, terá de encontrar uma forma de alinhar harmonicamente a técnica e o *know-how* das produções hollywoodianas com seu espírito criativo-artístico independente. Com amarras, a arte nunca vai muito longe – e talvez nem possa ser chamada assim.

FILMES ESSENCIAIS

Lanternas vermelhas (1991)

Adeus, minha concubina (1993)

O sonho azul (1993)

Os bastardos de Pequim (1993)

Os dias (1993)

O outro lado da cidade proibida (1996)

17 anos (1999)

Prazeres desconhecidos (2002)

Shou ji (2003)

O mundo (2004)

Sonhos com Xangai (2005)

O casamento de Tuya (2006)

Night train (2007)

O mestre dos jogos 2 (2015)

Batalha dos impérios (2015)

A grande muralha (2016)

4. BOLLYWOOD

A Índia detém a maior indústria de cinema do mundo há décadas. Esse título não vem do faturamento dos filmes, pois, como os ingressos lá são muito baratos, Estados Unidos e China superam-na facilmente. Mas ela é a maior em número de longas-metragens produzidos por ano, algo em torno de 2 mil, sem contar aqueles que são proibidos de estrear por conta da censura ou que não passam pelas salas de cinema tradicionais. Entre esses 2 mil filmes, cerca de 250 são produzidos em Mumbai, onde está propriamente Bollywood – termo que vem de Bombaim, antigo nome da cidade, embora a alcunha seja aceita internacionalmente para denominar a produção indiana como um todo. Mas como um país com uma população tão pobre conseguiu atingir uma produção tão volumosa? Ou melhor: como, ainda no século 20, a Índia se tornou o único país, ao lado dos Estados Unidos, com uma indústria cinematográfica autossustentável?

Construindo a indústria cinematográfica da Índia

Nos primórdios da indústria, no início do século 20, um cidadão sem nenhuma ligação com arte, cultura ou cinema resolvia fazer um longa-metragem. Ele então recorria a um empréstimo – na maioria dos casos, no mercado negro – e conseguia determinado valor. Deste, utilizava apenas metade para produzir seu filme, servindo a parte não utilizada para pagar os juros do empréstimo e outros encargos. Como naqueles primórdios o cinema era a única forma de entretenimento da população indiana – as emissoras de TV não estatais só surgiram nos anos 1980 –, o filme desse cidadão invariavelmente enchia as salas de cinema e, mesmo com ingressos a preços irrisórios, ele conseguia o dinheiro de volta para pagar o empréstimo e ainda lucrava com o filme. Nascia, então, um produtor cinematográfico, que engatilhava um filme atrás do outro – muitas vezes, fazia dois ou três ao mesmo tempo –, e sua experiência era transmitida para as futuras gerações da família.

Levando em consideração o tamanho da população indiana, não é difícil imaginar centenas de famílias como a desse sujeito passando a tradição de geração para geração. Espalhada pelo país, cada uma produzia um tipo de cinema específico, que foi rotulado pelo olhar estrangeiro com um só nome: Bollywood.

Esses produtores pioneiros precisaram lidar com um grande desafio: enquanto os Estados Unidos tinham acesso fácil e liberado não só ao mercado nacional quanto aos países que falavam inglês, na Índia todo filme de Bollywood tinha de ser pensado para agradar às diferentes línguas e culturas dentro de uma só nação. Esta é composta por seis macrorregiões: Mumbai (que inclui Maharashtra, Gujarat e Karnataka), Déli (que cobre Uttar Pradesh, Uttaranchal e a própria capital), Leste de Punjab (incluindo Punjab, Haryana, Jammu e Kashmir), Circuito Leste (Bengala Ocidental, Bihar, Jharkhand, Nepal, Orissa e Assam), Rajasthan (que inclui também Chhattisgarh, Madhya Pradesh e o Nordeste de Maharashtra) e o Sul, com diversos subterritórios. Para se ter uma ideia, até hoje os produtores de Bollywood (Mumbai) não conseguiram penetrar em parte do Norte e Nordeste do país, principalmente por questões logísticas e conflitos políticos. Havia situações ainda mais exóticas para os olhos do Ocidente. Quando um roteiro se mostrava suficientemente forte para cruzar as fronteiras do hindi, o filme também seria atuado em outra língua. Um exemplo: o filme *Devdas* (1928), depois de seu sucesso em Bengala, foi refeito em hindi e tâmil.

O primeiro filme de ficção do cinema indiano foi produzido por Nanabhai Govind Chitre e Ramchandra Gopal Torney. Com uma câmera Williamson, filmaram *Pundalik* (1912), que contava a história de um santo do estado de Maharashtra. Mas essa obra não entrou para a história como a primeira do cinema indiano porque o câmera era inglês e seus negativos foram enviados para ser finalizados em Londres. Com isso, quem ganhou o título de primeiro filme do país foi *O rei Harischandra* (1913), dirigido por Dadasaheb G. Phalke, considerado o pai do cinema indiano. Foi um grande sucesso de público, seguido, quatro anos depois, por *Lanka Dahan* (1917), épico que adaptava para as telas o clássico hindu *Ramáiana*, mostrando como Rama resgatou Sita do grande demônio, Ravana. Uma película essencial desse momento foi *Savkari Pash* (1925), de Baburao Painter. Considerado um dos primeiros filmes com temática social, mostrava a vida difícil dos pobres que eram obrigados a se mudar para a cidade.

Na década de 1920, o magnata Jamsetji Framji Madam decidiu construir um sistema de estúdios e salas de cinema. Em poucos anos, as salas de cinema já haviam se tornado absolutamente populares em todo o país. Só havia um problema: suas condições eram precárias ao extremo – sujas, com mau cheiro, sem ventilação nem assentos. Por volta de 1935, as salas de teatro de Madam já estavam fadadas a morrer. Como produtor, ele também estava com os dias contados – sobretudo em decorrência do *crack* da bolsa de Nova York ocorrido em 1929. Mesmo assim, Madam lançou *Jamai Sasthi*, o primeiro filme falado de Bengala, seguido de *Shirin Farhad*. Em 1931, ele produziu oito filmes sonoros, alguns em bengali, outros em hindi, e, em 1932, 16, quando foi introduzida a cor nos filmes indianos, sobretudo na película *Bilwamangal*. Era a despedida de um dos maiores produtores da Índia, que não conseguiu impedir a sangria financeira de suas empresas.

Na primeira metade do século 20, a Índia também viu surgir sua era de estúdios, mas eles tiveram vida curta. Oriental Pictures Corporation, Jagadish Films, Excelsior Company, Suresh Film Company, Indo-British Company, Taj Mahal Company e Photo Play Syndicate of India: todos eles duraram pouco ou foram liquidados logo na primeira produção. Apenas três estúdios se mantiveram suficientemente fortes para durar mais tempo e fazer história: Prabhat, em Pune, que começou em 1929; B. N. Sircar's New Theatres Ltd., em Calcutá, surgido um ano depois; e o maior de todos, Himanshu Rai's Bombay Talkies, aberto em Mumbai em 1934.

O primeiro filme sonoro da Índia foi *Alam Ara*, dirigido por Ardeshir Irani e lançado em março de 1931. O produto causou tamanho interesse em Mumbai que a polícia teve de ser acionada no Majestic Cinema para controlar a multidão. A história era fraca e a direção artística, capenga. Ainda assim, por apresentar o som pela primeira vez, entrou para a história da Índia. Irani também foi o responsável pelo primeiro filme indiano em cores da história, *Kisan Kanya*, de 1937. O diretor era um grande entusiasta do cinema nacional e acreditava que o governo, um dia, ia proteger e estimular a produção interna. Isso nunca aconteceu, mas o cinema indiano cresceu pelas próprias forças, sem depender da importação de produtos estrangeiros. Em termos de popularidade, um dos filmes mais bem-sucedidos da história da Índia foi *Devdas* (1928). O romance, escrito em 1917 por Sarat Chandra Chattopadhyay, fala de dois jovens que se apaixonam, mas não podem se casar por pertencerem a castas diferentes. O livro teve nada menos do que nove adaptações para o cinema, sendo a última delas em 2002 – é bom que fique claro que, em se tratando de um cinema tão colossal como o indiano, esses números nunca são plenamente confiáveis, já que outras tantas versões não oficiais (que não passaram pela censura) podem ter sido feitas ao longo das décadas.

Outro filme que lidou com as questões polêmicas das castas foi *Achhut Kanya*, de 1936. Estrelado por Ashok Kumar e Devika Rani, considerada pelos críticos a Greta Garbo indiana, é datado de uma época na qual os atores cantavam de verdade – ao contrário de grande parte da história posterior de Bollywood, que apela para a dublagem. Naquela mesma época, mais um filme entrou para a história da Índia: *Chandralekha* (1948). Produzido pelos estúdios Gemini, conta a história de dois príncipes que lutam para conquistar uma dançarina. Custou 3 milhões de rúpias indianas e faturou 20 milhões, destacando-se não só pelo faturamento, mas pelo fato de ter demorado 700 dias para ser rodado, pois o diretor, S. S. Vasan, queria captar as imagens e acoplá-las automaticamente a músicas e cenas cômicas. A película estreou com 600 cópias só na versão hindi, tendo sido lançada também nos Estados Unidos.

Enquanto nos Estados Unidos a Guerra de Secessão e a conquista do Oeste renderam incontáveis filmes de faroeste, na Índia o momento mais crítico da história do país – a separação de um grande território para a criação do Paquistão – não foi igualmente refletido, questionado ou celebrado no cinema. O cisma de 1947, que resultou na morte de milhões de pessoas e numa situação de conflito que se estende até hoje, gerou poucos filmes, como *Chinnamul* (1950), do diretor Nemai Ghosh, sobre a migração de milhões de hindus do Leste de Bengala para o Oeste da mesma região. Só em 1974, com o diretor M. S. Sathyu, veio uma resposta à altura do tema: *Garam Hawa*. No filme, o muçulmano Salim Mirza enfrenta o dilema de se mudar para o Paquistão, como muitos de seus amigos e parentes, ou permanecer na Índia. Ao decidir ficar, vê sua família se desfazer e enfrenta provações, como o suicídio da filha. O filme virou um ícone do cinema bollywoodiano, fortemente tendencioso para o lado indiano, e transformou-se numa referência ao patriotismo.

Foi nessa época politicamente tensa que começou a era dos grandes clássicos do cinema indiano, mais precisamente a partir da segunda metade dos anos 1950. Em 1957, o diretor Mehboob Khan lançou *Mother India*, e, em 1960, Karimuddin Asif estreou *Mughal-E-Azam*, considerados os dois filmes mais importantes da era clássica de Bollywood. O primeiro representa a saga de milhões de indianos, na história do sofrimento de pobres personificados numa estoica mãe que acaba matando seu amado filho. O segundo é ambientado no século 16, na corte do imperador Akbar, numa trama historicamente questionável, mas com músicas e trabalho de figurino impecáveis. Ambos os filmes inauguraram uma fase em que a rica história indiana começava a ser olhada com mais carinho pelos cineastas; um falava sobre o passado opressivo do país, enquanto o outro sugeria uma Índia mais tolerante no século 20. *Mother India*, especificamente, refletia sobre o futuro do país, que vivia uma época de planejamento econômico nos moldes soviéticos, mas dentro de uma democracia. O longa não foi exibido nos Estados Unidos até 1959, embora tenha sido um dos cinco indicados ao Oscar de melhor filme estrangeiro de 1958.

O filme considerado por alguns críticos indianos o mais engraçado dos últimos 50 anos foi *Padosan*, feito pela mulher do ator Dilip Kumar, Saira Banu. Lançado em 1968, foi protagonizado por Kishore Kumar. É um dos poucos exemplos de filme indiano em que o personagem principal faz também o papel cômico da história. Por esse filme, Kishore foi considerado o Walter Matthau ou Jack Lemmon indiano. Ele refletia a esperança de que a comédia finalmente ganhasse espaço em Bollywood.

Mas a indústria de cinema indiana sofreria uma grande turbulência na década de 1970. Em 1975, após acusações de que teria fraudado as eleições quatro anos antes, a primeira-ministra Indira Gandhi declarou estado de emergência em todo o país. Ela sofreu pressões do Congresso para renunciar, ao que respondeu prendendo políticos, jornalistas e suspendendo as liberdades civis e os direitos básicos dos cidadãos. A democracia indiana viu-se, de uma hora para outra, calada, com seus jornais repetindo apenas os discursos da primeira-ministra. Isso impactou aquele que talvez seja o grande filme de Bollywood. *Sholay* (1975), dirigido por Ramesh Sippy, faturou impressionantes US$ 60 milhões. Mas, numa época de efervescência política, todos os cinemas eram obrigados a fechar as portas à meia-noite e o filme, de três horas e 20 minutos de duração, teve de ser cortado em diversas cidades. Ainda assim, parte do sucesso de *Sholay* deriva de a película ter sido uma válvula de escape dos indianos. Proibidos de falar de política, eles viam na produção a oportunidade de discutir questões sociais, visto que o filme fala sobre justiça e prisão de bandidos.

A figura do inimigo é menos monocromática que a ideia de felicidade no cinema indiano. Além dos inimigos óbvios – assassinos, estupradores, criminosos em geral –, a história do próprio país criou vilões que, ao longo do século 20, foram do branco inglês colonizador ao vizinho Paquistão. *Kaliya Mardan* (1919), de Dadasaheb Phalke, pode ser interpretado como uma alegoria nacionalista contra um opressor estrangeiro. Não existem muitos filmes que abordem a tensa relação entre Índia e Paquistão. Exemplos seriam *Haqeeqat* (1964), de Chetan Anand; *Lakshya* (2004), de Farhan Akhtar; e *Deewaar* (2004), de Milan Luthria. Os muçulmanos que ficaram na Índia após a criação do Paquistão são frequentemente questionados no cinema quanto à sua lealdade à nação indiana, o que pode ser visto em filmes como *Sarfarosh* (1999), dirigido por John Mathew Matthan. Muitos especialistas locais admitem que Bollywood cria caricaturas dos muçulmanos, vistos como exóticos ou estranhos.

Vale ressaltar que outro hábito dos cineastas indianos também focado no retorno financeiro é refazer diversas vezes filmes que foram sucesso no passado. *Remakes* existem nos cinemas de praticamente todos os países, mas sua produção em Bollywood é exponencial. Por exemplo, filmes como *Devdas* (2002), *Parineeta* (2005) e *Don* (2006) foram histórias de grande sucesso no passado que voltaram a levar uma grande quantidade de espectadores às salas. Mas, a cada *remake*, uma diferença crucial impera: o fator tecnológico. Refazer um filme dos anos 1930 em pleno século 21 possibilita aliar uma história estimada na memória do público ao desenvolvimento da tecnologia.

A crise do roteiro

Mas, até hoje, a questão que mais aflige produtores indianos e, sobretudo, professores e intelectuais de cinema é o que grande parte deles chama de "crise de roteiro". Os filmes de Bollywood seguem uma estrutura muito semelhante entre si. Praticamente todo longa-metragem tem cerca de duas horas ou mais de duração, sendo um intervalo feito no meio dele. O filme é introduzido por uma sequência musical, que nem sempre tem relação com a história do próprio filme. A cada 20 minutos, uma nova sequência de dança e canto é exibida. O mocinho quase sempre luta para conquistar uma mocinha, sendo atrapalhado por um vilão. Temas sociais, políticos, a pobreza extrema do país, tudo isso é pouco explorado nas telas. O resultado é que, ao longo dos anos, o cinema de Bollywood se pasteurizou, tornando-se alvo fácil de estereótipos, tamanha a homogeneização de seus roteiros. Isso não se aplica, no entanto, a todo o cinema indiano, e mesmo em Bollywood há diretores que resistem a essa comercialização extrema e fogem da padronização.

Para agravar ainda mais essa situação, o cinema indiano manteve durante décadas a tradição de fazer adaptações das histórias dos *blockbusters* de Hollywood. Bollywood já teve sua versão de *Lolita*, *Hamlet* e *Rebecca*, clássicos da literatura ocidental. Um dos exemplos mais claros disso é *Noiva e preconceito* (2004), versão indiana de *Orgulho e preconceito*, estrelado por Keira Knightley. Na Índia, a personagem Elizabeth foi vivida pela musa Aishwarya Rai. Curiosamente, esse esquema nem sempre imperou na Índia. Nos anos 1940 e 1950, os roteiros eram trabalhados com cuidado. Alguns dos grandes diretores indianos levavam semanas tratando o roteiro, geralmente adaptado de peças de teatro e romances.

É óbvio que há exceções, até mesmo dentro da grande indústria bollywoodiana. Um exemplo é *Deewaar* (1975), dirigido por Yash Chopra e estrelado pelo mítico ator indiano Amitabh Bachchan. É um filme de ação, mas com roteiro afiadíssimo, que mostra o astro como um jovem que busca justiça com as próprias mãos. O filme fugiu dos padrões da indústria: não tinha trilha musical, exceto no número de abertura – o que é raro, já que um filme indiano tem, em média, de seis a dez momentos musicados. A obra teve importantes locações em Mumbai – fugindo dos estúdios – e também fez o mocinho se apaixonar por uma prostituta, algo que a censura por milagre não barrou. Curiosamente, o filho de Yash Chopra, Aditya Chopra, 20 anos mais tarde, dirigiu outro filme com alta qualidade de direção e roteiro, *Dilwale Dulhania Le Jaynege* (1995). Estrelada por Shah Rukh Khan, a película mostra uma história de amor açucarada, mas bem contada, com *hits* musicais que explodiram em todas as rádios do país.

Assim, aos poucos, Bollywood foi se afastando de roteiros previsíveis (ou copiados) e passou a trabalhar com obras mais sofisticadas. Outro exemplo foi o filme que fez Aamir Khan ganhar o *status* de ator número 1 da Índia, superando finalmente os outros dois "Khans", Salman e Shah Rukh: *Lagaan – Era uma vez na Índia* (2001). A história de um jogo de críquete entre indianos e os colonizadores britânicos levou Bollywood a cruzar fronteiras até então inimagináveis, gerando inclusive uma indicação ao Oscar de melhor filme estrangeiro. Dirigido por Ashutosh Gowarikar e produzido por Khan – que também palpitou no roteiro e na escalação do elenco –, *Lagaan* importou atores diretamente da Inglaterra para viver os britânicos. Ganhador de 15 grandes prêmios nacionais – como Filmfare Awards e National Awards –, *Lagaan* encheu as 29 salas de cinema britânicas e foi em grande estilo para o Oscar do ano seguinte. Em 2005, Aamir Khan protagonizou *O motim*, considerado o longa mais caro já produzido na Índia: 6,5 milhões de libras. O filme não faturou tão bem, foi considerado um êxito menor na carreira do ator e sofreu críticas dos britânicos, que alegavam que a película distorcia a história e os transformava em selvagens.

Da mesma época, outro grande sucesso interno respeitado externamente por seu roteiro mais bem elaborado foi *Asoka* (2001), protagonizado por Shah Rukh Khan, que vive um príncipe da dinastia Máuria envolvido numa grande batalha para salvar seu reino. O filme foi elogiado em festivais por sua fotografia deslumbrante.

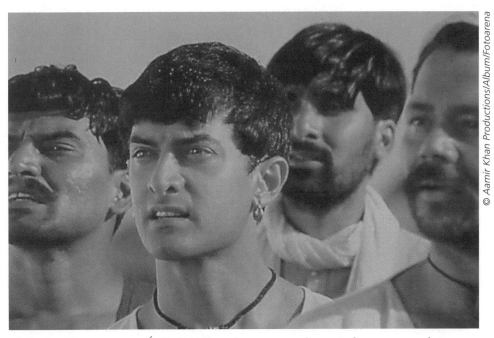

Lagaan – Era uma vez na Índia (2001): a obra surpreendeu os indianos, tornando-se um sucesso internacional, com indicação ao Oscar de Melhor Filme Estrangeiro

Nouvelle Vague indiana

A *Nouvelle Vague* indiana – ou, como se conhece na Índia, *art movies* ou cinema paralelo – também teve seus Truffauts: Mrinal Sen, Mani Kaul, Shyam Benegal, Adoor Gopalakrishnan, Govind Nihalani e Saeed Mirza, entre outros. Todos eles discutiram questões como a sociedade de castas, a condição da mulher e o conflito entre a vasta Índia rural e a potência urbana que estava nascendo. Os temas eram abordados sem astros, músicas dançantes ou qualquer outro apelo comercial, mas de maneira seca, realista e bastante ousada esteticamente para o que se conhece de Bollywood hoje em dia. As regras do cinemão indiano não se aplicam a essas películas.

A mais importante escola de cinema da Índia foi criada nesta época, anos 1960. O Film and Television Institute of India foi incubador de grandes cineastas, como o bengali Ritwik Ghatak. Fortemente influenciado pelo cinema moderno ocidental da época, Ghatak inovou a linguagem cinematográfica do país com o melodrama *A estrela encoberta de nuvens* (1960). Ao final da década, seu aluno Mani Kaul faria outro filme fundamental do movimento, *Uski Roti* (1970), usando lentes 28 mm para dar mais profundidade de campo ao ambiente. O filme é um marco do cinema de arte indiano.

Um dos filmes mais importantes desse movimento foi *Bhuvan Shome* (1969), de Mrinal Sen, sobre um velho viúvo que revê seu passado e recomeça a vida num vilare-

O mundo de Apu (1959), de Satyajit Ray: último filme da trilogia que alçou o diretor à carreira internacional

jo de gente simples e sem instrução. Trata-se de um apelo às mudanças urgentes pelas quais a Índia precisava passar naquele momento. Outro cineasta importante e bastante polêmico é Ritwik Ghatak, autor do filme *The cloud-capped star* (1960). Dono de um estilo barroco e provocador, é um nome considerado maldito pelos censores do governo indiano, pois exibe as mazelas que Bollywood se recusa ou não pode mostrar.

O cinema autoral rendeu frutos ao longo das décadas seguintes, e um dos diretores que permaneceram fiéis a esse estilo até o fim foi Satyajit Ray, um dos mais famosos cineastas indianos ao redor do mundo. É dele a trilogia de Apu, com os filmes *A canção da estrada* (1955), *O invencível* (1956) e *O mundo de Apu* (1959). O primeiro colocou o cinema indiano no mapa mundial, sendo exibido no Festival de Cannes em 1956 – à altura do melhor cinema feito no mundo à época. Seu penúltimo filme como diretor, *Agantuk* (1991), levou-o a receber um Oscar honorário pelo conjunto da carreira em 1992, o que despertou o olhar crítico do mundo para o cinema de arte na Índia.

A censura no cinema

A censura na Índia é mais organizada que a própria indústria cinematográfica. Mas que fique claro, de antemão, que não estamos falando das restrições que o cinema latino-americano sofreu entre os anos 1960 e 1980 – aquele tipo de censura política consequente da ditadura militar, da Guerra Fria, da caça aos comunistas etc. A censura indiana tem um perfil diferente e intrinsecamente ligado à religião e à sociedade de castas, embora haja muitos outros pontos de controle além destes.

A começar pelo sexo. Nada vende mais no cinema mundial do que o sexo, mas trata-se de um fruto proibido no cinema indiano – e aqui não estamos falando apenas de Bollywood, mas de todas as indústrias regionais do país. Exemplos como uma cena de banho, como a do filme *Ram Teri Ganga Maili* (1985), e os 17 beijinhos rápidos em *Khwaish* (2003) são mais do que exceções num jogo de gato e rato entre cineastas e censores do governo em busca de infrações.

A censura foi estabelecida de modo permanente por meio da Lei Cinematográfica de 1952, que criou manuais de censura, revisados de tempos em tempos, e impedia os cineastas de exibir cenas de sexo, violência ou provocações políticas de qualquer tipo. Tudo isso ainda persistiu após mais de meio século, exceto pelo controle absoluto das cenas de violência, hoje mais liberadas. São 19 cláusulas proibitivas no Ato Cinematográfico, controladas pelos membros da Comissão Central de Certificação de Filmes. Embora sejam muitas, o maior controle recai sobre o sexo. O mais irônico, no entanto, é que, se um cineasta decide infringir a lei e reincluir pedaços antes censurados em seus filmes, a chance de ser pego é muito pequena, a menos que o filme se torne um grande sucesso de bilheteria. Isso porque, depois que a censura fez seus cortes e colocou o selo obrigatório (exibido no início do filme), quem garante que o cineasta não mexeu novamente no produto e retornou ao estado pré-censura? Isso, claro, se a exibição ocorrer nos confins da Índia, ou seja, em salas não multiplex de cidades pequenas, zonas rurais etc. O que reforça que a censura, embora falha, permanece um problema para o mercado que interessa: as grandes cidades. E quem for pego alterando um produto pode ir para a cadeia e pagar multas milionárias.

Antes da independência da Índia, os censores comandados pela Inglaterra tinham de garantir que as mulheres brancas não seriam comprometidas perante os nativos, mas não ligavam muito para os filmes que mostravam os próprios indianos se beijando. Nessa época, entre os anos 1920 e 1940, as cenas de beijo eram longas e muito comuns. A grande estrela Fearless Nadia até apareceu seminua numa cena de *Hunterwali* (1935) e passou ilesa pelos censores. A linha proibitiva dos beijos começou logo depois dessa fase, quando a estratégia passou a ser a seguinte: no momento em que os lábios do homem e da mulher estiverem muito próximos, uma árvore ou outro objeto aparece na frente do casal durante uma sequência musical. As músicas podem até ser sensuais, mas os lábios nunca podem se tocar. Mas como agem os censores do governo? Sabendo que existem infrações em todos os cantos do país, a Índia não só tem a Lei Cinematográfica como também três outros instrumentos de censura: o Código Penal Indiano (1860), a Lei de Proteção de Danos à Juventude (1956) e a Lei de Proibição da Representação Indecente da Mulher (1986).

A censura começou a aflorar logo no nascimento do cinema. Dadasaheb Phalke dizia que a sétima arte deveria seguir os três princípios básicos do hinduísmo: verdade, não violência e tolerância religiosa. A questão é que essa tese foi mal aplicada em prol da censura. Nas primeiras décadas do século 20, havia escritórios de censura em Bombaim, Calcutá, Madras e Lahore.

Supremacia ameaçada

O cinema indiano, em grande parte graças à produção de Bollywood, garantiu a supremacia de bilheteria ao longo de todo o século 20 por inúmeras razões já citadas. Mas algumas mudanças começaram a acontecer e os produtores já não se sentiam tão confortáveis com esse domínio interno. A primeira delas foi a televisão. O monopólio da TV estatal Doordarshan (TV Índia) foi destruído no final dos anos 1980 com o advento de diversos canais privados. Estes, assim que surgiram, se apoiaram na produção de Bollywood a fim de obter conteúdo para seus programas. O mesmo aconteceu, anos antes, com o fim do monopólio da rádio estatal All India Radio, quebrado com o surgimento legal das estações FM.

A televisão chegou muito tarde à Índia – mais tarde até que nos vizinhos economicamente mais fracos, como o Paquistão –, quando o país sediou o Jogos Asiáticos de 1982. Aos poucos, o vídeo e a TV a cabo se instalaram. Para se ter uma ideia, no início do século 21, já havia mais de 300 canais com um total de 2,5 milhões de horas de programação para 120 milhões de casas indianas por ano, o que transformou a Índia no terceiro maior mercado de TV após os Estados Unidos e a China.

A produção de Bollywood também ganhou um concorrente interno de peso: o cinema feito no estado de Tamil Nadu, no Sudeste da Índia, falado na língua tamil. Ao lado da produção de Bengala Ocidental, o cinema de Tamil é cada vez mais apreciado pelos países vizinhos e até mesmo dentro da área de dominação de Bollywood, Mumbai. A capital, Chennai, concentra a maior parte da produção do estado. É possível notar a diferença fotográfica entre os filmes de Mumbai e os de Tamil, pois este último é um estado extremamente colorido, onde tanto homens quanto mulheres adoram usar flores como ornamento corporal e muito ouro. Culturalmente, os filmes se inspiram no teatro folclórico e musical, nas tradições de histórias contadas oralmente e nas artes marciais.

A pirataria também sempre foi um problema para o cinema indiano, mas isso é comum no mundo inteiro. Com o avançar do século 21, o país que se acostumou a apreciar as próprias obras nos cinemas viu chegar outra "ameaça": o *streaming*, com plataformas como a Netflix. Em 2017, quando abriu um escritório em Mumbai, o fundador da empresa, Reed Hastings, chegou a dizer que os próximos 100 milhões de clientes da plataforma viriam da Índia até 2020. O único impedimento é o preço, pois a assinatura de US$ 12 é o dobro do que os indianos costumam pagar pelos pacotes de TV fechada, mas o crescimento econômico do país pode reverter isso.

Porém, as plataformas de *streaming* e as produtoras internacionais ainda têm outra grande barreira para romper: a cultural. Ao contrário da vasta maioria dos países, a Índia ainda gosta de se ver nas telas. Até o ano de 2019, entre os 20 filmes com maior bilheteria nos cinemas indianos, apenas um era estrangeiro. O desafio, portanto, é grande. O cinema nacional, na Índia, é uma paixão tão grande quanto o futebol no Brasil e a cerveja na Alemanha.

FILMES ESSENCIAIS
Pundalik (1912)
O rei Harischandra (1913)
Lanka Dahan (1917)
Kaliya Mardan (1919)
Savkari Pash (1925)

Continua →

Continuação →

Devdas (1928)
Alam Ara (1931)
Bilwamangal (1932)
Achhut Kanya (1936)
Kisan Kanya (1937)
Chandralekha (1948)
Mother India (1950)
Chinnamul (1950)
A canção da estrada (1955)
O invencível (1956)
O mundo de Apu (1959)
Meghe Dhaka Tara (1960)
Mughal-E-Azam (1960)
A estrela encoberta de nuvens (1960)
Haqeeqat (1964)
Bhuvan Shome (1969)
Uski Roti (1970)
Garam Hawa (1974)
Deewaar (1975)
Sholay (1975)
Agantuk (1991)
Dilwale Dulhania Le Jaynege (1995)
Sarfarosh (1999)
Lagaan – Era uma vez na Índia (2001)
Asoka (2001)
Lakshya (2004)
Deewaar (2004)
O motim (2005)
Parineeta (2005)
Don (2006)

5. NOLLYWOOD

Indústrias cinematográficas nem sempre aparecem em locais previsíveis. O cinema nasceu na França, mas foi do outro lado do Atlântico, nos Estados Unidos, que floresceu sua versão industrial mais lucrativa. E, do outro lado do mundo, na Índia, surgiu a maior indústria de cinema no quesito quantidade de filmes lançados nos cinemas por ano. Mas quem imaginaria que, um século depois do nascimento da sétima arte, um país bem menor em território e muito mais pobre desenvolveria uma indústria que já rivaliza com Bollywood em quantidade de longas-metragens produzidos anualmente? Essa indústria se tornou popular com o termo Nollywood, e o país que a abriga é a Nigéria.

Embora o cinema nigeriano exista há mais de 60 anos, foi a partir dos anos 1990 que sua versão industrial explodiu em número de produções, passando a uma média de 1.200 a 2.000 longas-metragens por ano, rodados nos mais variados formatos. Mas foi o aumento da violência em cidades grandes como Lagos, a partir da década de 1970, que serviu de estopim para o crescimento da produção para se ver em casa – filmes importados por ricos ou pirateados por pobres.

Segundo estimativas do governo, Nollywood gera entre 300 mil e 1 milhão de empregos, impulsionados pelo *boom* de DVDs, e em 2018 faturou quase US$ 250 milhões. Feitos quase sempre de forma artesanal e muito rápida, esses filmes circulam por todo o continente num ciclo muito mais curto que o da indústria norte-americana. Há claras semelhanças com Bollywood: a ausência de estúdios do porte dos Estados Unidos, filmes majoritariamente de entretenimento, sem preocupações sociais, com fortes doses de violência, humor e, ao contrário dos filmes indianos, sexo. Filmes que expressam as aspirações e desejos de um país, como também são, tradicionalmente, as telenovelas para os mexicanos e brasileiros. Outros temas populares dos filmes são magia e religião, direitos das mulheres, aids e a vida urbana – este último um desafio para o próprio cinema, uma vez que as produções filmadas nas ruas são constantemente interrompidas pelo trânsito caótico da capital Lagos e por gangues que pedem suborno às equipes de filmagem até mais de uma vez por dia.

Desafios estruturais

Os produtores nigerianos também têm de lidar com as 300 línguas faladas dentro do país, embora parte dos filmes seja lançada em inglês. As línguas que deram um pontapé inicial à indústria foram iorubá, igbo, hauçá e pidgin, uma vez que atores de teatro falantes desses idiomas decidiram, no meio dos anos 1960, gravar em celuloide versões de suas peças mais famosas. Dessa era pré-industrial destacam-se filmes como *Kongi's harvest* (1970), *Bullfrog in the sun* (1971) e *Ajani Ogun* (1976) – este o maior sucesso de bilheteria do país até então –, além de *Jaiyesimi* (1981) e outro grande êxito comercial, *Mosebolatan* (1986), de Moses Olaiya.

O sucesso de *Ajani Ogun* fez explodir as películas em iorubá, sobretudo em associação com produções teatrais. Foi o caso também de *Cry freedom*, de Ola Balogun, drama sobre a luta das guerrilhas, nos anos 1960, pela independência do país contra os colonialistas britânicos. Trata-se de um exemplo de produção que se tornou rara nos anos seguintes, visto que a deterioração das salas de cinema empurrou ainda mais a produção para obras mais baratas, rápidas de filmar e para ser vistas em casa. Outros filmes de grande sucesso em iorubá incluem *Aiye* (1980) e *Orun Mooru* (1982), ambos de Ola Balogun, e *Aropin N'Tenia* (1982), de Frederic Goode e Hubert Ogunde. Destaque também para *Ayo n imo fe* (1994), de Tunde Kelani. A película conta a história de uma mulher que é violentada por vários homens e mistura crenças locais e discussões sobre doenças mentais – adaptação de uma premiada história do dramaturgo Wale Ogunyemi. Um ano antes, o mesmo diretor havia filmado *Ti Oluwa ni ile* (1993), corajosa obra que mexe na ferida nacional: a corrupção na compra e venda de terras que assolou todas as classes sociais e manchou até a imagem de dois ex-presidentes, Ibrahim Babangida e Sani Abacha.

O cinema nigeriano, portanto, começou a despontar com o fim do sistema colonial britânico. O novo governo usava a televisão e o cinema para produzir obras de propaganda. O *boom* do petróleo do país, em 1970, ajudou a financiar parte desses filmes. A partir de então, cada etnia começou a fazer películas que, mesmo com qualidade baixíssima, retratavam a realidade de seu povo. Grande parte da população não vê o cinema como arte, mas como comércio e indústria, uma vez que o setor é o segundo que mais emprega no país, atrás apenas da agricultura. Essa visão é alvo de crítica de cineastas que remam contra a corrente, como Tunde Kelani, cujos filmes autorais visam discutir a complexa realidade desse populoso país.

A indústria cinematográfica nigeriana também se desenvolveu, a partir da década de 1990, graças ao Nigerian Television Authority (NTA), canal de TV semelhante à BBC no Reino Unido. Entre os anos 1970 e 1990, a NTA investiu em diversos programas tecnicamente bem elaborados. Quando decidiu não mais produzir conteúdo em larga escala, sua equipe técnica e criativa migrou para produções em VHS, despontando o cinema de Nollywood. E, justamente pelo fato de os filmes não dependerem de salas de cinema e irem, quase sempre, para o consumo doméstico, a produção do país viajou rápido por outras nações africanas, como Tanzânia, Uganda, África do Sul, Quênia e Gana.

Ao contrário dos Estados Unidos, que concentram grande parte dos estúdios em Los Angeles, a Nigéria se assemelha à Índia, com produções descentralizadas – criando até subindústrias, como Kannywood, localizada em Kano, no Noroeste do país. Com uma mistura de elementos africanos e indianos, esta fez sucessos como *Turmin Danya* (1990), o primeiro da região, que resultou na formação de mais de 2 mil produtoras no estado. Outra ramificação bem-sucedida de Nollywood fica em Gana, país que nem faz fronteira com a Nigéria. Em 2006, o diretor nigeriano Frank Rajah Arase assinou contratos de produção com o país, que resultou no surgimento, também, de astros de Gana muito populares na Nigéria, como Majid Michel, Yvonne Nelson e Joseph van Vicker. E, assim como o alto custo de filmagem migrou muitos filmes de Los Angeles para o Canadá, filmar em Lagos, capital da Nigéria, tem se tornado caro e complicado, o que fortalece as produções da parceira Gana.

Parte de Nollywood comemora seu marco zero com o filme *Living in bondage* (1992). Feito diretamente para vídeo pelo vendedor de eletrônicos Kenneth Nnebue, ele custou apenas US$ 12 mil e vendeu 1 milhão de cópias. É um feito controverso dentro do país, uma vez que outros grandes sucessos já tinham sido lançados no mesmo formato. Embora tenha havido uma grande celebração da data em 2012, até mesmo a presidente do Actors Guild of Nigeria, Ibinabo Fiberesima, afirmou que a indústria é anterior a 1992, mas a celebração se dá pelo salto quantitativo e, bem aos poucos, qualitativo.

A Nigerian Film and Video Censors Board (NFVCB) estima que o país tenha produzido quase mil entre 1990 e 1997, muitos deles distribuídos para clubes de exibição e lojas com mais de 15 mil cópias cada um, vendidos depois por US$ 4 ou alugados por US$ 0,30. Parte dessa produção chegava a ser totalmente produzida com menos de US$ 5 mil.

Hoje, grande parte da produção de filmes do país vai direto para o formato de DVD. O custo médio de produção gira em torno de US$ 5 mil, com 50 mil cópias distribuídas e vendidas a US$ 3 cada. Deste valor, US$ 1 é destinado a pagar a produtora, US$ 1 vai para o *marketing* e o último dólar fica com o vendedor, divisão que se assemelha à pirâmide produção-distribuição-exibição. Como a pirataria no país é altíssima, as produtoras fazem um grande esforço para acabar com os estoques nos primeiros 15 dias, já que depois o mercado é dominado por cópias piratas – quase todas feitas na China. O comércio de cópias ilegais simplesmente corrói Nollywood. Estima-se que metade dos lucros da indústria cinematográfica vai para a pirataria audiovisual. O caso mais notório foi o filme *Plane crash* (2008), visto e comentado pela nação inteira durante meses, mas cujo faturamento oficial mal pagou os custos de produção.

Economia *versus* arte

No começo do século 21, o cinema nigeriano já respondia por 12% das exportações do país. O governo nigeriano divulgou, em 2009, que essa indústria faturava em torno de US$ 3,3 bilhões e produzia 1.844 filmes, embora menos de 1% desse valor tenha vindo de vendas oficiais de ingressos e *royalties*. Ainda assim, a qualidade da produção, dos roteiros, efeitos e atuações ainda constitui um obstáculo para o país. O principal reflexo disso está na presença significativa de filmes de Nollywood no Africa Magic Viewers' Choice Awards (AMVCA), celebração cujos vencedores são escolhidos pelo público – ou seja, os filmes mais populares. Em contrapartida, Nollywood praticamente não existe no African Movie Academy Awards (AMCA), cerimônia em que júris escolhem as melhores obras do continente. Há casos como o do filme *Ojukokoro* (2016), de Dare Olaitan, que recebeu ótimas críticas pelo roteiro e pelas atuações, mas foi exibido apenas em sessões vespertinas, não atingindo o público jovem apreciador de comédias mais refinadas. Além de Olaitan, outros dois diretores tentam dar um salto qualitativo na indústria: Kenneth Gyang, que dirigiu *Confusion Na Wa* (2013), e Izu Ojukwu, responsável por '76 (2016). Os três diretores sofrem resistência das próprias produtoras, que querem uma fórmula preconcebida e um diretor que vá ao estúdio, cumpra sua missão e saia com o cheque na mão.

Os desafios para o salto qualitativo de Nollywood não são pequenos. O país não tem muitas salas de cinema tradicionais, em parte porque frequentemente tem problemas de falta de energia elétrica, além de uma população cuja renda dificilmente pagaria por ingressos em multiplexes. Segundo estimativas do *Financial Times*, no final da primeira década do século 21 os Estados Unidos tinham 100 salas para cada milhão de pessoas; a Índia, 12 salas; a Nigéria, 0,4. Ainda assim, o país já conta com estrelas de cinema internacionais, como Genevieve Nnaji, que já fez mais de 100 filmes e é conhecida em todo o continente africano. Num país onde metade da população ganha menos de US$ 1 por dia e mal atinge 46 anos de expectativa de vida, 90% das pessoas assistem a pelo menos um filme por semana, muitos deles em "salas de cinema" que são, na verdade, uma sala com 20 cadeiras, uma TV e um DVD, em que o dono do espaço cobra alguns centavos pela entrada.

Se essa solução caseira for contabilizada, pode-se dizer que, no início do século 21, havia uma dessas para cada 750 habitantes.

Serviços de *streaming* como a Netflix e empresas de telecomunicação como a francesa Canal Plus e a chinesa StarTimes estão de olho nessa indústria, embora precisem enfrentar a precária e lenta internet do país. Nesse segmento, a Africa Magic Go, da África do Sul, entrou em operação no país em 2014, bem como a Buni+, do Quênia. A Netflix, por exemplo, incluiu em seu menu grandes sucessos do país a partir de 2015, como *October 1* (2014), de Kunle Afolayan, e *Fifty* (2015), de Biyi Bandele. Também adquiriu a distribuição internacional da estreia de Genevieve Nnaji como diretora, em *Lionheart* (2018), considerado o primeiro filme original da empresa feito no país. A Netflix compete, no entanto, com um concorrente doméstico forte, a iROKOtv, serviço de *streaming* com um catálogo de mais de mil filmes de Nollywood a preços mais acessíveis para os países africanos.

Internacionalização

Nnaji é, sem dúvida, um dos maiores nomes de Nollywood – sucesso comercial e de crítica. Ela foi a estrela principal de *Ijé: the journey* (2010), da diretora Chineze Anyaene. O drama conta a história de duas irmãs nascidas na zona rural da Nigéria que seguem caminhos bem diferentes. Dez anos depois, Anya é acusada de matar três homens numa mansão em Hollywood. Chioma vai até Los Angeles a fim de resolver o mistério. Imenso sucesso de bilheteria, foi o melhor filme de festivais do Canadá, do México e dos Estados Unidos.

Lionheart (2018), primeiro filme original da Netflix feito na Nigéria: mercado concorrido

Iniciativas para transformar Nollywood numa indústria organizada, mais rentável, mais vista e premiada em festivais e com maior potencial de bilheteria surgem a cada momento na capital Lagos. Criada por roteiristas, cineastas, artistas e animadores, a Afrinolly Creative Hub é uma empresa que diz ter como missão ser o lugar "onde a tecnologia encontra a arte". "Usamos a tecnologia para organizar Nollywood, institucionalizar as melhores práticas globais e integrar cineastas digitais com a próxima geração de diretores", diz Jane Maduegbuna, diretora executiva.

Outro grande passo foi a criação, em 2012, da Nollywood Movie Awards, depois rebatizada de The Nolly Awards, surgida em 2012 para premiar o melhor da produção do país. O festival elegeu filmes bem produzidos e com roteiros acima da média para a indústria, como *Tango with me* (2010), *Phone swap* (2012) e *A mile from home* (2013). Mas, apesar de toda a pompa e do *glamour* das três edições, o festival foi descontinuado em 2015 – sempre com a promessa de voltar, mas dependente de apoio formal do governo e das produtoras.

Os desafios dessa indústria não são pequenos no século 21. Apesar de sofrerem muito menos censura do que Bollywood, os produtores de Nollywood precisam enfrentar o caos da infraestrutura do país, a falta de salas de cinema e a voracidade da pirataria. Mas a vontade dos africanos de ver histórias próprias, ainda que em produções técnica e esteticamente precárias, traz um alento de esperança para essa indústria cinematográfica tão jovem, frágil e, também, promissora da África.

FILMES ESSENCIAIS
Kongi's harvest (1970)
Bullfrog in the sun (1971)
Ajani Ogun (1976)
Aiye (1980)
Jaiyesimi (1981)
Cry freedom (1981)
Aropin N'Tenia (1982)
Orun Mooru (1982)
Mosebolatan (1986)
Turmin Danya (1990)
Living in bondage (1992)
Ti Oluwa ni ile (1993)

Continua →

Continuação →

Ayo ni mo fe (1994)
Plane crash (2008)
Tango with me (2010)
Ijé: the journey (2010)
Phone swap (2012)
Confusion Na Wa (2013)
A mile from home (2013)
October 1 (2014)
Fifty (2015)
Ojukokoro (2016)
'76 (2016)
Lionheart (2018)

Parte II – Movimentos cinematográficos

6. Vanguardas Francesas

Após a euforia dos anos iniciais do cinema e os traumas políticos, sociais e econômicos da Primeira Guerra Mundial, a França abrigou os primeiros movimentos cinematográficos mais importantes do mundo. Entende-se por movimento cinematográfico um momento específico de uma região ou país que, em condições (políticas, culturais, econômicas, sociais e até psicológicas) muito específicas, abrigou um cinema cujos autores trabalhavam em sincronia estética, de linguagem ou técnica. Ou, quando os filmes eram muito diferentes entre si, o movimento trabalhava por uma "causa" dos próprios artistas, refletindo o sentimento que pairava na nação naquele momento. Por agregarem muitos artistas em um período geralmente curto, são referências mundiais e ajudaram a renovar/inovar o cinema ao longo do século 20 em todos os cantos do planeta.

No período entreguerras, a França foi berço de movimentos artísticos como Impressionismo, Dadaísmo, Surrealismo e Realismo Poético. Os artistas estavam decididos a levar essas experimentações para o cinema, diante do rápido crescimento de Hollywood, além de buscar levar a invenção mais para o campo da arte. O cinema comercial francês, nos anos 1920, encontrava-se em plena crise de bilheteria, o que impulsionou os cineastas a olhar para as influências de artistas de outras áreas – como Camille Pissarro, Claude Monet, Charles Baudelaire – e introduzir a experimentação anti-industrial no cinema. Depois, com a chegada do som, foi a vez de o Realismo Poético francês aproveitar todo o seu potencial com diálogos primorosos.

Os filmes dos três primeiros movimentos queriam chocar a sociedade e experimentar novos movimentos de câmera, ritmos de montagem, iluminação etc. Deram grande liberdade criativa ao cinema. E, quando a produção francesa quase sucumbiu diante da entrada de filmes sonoros dos Estados Unidos, teve início o Realismo Poético francês, movimento cinematográfico que marcou a despedida do país de seu ápice criativo, calado pela invasão da Alemanha e pelo fim das liberdades artísticas com a chegada da Segunda Guerra Mundial.

Impressionismo

Um dos principais pioneiros das vanguardas francesas foi o crítico e escritor Louis Delluc. Defensor de um cinema-arte de forte apelo visual, ele reuniu outros entusiastas, como Abel Gance, Jean Epstein, Germaine Dulac e Marcel L'Herbier, que se tornaram famosos por tentar transpor conceitos e ideias do Impressionismo para o cinema. Ainda que as fronteiras dos movimentos de vanguarda sejam quase sempre pouco definidas, os filmes impressionistas tendiam a focar em experimentações técnicas como distorções ópticas, sobreposições de imagens e muitos planos subjetivos, com cortes rápidos. Lógica espaçotemporal e densidade de personagens perdiam importância diante da manipulação de objetos e cenários. As experimentações dos impressionistas eram adoradas e também vaiadas. O Impressionismo no cinema é, até hoje, uma das vanguardas menos estudadas e reconhecidas, em parte porque nem todos concordam com o termo, que une cineastas por vezes muito diferentes entre si, em parte porque seus filmes não destoam tanto das vanguardas mais conhecidas, que veremos logo adiante.

Ainda assim, pode-se dizer que o movimento se comunica com seu par homônimo nas artes visuais pela presença de um olhar subjetivo em constante movimento, sujeito a alterações visuais efêmeras, sempre em consequência da impressão de um estado de espírito, de sua relação com a natureza e o mundo; distorções, sobreimpressões e imagens fora de foco simbolizam o olhar subjetivo do artista sobre a beleza fugaz ao seu redor.

Do impressionismo nasceram filmes memoráveis esteticamente, como *A roda* (1923), de Abel Gance, e *A desumana* (1924) e *O dinheiro* (1928), de L'Herbier – o penúltimo é uma produção sofisticada com supervisão artística do brasileiro Alberto Cavalcanti. Esses filmes eram parte e se aproveitavam de um contexto de grande efervescência cultural na França, com o surgimento dos primeiros cineclubes e exposições de arte em diversas cidades do país. *A roda*, particularmente, foi revolucionário – basta lembrar a cena em que o personagem Elie, pendurado num penhasco, vê sua vida passando diante dos olhos. Nessa cena, Gance usou uma série de imagens com apenas 1/24 segundo de duração. Nos cinemas, tudo aparecia tão rápido que o público não conseguia identificar do que se tratava. Era o artista querendo transmitir a impressão de pânico do protagonista, com sentimentos acelerados e latentes.

O movimento impressionista no cinema privilegiava, também, a autoralidade do roteiro pela mesma pessoa que o transporia para as telas, muitas vezes com enredos simples – valorizando, sobretudo, a imagem, trabalhada de forma poética e nem sempre lógica. Embora não seja considerado propriamente impressionista, o filme fundamental para abrir esses horizontes no cinema foi *Eldorado* (1921), de Marcel L'Herbier, obra que quebrou paradigmas com seus efeitos, distorções e deformações visuais. Além disso, estimulou um primeiro momento impressionista focado em diversas manipulações da câmera, de lentes, de movimentos etc., em filmes como *Assassinato em Marselha* (1921) e *A exilada* (1922), de Louis Delluc, e *A festa espanhola* (1920) e *A sorridente Madame Beudet* (1922), de Germaine Dulac. A montagem se acelerou nos filmes subsequentes; como exemplos podemos citar: *A fogueira ardente* (1923), de Ivan Mosjoukine; *Coração fiel* (1923), de Jean Epstein; *A desumana* (1924) e *O falecido Mathias Pascal* (1926), de L'Herbier. O movimento foi perdendo identidade/clareza visual nos filmes seguintes, ainda que eles sejam fundamentais para a história. É o caso de *À deriva* (1928), de Alberto Cavalcanti; *Napoleão* (1927) e *A queda da casa de Usher* (1928), de Jean Epstein; e *O dinheiro* (1928), de L'Herbier. Alguns diretores, como Dulac, não ficaram associados apenas ao Impressionismo, mas iniciaram ali suas experimentações artísticas.

FILMES ESSENCIAIS
A festa espanhola (1920)
Eldorado (1921)
Assassinato em Marselha (1921)
A sorridente Madame Beudet (1922)
A exilada (1922)
A fogueira ardente (1923)
Coração fiel (1923)
A roda (1923)
A desumana (1924)
O falecido Mathias Pascal (1926)
Napoleão (1927)
O dinheiro (1928)
À deriva (1928)
A queda da casa de Usher (1928)
O dinheiro (1928)

Dadaísmo

Se as fronteiras do Impressionismo não são bem demarcadas nem aceitas por todos os historiadores, com o Dadaísmo isso se torna ainda mais crônico no cinema. Antes de chegar às telas, o movimento rebelde pregava o questionamento dos conceitos de arte, bem como dos sistemas e códigos existentes. Iniciado em 1916, visava libertar a produção de belezas e lógicas preestabelecidas, valorizando o ilógico, o aleatório, o escândalo, a provocação, o sarcasmo e a contradição. Fora do cinema, um artista que passeou pelo movimento foi Marcel Duchamp, que tirava objetos do cotidiano e os colocava em galerias – caso do urinol, que virou a obra *ready-made* "A fonte" (1917). No cinema, Duchamp dirigiu *Cinema anêmico* (1926), com o pseudônimo de seu alter-ego feminino, Rrose Sélavy, e em colaboração com o também dadaísta Man Ray, diretor de outro filme fundamental do movimento, *Retorno à razão* (1923). A obra de Duchamp é uma combinação de imagens hipnóticas, em espiral e concêntricas. Seu nome *anemic* é um anagrama metalinguístico, que subverte lógicas e explicações, confundindo e surpreendendo ao mesmo tempo.

Mas o filme de Duchamp não foi o primeiro, embora tenha sido um dos poucos dadaístas, uma vez que parte dos artistas migrou, depois, para o movimento mais duradouro no cinema: o Surrealismo. O primeiro, e talvez o maior filme dadaísta de todos os tempos, foi *Entreato* (1924), de René Clair. Com atuações do próprio Duchamp e de Man Ray e feito para ser exibido no intervalo de uma apresentação de balé – os suspiros e risadas do público fariam parte do projeto, embora todos tenham ficando silenciosamente atônitos com as cenas, o que irritou os artistas –, *Entreato* é uma obra-prima, com seus desfechos grotescos, movimentos toscos ou infantis, figurinos opostos de personagens, sobreposições de imagens da cidade sobre um tabuleiro de xadrez (jogos de poder) e um esguicho de água que limpa toda a hipocrisia urbana. Bailarinas de barba e bigode questionam a ideia de gênero, mas a cena mais importante do filme foi a tentativa (bem-sucedida?) do diretor de produzir abstração no cinema, ao colocar a câmera num carrinho de montanha-russa e, manipulando a velocidade dos *frames*, transformar árvores, anúncios e pessoas em imagens disformes e quase irreconhecíveis. A abstração numa arte essencialmente figurativa.

O próximo filme de René Clair talvez tenha sido sua última produção dadaísta por natureza, ainda que alguns o incluam no Surrealismo. *Paris adormecida* (1924) mostra uma cidade paralisada por um cientista; a imobilidade atinge a todos, menos um grupo de jovens dentro da Torre Eiffel – uma crítica à própria sociedade de seu tempo, pasmada diante de graves questões sociais que levarão à ascensão de regimes fascistas na Europa. Na mesma época, Fernand Léger dirigiu *Balé mecânico* (1924): uma sequência de objetos metálicos e máquinas fotografados e colocados em movimentos rápidos e aleatórios, quase chegando à abstração.

Uma das poucas diferenças evidentes entre o Dadaísmo e seu sucessor no cinema, o Surrealismo, é que o primeiro apostava na ironia e na comicidade. Basta pensar, por exemplo, em *Entreato*, que tem pessoas correndo em câmera lenta e um mágico renascendo do caixão. Enquanto o Dadaísmo brincava de ironizar a realidade, o Surrealismo apelava para um sarcasmo mais negativo, para uma liberdade que se perdeu diante da hipocrisia social, como veremos adiante.

Na época, outros curtas produzidos levantaram questionamentos sobre se eram ou não dadaístas. O movimento nasceu e morreu muito rapidamente no cinema, mas sua contribuição à arte cinematográfica permanece fundamental até hoje.

FILMES ESSENCIAIS
Retorno à razão (1923)
Entreato (1924)
Paris adormecida (1924)
Balé mecânico (1924)
Cinema anêmico (1926)

Surrealismo

Movimento conhecido mundialmente graças às artes plásticas, o Surrealismo também deu importantes contribuições à história do cinema. Seus princípios são os mesmos: associações entre coisas aparentemente desconexas, visão da realidade por meio dos sonhos e símbolos oníricos, negação da lógica e da racionalidade, condenação da sociedade burguesa e do capitalismo hipócrita. O movimento começou oficialmente em Paris, em 1924, com a publicação do Manifesto Surrealista pelo escritor André Breton. É um longo texto, especialmente pensado para a literatura surrealista, mas há trechos que explicitam de forma clara o intuito e o legado do movimento no cinema – como este, contido no início da exibição de alguns filmes do movimento comercializados em DVD: "Puro automatismo psíquico por meio do qual se deseja exprimir, verbalmente ou por escrito, a verdadeira função do pensamento. Pensamento ditado na ausência de qualquer controle exercido pela razão, fora de toda preocupação estética ou moral".

Nota-se a valorização de Breton ao que ele chamou de fluxo contínuo do inconsciente – numa aproximação às teorias de Freud. A pureza e a importância dos sonhos residem no fato de que eles não têm amarras estéticas nem morais. Num sonho, nada é belo ou feio, permitido ou proibido; tudo é apenas reflexo de nossos sentimentos, temores, repressões e experiências acumuladas. Esse princípio, por si só, gerou grande polêmica nos filmes emblemáticos do movimento, que chocavam e seduziam as plateias.

Ainda que o Manifesto Surrealista tenha sido o estopim para o movimento, ele já era um desejo artístico desde *Fantômas I* (1913), filme de Louis Feuillade que criticava a hipocrisia burguesa na França, com claros indícios da estética que estaria por vir. O filme, inclusive, foi elogiado por Guillaume Apollinaire, escritor e crítico de arte que cunhou o termo "surrealismo".

O movimento nunca chegou a explorar todo o seu potencial – imagine o que seria manipular som, cor e efeitos tridimensionais sem preocupações estéticas ou morais –, mas deixou uma contribuição fundamental para aqueles que lutavam contra regras cada vez mais rígidas de indústrias como Hollywood. Os poucos ícones do movimento são, certamente, *A concha e o pastor* (1928), de Germaine

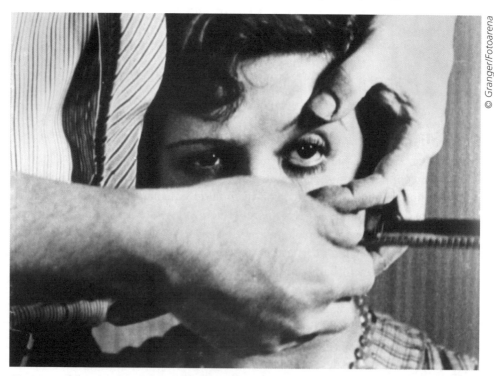

Um cão andaluz (1928), de Luis Buñuel: obra máxima do surrealismo, quebrou as noções de espaço e tempo no cinema e chocou o público

Dulac, e *Um cão andaluz* (1929) e *A idade do ouro* (1930), ambos dirigidos por Luis Buñuel e roteirizados por ele e Salvador Dalí.

No primeiro, a diretora Germaine Dulac antecipou o movimento trazendo suas grandes marcas: erotismo, crítica mordaz à Igreja, aos militares e à burguesia, referências a Freud, rompimento da narrativa clássica (espaço-tempo) etc. Já no segundo, Buñuel revelou repressões sexuais em imagens – como formigas saindo da mão, personagens espelhados e padres amarrados a pianos. Na película, os planos se unem sem nenhum respeito à lógica espaçotemporal, exatamente como num sonho. E, como neles, objetos se transformam ou se fundem a outros sem nenhuma explicação. Assim como no Dadaísmo, os surrealistas queriam denunciar a moralidade falsa que permeava a Europa no período entreguerras, cada vez mais intolerante e abraçada a regimes fascistas. Por fim, em *A idade do ouro*, Buñuel aprofunda seu dogma surrealista de "não fazer arte", justapondo imagens escabrosas com sinfonias românticas, bispos mumificados, uma vaca sobre a cama, uma donzela chupando o dedo do pé de uma estátua e outras imagens que tornaram o filme uma referência fundamental para os futuros cineastas que aspiraram manter o legado surrealista nas telas.

Ainda que o movimento tenha sido marcado pelos filmes citados até aqui, ele logo influenciou outros diretores – caso de Jean Vigo, que deu início ao Realismo Poético francês, mas dirigiu uma deliciosa comédia com bons elementos surrealistas. Trata-se de *Zero de conduta* (1933), que mostra uma rebelião infantil contra uma instituição de ensino opressora. Na clássica cena final, os moleques endiabrados aparecem no telhado, prontos para voar. Com nu frontal, escatologias e um certo homoerotismo, traz uma dose de perversidade surrealista, com câmera lenta e truques fotográficos, entre outras experimentações do diretor.

Assim como o Dadaísmo, o cinema puramente surrealista teve poucos representantes. Há quem inclua outros na lista, inclusive películas de tempos distintos, o que foge do conceito de movimento cinematográfico. Porém, ainda que reduzidos a algumas unidades, os filmes surrealistas abriram novos horizontes para o cinema no mundo inteiro, sem o qual diretores como Eliseo Subiela, David Lynch, David Cronenberg e Alejandro Jodorowsky jamais chegariam ao sucesso.

FILMES ESSENCIAIS
Fantômas I (1913)
A concha e o pastor (1928)
Um cão andaluz (1929)
A idade do ouro (1930)
Zero de conduta (1933)

Realismo Poético francês

Separado dos movimentos de vanguarda anteriores pelos anos iniciais da década de 1930 e fazendo quase uma oposição estética, técnica e de linguagem a eles, o Realismo Poético francês também foi vanguardista em sua essência – amado e odiado pelos futuros criadores do maior movimento cinematográfico do país, a *Nouvelle Vague*, como veremos adiante.

Enquanto o som dominava Hollywood rapidamente e a produção de países como Alemanha e Holanda, a França tardou a fazer essa transição. Na primeira metade dos anos 1930, o país ainda lançava muitos filmes mudos, o que tornou a cinematografia francesa vulnerável perante o avanço da indústria norte-americana.

Nesse sentido, o Realismo Poético francês abraçou o som como um de seus elementos centrais. Foi ainda o único movimento a privilegiar a função do roteirista diante dos demais membros de uma equipe cinematográfica. Extremamente influenciado pelo pessimismo que rondava a França naquele momento, aproveitou-se do surgimento do som para valorizar o diálogo e o texto, e não mais o experimentalismo imagético das vanguardas anteriores. Influenciado pelo Naturalismo de Erich von Stroheim, trouxe tipos populares como personagens principais. Não eram filmes de entretenimento – a maioria foi fracasso de bilheteria. Seu marco inicial se deu com *O Atalante* (1934), de Jean Vigo, que faz uma esplendorosa crítica poética à condição humana.

A primeira fase do movimento é uma resposta à ascensão fascista na Europa. Os filmes do período colocam comunistas, socialistas e anarquistas na pele de operários e desempregados em busca de uma vida mais digna. O destaque vai para *A última cartada* (1934), de Jacques Feyder, e *A bandeira* (1935), de Julien Duvivier. Também merece ser visto *Cais das sombras* (1938), de Jacques Prévert e direção de Marcel Carné, sobre um desertor que se apaixona por uma órfã em meio a uma atmosfera densa e derrotista. O filme se passa quase todo num café; a fim de apreciar a qualidade dessa obra, é preciso ficar atento aos diálogos, a suas entrelinhas e às falas afinadíssimas com aqueles tempos.

São dessa fase as obras do maior cineasta do movimento, Jean Renoir. Filho do famoso pintor Pierre-Auguste Renoir – cujas obras financiaram seus maiores filmes –, ele considerava seu cinema um diálogo entre realidade e poesia. Seus maiores filmes foram *A grande ilusão* (1937) e *A regra do jogo* (1939). No primeiro, durante a Primeira Guerra, três soldados franceses são enviados para um campo de prisioneiros, onde conhecem um comandante alemão vivido por von Stroheim. O filme fala de generosidade em meio à miséria social. Já *A regra do jogo* aborda o amor livre de um casal riquíssimo às vésperas da Segunda Guerra. Seus personagens, tanto patrões quanto empregados, são carregados de um vazio moral quase cruel,

A regra do jogo (1939), de Jean Renoir: fracasso em sua época, foi recuperado e se tornou um dos filmes mais importantes do cinema francês

tendo o próprio Renoir vivido um artista fracassado que o tempo todo diz: "Sinal dos tempos – todos mentem, todos têm seus motivos". Renoir foi também um grande mestre nas técnicas do filme: com novas lentes capazes de dar maior profundidade de campo, mantinha o foco do primeiro plano e também no pano de fundo, onde as pessoas vivem suas histórias com grande nitidez. Na emblemática cena da caça, cujas tomadas remetem a um estilo documental, personagens elegantes agem de modo frio, representando o clima do país à beira da erupção da guerra. O filme retratou, também, o antissemitismo crescente no país. Foi um fracasso de bilheteria e odiado pela elite francesa, mas o tempo o colocou entre as maiores obras da história do cinema. Proibido na França até 1950 por "desmoralizar o país", *A regra do jogo* foi retomado pelos críticos de cinema do país e é um dos poucos filmes do movimento adorados pelos jovens criadores da *Nouvelle Vague*.

Numa segunda fase do movimento, o fascismo avançou pela Europa e uma nova guerra era dada como certa pela sociedade francesa, que antevia a própria derrota. Delinquentes e desertores que tentam fugir de sua vida mesquinha são, em geral, os personagens dos filmes desse momento, com destaque para *O demônio da Argélia* (1937), de Julien Duvivier, e *Trágico amanhecer* (1939), de Marcel Carné.

O movimento entrou na fase final com o início da Segunda Guerra Mundial e, sobretudo, após a invasão nazista em Paris, dois anos mais tarde, que mandou os cineastas para o exílio. Dessa fase, finalizados muito tempo depois, pode-se eleger dois belíssimos filmes, *O boulevard do crime* (1945) e *As portas da noite* (1946), ambos de Carné. As películas foram filmadas em condições extremamente precárias em virtude da guerra – os alimentos usados em cena eram logo devorados pela esfomeada equipe de filmagem –, tudo sob vigilância nazista. Como foram rodados ainda sob a ocupação, as equipes contaram inclusive com nazistas e judeus disfarçados. Para *O boulevard do crime*, montou-se um cenário imenso no Sul da França, mas em determinado momento da filmagem a produção precisou abandonar o local, pois os Aliados estavam prestes a invadir o país.

O Realismo Poético francês foi o último movimento que manteve a França no olimpo do cinema mundial. A ocupação alemã e a mediocridade das comédias posteriores solaparam essa arte no país. Apesar disso, as vanguardas francesas são, até hoje, referência para o cinema-arte do mundo inteiro. Foram fundamentais para movimentos posteriores, como o Neorrealismo italiano e a *Nouvelle Vague* – este último marcou o renascimento da França no cinema, que voltou a ser um orgulho cultural nacional.

FILMES ESSENCIAIS
O Atalante (1934)
A última cartada (1934)
A bandeira (1935)
O demônio da Argélia (1937)
A grande ilusão (1937)
Cais das sombras (1938)
A regra do jogo (1939)
Trágico amanhecer (1939)
O boulevard do crime (1945)
As portas da noite (1946)

7. Expressionismo alemão

A história da arte nos mostra que, às vezes, é preciso um cenário devastador para que dele nasçam movimentos artísticos com força para ser tornar imortais. A derrota alemã na Primeira Guerra Mundial não foi apenas um baque econômico, social e político para a nação. Criou um clima de pessimismo diametralmente oposto à euforia do crescimento e expansão do país desde o início da Revolução Industrial. A Alemanha empobreceu, perdeu direitos militares e econômicos e viu vigorar a chamada "lei do povo" – ou seja, do mais forte, que forçou o fraco governo a contratar espiões e vigilantes, o que estimulou um clima de paranoia latente. E, quando o país começava a se recuperar economicamente, a crise de 1929 derrubou de vez as reservas do país. Estava formado o cenário perfeito para o maior movimento cinematográfico dos primeiros 50 anos da história do cinema.

Características e início do movimento

O Expressionismo alemão conseguiu driblar as limitações técnicas de seu início (falta de recursos, ausência do som) e manipular todos os elementos cinematográficos disponíveis em prol de expressar o pessimismo, a paranoia, o contraste social, os sentimentos hiperbólicos e o completo descrédito diante da racionalidade, que para esses artistas foi a responsável por levar a Alemanha a uma guerra e à consequente derrota. Da fotografia (contrastes fortes) à arte (*sets* irreais, maquiagem exagerada), da produção (cenários pintados em painéis) à atuação (hiperbólica), tudo era pensado para refletir o clima do país. E, para coroar o movimento, muitos de seus filmes também foram exitosos em bilheteria, pois o clima de suspense/terror seduzia grandes plateias. Era a primeira vez que um movimento cinematográfico conseguia seduzir a classe artística e, ao mesmo tempo, encher salas de cinema dentro e fora do país. Passou a ser estudado em escolas, virou tema de jornais e revistas e seu impacto foi tão grande que suas influências perduram até hoje.

O filme que abriu oficialmente o Expressionismo alemão e se tornou um dos maiores fenômenos do cinema até então foi *O gabinete do dr. Caligari* (1920), de Robert Wiene. Com seus cenários de geometria absurda e desproporções acentuadas por jogos de luz, colocou a Alemanha à altura das vanguardas francesas que estavam também começando. Mas, ao contrário de obras que captam as impressões do artista sobre o mundo – característica que dá nome ao Impressionismo francês –, no Expressionismo os filmes exaltam e privilegiam sensações, expressões e sentimentos exacerbados dos artistas sobre o tempo e a época em que viviam.

O termo "Expressionismo alemão" foi popularizado pelo crítico alemão Herwarth Walden na revista *Der Sturm*, que, em 1911, o usou na abertura de uma exposição em Berlim, opondo-o ao Impressionismo. Este era visto por Walden como a impressão pessoal do artista diante da luz que incidia sobre objetos e a natureza; o Expressionismo queria mergulhar fundo, captar o invisível quase divino de objetos, pessoas e, em menor tom, da natureza. No entanto, as raízes do Expressionismo remontam ao século anterior, sobretudo com a valorização do subjetivo pessoal no Pré-Romantismo alemão do final do século 18 e, mais tarde, com ecos da pintura romântica e suas paisagens misteriosas do século seguinte, que desembocaram no pensamento de Friedrich Nietzsche (1844-1900). Em seus escritos, estes sugerem a confiança na expressão dos sentimentos de um criador, nem sempre mediado por doutrinas racionais. Em cada uma das grandes artes, o Expressionismo parece ter deixado sua marca e preparado o terreno para o cinema, onde ele certamente ganhou mais força e visibilidade.

Na pintura, o movimento ficou eternizado também fora da Alemanha, em obras como "O grito", de Edvard Munch, de 1893, e em seu uso da cor para expressar a subjetividade apavorada do artista diante do mundo. Na literatura, o movimento expressionista se manifestou no início do século 20; seus poetas defendiam que os textos deveriam expressar as emoções dos artistas e não trazer descrições realistas do que acontece ao redor deles. Os escritos acabaram sendo carregados de visões apocalípticas da Europa, que parecia estar à beira de uma guerra. Entre os grandes escritores que passaram por fases expressionistas estão Franz Kafka, Jakob van Hoddis e René Schickele. No teatro, o Expressionismo se manifestou fortemente durante a Primeira Guerra Mundial, com dramaturgos como Frank Wedekind, Georg Kaiser, Reinhard Johannes Sorge etc. Em comum, esses dramaturgos trabalharam com elementos dos quais, depois, o cinema também faria uso, como a centralização da trama em um personagem e sua subjetividade psicológica, quase sempre voltada para pensamentos pessimistas e autodestrutivos. O teatro também experimentou novos arranjos de luz e maquiagem, características que seriam centrais e bem exploradas no cinema.

Mas *O gabinete do dr. Caligari*, embora inaugurasse o movimento, não foi o primeiro a refletir algumas das características marcantes do cinema alemão da época. Ocorre que muito se perdeu do cinema mudo alemão durante a Primeira Guerra, e os próprios alemães consideravam o cinema nacional de pouca qualidade até então; por isso, as pesquisas sobre o pioneirismo desses diretores nem sempre são precisas. Mas obras como *O golem* (1915), de Paul Wegener e Henrik Galeen, já tinham elementos góticos medievais e sobrenaturais, contrastes e desenhos de luz e sombra e atuações mais hiperbólicas, características acentuadas em outra produção homônima de Wegener, lançada em 1920. Aliás, o uso do estilo gótico alemão medieval ganhou influência maior durante a Primeira Guerra, uma vez que funcionou como um resgate da identidade nacional para muitos artistas enquanto o conflito durou.

O gabinete do dr. Caligari

Há de se perguntar como um movimento tão importante como o Expressionismo nasceu num país devastado e derrotado na Primeira Guerra Mundial. A Alemanha tinha 25 produtoras no início do conflito. Esse número subiu para 130 em 1918, porque o país fechou as portas para o cinema estrangeiro de 1916 até 1920, propiciando uma lucrativa reserva de mercado para a produção nacional. Além disso, com a moeda depreciada ao longo da guerra, os filmes alemães eram vendidos a preços baixíssimos no exterior. Também é preciso lembrar que o cinema sempre foi uma plataforma incentivada financeiramente pelos governos alemães. Porém, o ponto de virada foi a criação da Universum Film Aktiengesellschaft (UFA), companhia de cinema que unificou outras três empresas, em 1917, e se tornou peça--chave na produção de filmes. A empresa driblou o boicote de países que haviam vencido a guerra e facilitou a distribuição de obras expressionistas até a ascensão de Hitler ao poder, quando, privatizada havia anos, passou a ser controlada por Joseph Goebbels e a produzir filmes de propaganda do Partido Nacional-Socialista dos Trabalhadores Alemães (Nazista).

Bem antes disso, porém, foi a UFA que internacionalizou *O gabinete do dr. Caligari*, que uniu perfeitamente a tensão pessimista pós-guerra a uma história detetivesca com forte preocupação comercial. O filme inovou em vários sentidos. Sua cenografia, com painéis pintados ao estilo expressionista, evocava um mundo em desequilíbrio, longe da luz e da razão. Toda a frieza alemã deu lugar a interpretações exageradas, que ganhavam ainda mais força com a maquiagem facial, a qual salientava sombras e tornava as expressões quase cadavéricas. Os conflitos internos humanos eram expressos por formas, luzes e interpretações fortes – tudo num ambiente quase sempre urbano, envolto na tecnologia da época (telefone, luz elétrica, carros), mas trabalhando com sentimentos atemporais.

Caligari foi um marco do cinema mundial, sobretudo no que se refere à fotografia. Se Hollywood confinava cada vez mais seus filmes em estúdios cuja iluminação tentava parecer natural, e o cinema nórdico buscava a fraca luz natural de locações, Robert Wiene criou uma terceira via, teatralizando a luz ao desenhar imagens nas paredes e usando a luminosidade em ângulos não convencionais; assim, criou uma atmosfera que chegava a rir do naturalismo e do natural em si. Linhas distorcidas, movimentos bruscos dos personagens e silêncios perturbadores expressavam a mente desorientada do protagonista, Francis. Mas, mesmo quando saímos de sua cabeça, o filme continua perturbador, revelando a ideia do diretor de que toda a sociedade partilhava os mesmos sentimentos do personagem.

A proposta do filme desencadeou uma série de outras produções que seguiam características semelhantes, a citar: *Da aurora à meia-noite* (1920), de Karl Heinz Martin; *Genuine* (1920) e *Raskolnikow* (1923), ambos de Robert Wiene; *Nosferatu: uma sinfonia do horror* (1922) e *Fantasma* (1922), de Friedrich Wilhelm Murnau; *A morte cansada* (1921) e *Dr. Mabuse: o jogador* (1922), de Fritz Lang.

Quase todo rodado em locação, o *Nosferatu* de Murnau foi uma adaptação não autorizada do *Drácula* de Bram Stocker e trouxe uma das atmosferas mais bem construídas do movimento, dialogando com o Romantismo das artes plásticas, o gótico medieval e o cinema dos países nórdicos. Ele representa bem uma vertente do Expressionismo que colocava personagens deformados (monstruosos) como protagonistas, cujo aspecto físico remetia a desejos reprimidos e a uma origem social marginalizada. O filme aterrorizou as plateias. As imagens em negativo e as árvores brancas balançando enquanto o herói chega ao castelo, as sequências filmadas em câmera rápida, os ângulos cada vez menos convencionais foram inovadores na época. Já *Sombras* (1923) mostra um filme dentro de um filme: uma brincadeira metalinguística com projeções de imagens em paredes, truques de ilusionismo, jogos de sombras e contrastes absolutamente bem conduzidos.

Temáticas recorrentes

Os temas recorrentes do Expressionismo alemão eram traição, loucura, paranoia e medo, ambientados num pessimismo típico do período entreguerras, mas sem o sarcasmo e a ironia dos movimentos franceses, embora ambos compartilhassem algo em comum: a crença no desastre da razão, no otimismo expansionista da Revolução Industrial que levou a Europa a uma guerra mundial. No Expressionismo, há personagens típicos que incorporam essa irracionalidade: o sonâmbulo, que age sem o controle da razão, e o vampiro, nem sempre aquele tipo de Bram Stocker, mas um personagem que suga a vida e a energia das pessoas – caso de *M, o vampiro de Dusseldorf* (1931), no qual o vampiro é, na verdade, um assassino de menininhas. O filme trouxe também outro elemento interessante: o vilão é desvendado por um cego por meio de seu assovio típico. Na película, Fritz Lang privilegiou o sentido humano mais ligado à irracionalidade ("estou ouvindo coisas") e não à visão ("ver para crer"), geralmente associada à razão. Para reforçar a importância da audição, costumava-se utilizar a técnica do *overlapping*, adiantando a banda de som com relação à imagem, priorizando, assim, o entendimento via primeiro sentido. Aliada a essa técnica sonora vinha, também, a valorização do extracampo na narrativa dos filmes, com olhares e elementos do campo sempre remetendo a algo que não estamos vendo, que está fora da tela, reforçando a paranoia dos personagens em relação às ameaças externas – nem sempre visíveis. Ou, também, remetiam a sentimentos envoltos em misticismo e magia, típicos dessa época de forte irracionalidade.

Movimentos cinematográficos tão bem organizados como o Expressionismo em geral conseguem transmitir sentimentos coletivos de um povo ou nação. Um elemento recorrente desses filmes era a alma, às vezes rebelde, outras vezes reprimida e submissa diante das ameaças tirânicas do ambiente. Personagens monstruosos ou apenas perturbados parecem reagir a esse ambiente social pesado que, no horizonte, apresenta desesperança e não alento. Em *Dr. Mabuse: o jogador*, o protagonista é um hipnotizador com diversas personalidades que aterroriza a cidade, mas sucumbe à própria loucura. O filme queria fazer uma crítica ao "declínio moral" da Alemanha nos anos 1920, com os excessos do protagonista, as atitudes imorais dos coadjuvantes e seus impulsos primitivos. O protagonista subtrai a racionalidade de seus pacientes, mas ele mesmo é dragado pelas atitudes que comete.

Metrópolis

Há quem argumente que o Expressionismo começou a declinar na segunda metade dos anos 1920. Mas foi em 1927 que Fritz Lang entregou ao mundo uma obra-prima do movimento e um dos mais importantes filmes de ficção científica da história. *Metrópolis* (1927) é uma trama futurista cuja arquitetura foi criada pelo diretor de arte Otto Hunte. Misturou elementos moderníssimos com referências góticas e mostrou um mundo dividido: a terra dos operários, que trabalham de forma mecânica, quase como sonâmbulos, e a ilha dos prazeres, onde vivem os poucos donos de tudo. Até que o filho de um dos patrões se apaixona por Maria, a líder dos operários, chocando-se com o submundo em que ela vive. Esta é clonada por um cientista, tornando-se um robô muito bem construído para a época – sem falar dos

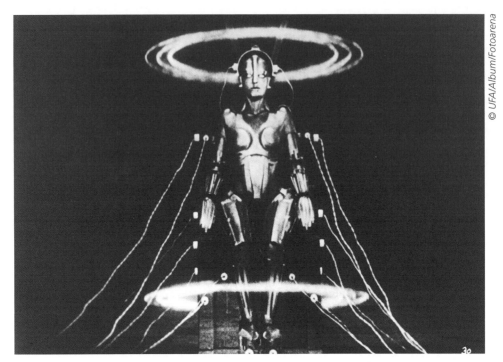

Metrópolis (1927), de Fritz Lang: obra-prima do Expressionismo alemão, com precisão em todos os detalhes, da direção de fotografia às atuações hiperbólicas

efeitos especiais criados por Eugen Schüfftan, inimagináveis em uma era pré-computadores. Schüfftan inventou uma técnica que usava espelhos num cenário em miniatura refletido na lente no mesmo momento em que os personagens atuavam. A produção foi superlativa em diversos sentidos. Usou 650 mil metros de filme e 36 mil extras durante as filmagens. *Metrópolis* foi idolatrado até pelos nazistas. Hitler era fã de seus efeitos especiais e o arquiteto nazista Albert Speer chegou a construir uma rampa imensa usando a obra como referência. O filme também inspirou uma legião de filmes como *Star wars* (1977) e seu robô C-3PO; *Blade runner* (1982), *Edward Mãos de Tesoura* (1990) e *Batman: o retorno* (1992), por exemplo.

Outros diretores também trabalharam com elementos de ficção científica. Robert Wiene, por exemplo, fez *As mãos de Orlac* (1924), que conta a história de um pianista que recebe um transplante de mãos de um assassino e acaba sendo dominado pelos próprios membros. Murnau, por sua vez, levou para o cinema *Fausto* (1926), clássico da literatura alemã sobre o cientista que vende sua alma a Mefistófeles (interpretado por Emil Jannings), numa atmosfera rigorosamente construída pelo diretor e por sua equipe.

Quando tinha pouco mais de uma década, pouco antes, portanto, de *Metrópolis*, o Expressionismo alemão era tão influente e conhecido no cinema que gerou, também, reações contrárias de intelectuais que já estavam cansados dos clichês gerados pelo movimento, como vilas ameaçadas por personagens sombrios, pactos demoníacos etc. Até o dramaturgo Bertolt Brecht, então um admirador do movimento, voltou-se contra as emoções hiperbólicas e o excesso de subjetivismo dos filmes. Alguns diretores tentaram, então, trazer mais realidade ao movimento – como Georg Wilhelm Pabst, que em *A rua sem alegria* (1925) falou de dramas econômicos, e não psicológicos, dos personagens, algo raro para o movimento. Já em *A caixa de Pandora* (1929), o diretor enfatizou a sensualidade da personagem Lulu, vivida pela musa Louise Brooks, que levava os homens ao seu redor à ruína.

A chegada do nazismo

O Expressionismo alemão foi um dos únicos movimentos cinematográficos interrompidos de forma brusca. Isso ocorreu quando da ascensão do Partido Nazista ao poder, em 1933. A estética expressionista foi proibida e os diretores fugiram imediatamente para o exílio. A maioria foi trabalhar em Hollywood – caso de Robert Siodmak, da atriz Marlene Dietrich, dos diretores Fritz Lang, F. W. Murnau, Georg Pabst, Paul Leni etc. Nos Estados Unidos, influenciaram fortemente o cinema de gângsteres dos anos 1930, ajudando, posteriormente, a construir o que foi denominado cinema *noir*.

Aurora (1927), dirigido por Murnau já em solo americano, tem alguns elementos típicos expressionistas. Teve toda a liberdade – dada por William Fox – para ser rodado. Sua trama fala de um homem que quer fugir com a amante e deixar a esposa pudica. Embora pareça simplória, a obra usou da experiência do diretor de construir imagens oníricas, agora com a chegada do som, e foi o primeiro longa a usar o sistema Movietone da Fox. Fez um enorme sucesso no país, recebendo três prêmios na primeira edição do Oscar, em 1929, quando conquistou as estatuetas de melhor filme, melhor atriz e melhor fotografia. Embora tenha sido feito fora da Alemanha, é considerado um filme expressionista em virtude de seu diretor e de sua composição estética.

Quando a Segunda Guerra acabou, esses cineastas que fugiram da Alemanha já não tinham condições psicológicas para voltar ao país e reacender o movimento. Tampouco os cineastas que lá ficaram fizeram o mesmo, pois, como trabalharam para o cinema de propaganda nazista, ficaram sem emprego com o término do conflito. Isso impactou sobremaneira o cinema alemão, que viveu um período de baixa qualidade até o surgimento de um breve, mas significativo, movimento cinematográfico, o chamado Novo Cinema alemão.

Novo Cinema alemão

Dividida e traumatizada, a Alemanha viu surgir, a partir dos anos 1960, um cinema pulsante e fortemente influenciado pela *Nouvelle Vague* francesa, nas mãos de cineastas como Werner Herzog, Wim Wenders, Rainer Werner Fassbinder, Alexander Kluge, Margarethe von Trotta, Helma Sanders-Brahms, Volker Schlöndorff, Hans-Jürgen Syberberg e Edgar Reitz, entre outros que atuavam na parte ocidental do país. Com a retomada do financiamento internacional e a recuperação do número de espectadores, o cinema alemão ocidental vivia o cenário caracterizado pelo controle dos países que o gerenciavam internamente e pela invasão de filmes de Hollywood. Para fazer frente a isso, e desejando reconstruir a imagem do país internacionalmente, o governo alemão começou a subsidiar fortemente a produção cinematográfica a partir de meados dos anos 1960. Esse contexto propiciou o surgimento do segundo movimento cinematográfico do país várias décadas após o Expressionismo alemão.

O marco inicial do Novo Cinema alemão foi o manifesto publicado em 1962 por 26 cineastas, apoiados pela crítica e escritora Lotte Eisner, clamando por um cinema de apelo artístico e comercial, sem atrelamentos a grupos de interesse específicos. Um cinema livre. Inicialmente, até técnicos que fizeram parte do cinema nazista entraram no movimento, todos tentando reocupar um lugar na vida do povo alemão, cuja rotina agora estava tomada pelo crescimento vertiginoso da televisão. O manifesto marcou o Festival de Curtas-Metragens de Oberhausen naquele ano, numa tentativa de fazer frente ao cinema dominante, fortemente de direita, nacionalista, que insistia em ignorar os grandes problemas nacionais – produções que inquietavam os jovens de esquerda que fundariam o movimento. Criativos ao extremo, eles eram influenciados pelo trabalho de intelectuais da Escola de Frankfurt, como Alexander Kluge, diretor de *Despedida de ontem* (1966). A partir de então, várias adaptações literárias começaram a ser feitas, como *Sinais de vida* (1968), de Werner Herzog, baseado no romance de Achim von Arnim. Além disso, um cinema mais ligado à linha narrativa hollywoodiana também foi produzido, como *O amor é mais frio que a morte* (1969), de Fassbinder, que conta a história de um jovem criminoso denunciado pela namorada.

Iniciada havia alguns anos, a *Nouvelle Vague* francesa teve forte influência no cinema alemão: prevalência do diretor como autor máximo de uma trama, adoção de tecnologias novas – sobretudo do cinema norte-americano – e equipes mais enxutas para filmar em locações. Aos poucos, a rejeição ao cinema comercial alemão, com seus *thrillers* repetitivos, romances escapistas e comédias superficiais, marcou os trabalhos seguintes dos diretores.

No entanto, essa crítica ao cinemão tradicional do país gerou uma reação contrária de produtores e do governo, na forma de quebra de subsídios e até censura.

Foi então que cineastas como Wenders, Fassbinder, Kluge e Herzog fundaram juntos, em 1971, a Filmverlag der Autoren, que produzia e distribuía os próprios filmes. Foi esse o passo fundamental para assentar o Novo Cinema alemão.

Fassbinder foi o cineasta mais importante do movimento. Em 1970, dirigiu *Por que deu a louca no sr. R.?*, sobre um desenhista que mata a família e comete suicídio em decorrência do tédio. Junto com *Os anões também começaram pequenos*, também de 1970, de Werner Herzog, o cinema alemão passou, aos poucos, a se reconfigurar. Nessa década, entrou em sua fase áurea: os orçamentos ficaram maiores e os festivais, mais receptivos. Além disso, a Filmverlag der Autoren passou a captar recursos mais altos para sua produção.

Foi a partir desse momento que Fassbinder delineou seu estilo autoral, crítico ácido da burguesia alemã e de tudo que engendrou o país e o desembocou no nazismo. Seu primeiro grande filme foi *O comerciante das quatro estações* (1972), fortemente influenciado por seu mestre, Douglas Sirk, alemão de esquerda que trabalhava com melodramas para falar de desesperança e repressão política. Ele também discutiu a situação dos estrangeiros na Alemanha em obras como *O medo devora a alma* (1974), releitura livre do clássico *Tudo que o céu permite* (1955), de Sirk. Mas foi de 1972 seu primeiro sucesso internacional, *As lágrimas amargas de Petra Von Kant*, sobre a relação tumultuada entre uma estilista, uma empregada e uma modelo. Petra Von Kant, a estilista, é uma espécie de alter-ego do diretor, que projetou seu universo masculino gay em uma personagem feminina, com dramas e sentimentos semelhantes aos que ele conhecia. Permeada de longos diálogos e atuações melodramáticas, com referências estéticas a Carl Dreyer e Ingmar Bergman, a obra se passa quase toda em um apartamento imerso em suas cores fortes, herança de Douglas Sirk.

Werner Herzog, por sua vez, dirigiu *Aguirre, a cólera dos deuses* (1972), superprodução filmada na Amazônia inspirada na história real de um grupo de espanhóis que cruza a floresta em busca de Eldorado. A partir desse momento, o cinema alemão passou a se beneficiar de políticas públicas que atrelaram recursos dos canais de TV às produções cinematográficas, disparando o orçamento dos filmes e sua penetração de público. Em seguida, Herzog fez *O enigma de Kaspar Hauser* (1974), no qual se vê o apreço do diretor por fontes documentais e históricas. Nele, o personagem homônimo – que existiu na vida real – finalmente sai de uma masmorra escura, onde passou a vida, e chega à Bavária, tendo de lidar com a liberdade que nunca teve. Herzog foi primoroso em sua combinação de uso de música clássica com cenas de sonhos aterrorizantes do protagonista.

Esses cineastas não se conformavam com a recusa de alguns artistas de refletir sobre o passado recente de seu país, produzindo obras cheias de imagens falsas, como gostavam de dizer. Isso não quer dizer que se fecharam para o mundo, já que o movimento foi responsável por coproduções internacionais importantes, como *O amigo americano* (1977), de Wim Wenders, e a trilogia *Hitler, um filme da Alemanha* (1977), de Hans-Jürgen Syberberg. Wim Wenders, por exemplo, admirava o cinema americano, onde filmou belíssimos trabalhos – como *Alice nas cidades* (1974), cujo protagonista é um jornalista perdido e à deriva, como seu país de origem, a Alemanha. Aliás, já em seu primeiro longa se vê a adoração pelo cinema americano e pelo estilo narrativo em *road movie*. No filme *Verão na cidade* (1970), primeira parceria de Wim Wenders com o diretor de fotografia Robby Müller, o diretor opera com o eterno senso de deslocamento, misturando referências da cultura norte-americana, como o *rock*.

Mas a constante presença de sequestros e atos terroristas na Alemanha, como o sequestro seguido de morte do industrial Hanns-Martin Schleyer, inspirou alguns dos melhores filmes do movimento, como *A honra perdida de Katharina Blum* (1975), de Margarethe von Trotta, *Faca na cabeça* (1978), de Reinhard Hauff, e *A terceira geração* (1979), de Fassbinder. *Alemanha no outono* (1978), dirigido por diversos cineastas, foi uma reação coletiva a esses acontecimentos sociais e políticos no país, sendo considerado o último filme do Novo Cinema alemão, pois grande parte dos diretores foi trabalhar nos Estados Unidos ou em produções internacionais.

Mas isso não significou que a produção tenha acabado ou nem mesmo que esse tal fim seja unanimidade entre os estudiosos da área, uma vez que as obras mais premiadas da Alemanha pós-Expressionismo vieram justamente em seguida – em filmes como *O casamento de Maria Braun* (1979), de Fassbinder, vencedor do Urso de Prata em Berlim; *O tambor* (1979), de Volker Schlöndorff, que levou o Oscar de melhor filme estrangeiro; *Palermo ou Wolfsburg* (1980), de Werner Schroeter, vencedor do Urso de Ouro de Berlim. Ao contrário de novas ondas de cinema ao redor do mundo, as mulheres também tiveram participação importante no Novo Cinema alemão. Helma Sanders-Brahms, ex-assistente de direção de Pasolini, dirigiu o comovente *Alemanha, mãe pálida* (1980), inspirado na vida da própria mãe, que passou a educar sozinha a filha quando o marido se uniu ao exército alemão para invadir a Polônia. A tragédia doméstica, sob o pano de fundo da grande tragédia nacional, foi fortemente aplaudida nos festivais de Berlim e Munique.

A partir de então, no lugar da identidade tradicional do movimento, vieram ora filmes de forte apelo comercial, ora coproduções internacionais de peso, como *Fitzcarraldo* (1982), de Werner Herzog, sobre um homem que quer construir uma ópera no meio da floresta amazônica peruana. A película contou com a participação dos brasileiros José Lewgoy e Grande Otelo, vencendo a Palma de Ouro no Festival de Cannes daquele ano.

Fassbinder, por sua vez, continuou sendo o diretor de maior impacto mesmo distante dos tempos áureos do Novo Cinema alemão. Seu *Berlin Alexanderplatz*

(1980) é um tratado de 16 horas de duração sobre a Alemanha pré-nazista que causou enorme polêmica pelas cenas de sexo. Adaptação do romance de Alfred Doblin de 1929, a obra foi filmada na Bavária como telefilme para o canal ADR e trabalhou com múltiplos pontos de vista, tudo girando em torno da praça que dá nome ao filme e de seu protagonista, Franz Biberkopf, numa Alemanha entreguerras que se prepara internamente para causar o maior desastre humano da história.

Fassbinder nunca parou de fazer um cinema que discutia política ou questões sexuais. Como exemplos, temos o belíssimo *Lili Marlene* (1981), sobre uma dançarina, e *O desespero de Veronica Voss* (1982), sobre uma atriz decadente da UFA (empresa cinematográfica da Alemanha nazista), num dos melhores trabalhos de fotografia da carreira do diretor. Seu último filme foi *Querelle* (1982), baseado no livro de Jean Genet, obra homoerótica sobre um marinheiro envolvido em desejos de morte. Naquele ano, o diretor foi encontrado morto por overdose em Munique. Era, de fato o fim definitivo da última grande fase do Novo Cinema alemão.

O movimento não chegou nem perto da força que a *Nouvelle Vague* teve no mundo, mas contribuiu significativamente para discutir a Alemanha pré e pós-nazista, sua divisão sociopolítica, a sociedade de consumo, a cultura pop e, principalmente, o avanço da arte cinematográfica do país.

FILMES ESSENCIAIS
O golem (1915)
O gabinete do dr. Caligari (1920)
O golem (1920)
Da aurora à meia-noite (1920)
Genuine (1920)
A morte cansada (1921)
Nosferatu: uma sinfonia do horror (1922)
Fantasma (1922)
Dr. Mabuse: o jogador (1922)
Raskolnikow (1923)
Sombras (1923)
As mãos de Orlac (1924)
A rua sem alegria (1925)
Fausto (1926)
Metrópolis (1927)

Continua →

Continuação →

Aurora (1927)
A caixa de Pandora (1929)
M, o vampiro de Dusseldorf (1931)
Despedida de ontem (1966)
Sinais de vida (1968)
O amor é mais frio que a morte (1969)
Por que deu a louca no sr. R.? (1970)
Os anões também começaram pequenos (1970)
Verão na cidade (1970)
O comerciante das quatro estações (1972)
As lágrimas amargas de Petra Von Kant (1972)
Aguirre, a cólera dos deuses (1972)
O medo devora a alma (1974)
O enigma de Kaspar Hauser (1974)
Alice nas cidades (1974)
A honra perdida de Katharina Blum (1975)
O amigo americano (1977)
Hitler, um filme da Alemanha (1977)
Alemanha no outono (1978)
Faca na cabeça (1978)
A terceira geração (1979)
O casamento de Maria Braun (1979)
O tambor (1979)
Alemanha, mãe pálida (1980)
Palermo ou Wolfsburg (1980)
Berlin Alexanderplatz (1980)
Lili Marlene (1981)
O desespero de Veronica Voss (1982)
Fitzcarraldo (1982)
Querelle (1982)

8. Neorrealismo italiano

O cinema completava quase meio século de existência. Já havia passado pela euforia inicial de captar tudo ao redor para testar a nova tecnologia, experimentando tipos de câmeras, lentes, enquadramentos etc. Então, quando a brincadeira dos inventores começou a se transformar numa sólida indústria nos Estados Unidos, na Europa os artistas se punham a remar pelo caminho da experimentação artística, gerando movimentos de vanguarda que reoxigenaram, inclusive, o próprio cinema industrial. Chegou o som e, depois de um forte baque adaptativo inicial, surgiu um novo fôlego financeiro e artístico. No entanto, como que confirmando as previsões sentidas na sociedade e nos filmes de vanguarda, eclodiu a Segunda Guerra Mundial – que se tornou o maior conflito bélico da história da humanidade. Foi o suficiente para jogar o cinema em uma nova fase, como se ele, agora com vivência artística e industrial, adquirisse um novo patamar de maturidade narrativa, estética e de linguagem. E o lugar onde essas mudanças encontraram o terreno mais fértil, naquele momento, foi a Itália. O país reuniu as condições ideais para o surgimento do Neorrealismo, movimento cinematográfico fundamental e, talvez, a base fundadora do cinema moderno no mundo a partir das décadas seguintes.

Primórdios e nascimento

O Neorrealismo nasceu na Itália em virtude de um conjunto de características, sendo distintivo apenas daquele país e naquele momento da história. Os italianos tomaram gosto pelo cinema pouco tempo depois de seu surgimento na vizinha França. Quando nem mesmo Hollywood estava consolidado, os italianos já faziam grandes obras, curtas grandiosos como *A queda de Troia* (1911), de Giovanni Pastrone, e *Os últimos dias de Pompeia* (1913), de Mario Caserini. Então vieram os longas-metragens – caso de *Inferno* (1911), considerado o primeiro longa italiano e a primeira adaptação cinematográfica da obra de Dante Alighieri. Além dele, *Cabíria* (1914), de Pastrone, foi um filme-evento para a época. A produtora Cines construiu o primeiro estúdio italiano já em 1905, produzindo dramas históricos como *A captura de Roma* (1905), de Filoteo Alberini. Isso fez que a Itália abrigasse, desde muito cedo, um corpo técnico que acumulava experiência cada vez maior com o cinema. De operadores de câmera, diretores de arte, fotógrafos e, depois, técnicos de som, os italianos se tornaram referência num mercado interno com numerosas produções e profissionais experientes que podiam abraçar esse grande volume de lançamentos.

Quando o fascismo tomou o poder, em 1922, a produção cinematográfica não foi interrompida. Ao contrário, ainda viveu ares de grande produtividade, com o surgimento de escolas e instituições de cinema que se tornaram referência mundial. Um deles foi o Instituto Luce, criado em 1924 e responsável pela produção e distribuição de diversos longas-metragens, muitos deles de propaganda do regime fascista. Destacou-se, ainda, o Centro Sperimentale di Cinematografia, também em Roma. Considerada a mais antiga escola de cinema do país, foi fundada em 1935 e era responsável por abastecer o cinema italiano de profissionais e técnicos para as produções do país. Paralelamente a essas instituições, jornais e revistas como *Bianco e Nero* foram lançadas e se tornaram importantes incubadores de novas ideias para a arte cinematográfica, referenciando, com certa frequência, a importância de um distanciamento de narrativas românticas e de uma aproximação maior à realidade – como fez em muitos de seus filmes o diretor Jean Renoir, que se tornou referência para os neorrealistas.

Entre o final dos anos 1920 e as duas décadas seguintes, o cinema virou a ferramenta preferida de propaganda do regime fascista, às vezes por intermédio dos institutos cinematográficos. Roberto Rossellini, jovem que demonstrava grande talento, foi chamado para ser assistente de direção da nova produção de Goffredo Alessandrini, *Luciano Serra, piloto* (1938), épico fascista de enorme sucesso. Em 1941, fez assistência em *Uomini sul fondo*, de Francesco De Robertis. À época, Rossellini já era bem conhecido por Vittorio Mussolini, então piloto de guerra, produtor e crítico de cinema, porém mais conhecido por ser o filho do ditador Benito Mussolini. Vittorio comandava a revista *Cinema* e, em sua gestão, não baniu produções e profissionais com discursos de esquerda, que já clamavam pela importância de a sétima arte captar a realidade social do país e do continente em guerra.

Rossellini, então, assumiu a direção de três projetos que ficaram conhecidos como "trilogia fascista": *La nave bianca* (1941), *Un pilota ritorna* (1942) e *L'uomo dalla croce* (1943). Os filmes, em especial o segundo, não foram tão bem recebidos pelo regime que os financiou, indicando que o diretor já começava a se impregnar com as características do movimento que fundaria pouco mais de um ano depois. *Un pilota ritorna* foi considerado "frio", "objetivo" demais, com tomadas aéreas longas em que aparentemente nada acontece. Parecia um antiespetáculo, típico de alguns documentários, uma aproximação da realidade e renúncia da "farsa" envolvente da ficção. Além disso, os pilotos retratados no filme não eram propriamente heróis, mas seres humanos reais, com virtudes e fraquezas. Nada poderia deixar os fascistas mais irritados do que assistir a algo assim.

Primeiros filmes e suas propostas

Na mesma época, Rossellini se tornou amigo de Federico Fellini, que tinha notório talento para a escrita, e do ator Aldo Fabrizi. O destino deles seria bruscamente alterado com o colapso do regime fascista, em 1943, quando a Itália se tornou palco da ocupação nazista, os Aliados empreenderam a Campanha da Itália para libertar o país e o movimento de resistência interna se fortaleceu. Naquele momento, Rossellini preparava, com o roteiro de Fellini, um filme antifascista, enquanto Fabrizi vivia o padre de *Roma, cidade aberta* (1945) – obra rodada durante os capítulos finais do conflito que se tornou o marco inicial do movimento. Tal marco é objeto de divergências históricas, pois alguns estudiosos colocam *Obsessão* (1943), de Luchino Visconti, como marco inicial, já que ele apresentou os primeiros sinais da estética neorrealista, mas com roteiro e produção técnica ainda pouco maduros. No entanto, quem advoga a favor de *Obsessão* como o marco zero do movimento alega que esse filme fez o crítico de cinema italiano Umberto Barbaro usar supostamente o termo pela primeira vez, referindo-se a uma "nova realidade" que estava sendo captada pela câmera – diferente do realismo praticado pelo cinema até então.

Mas nem mesmo *Obsessão* foi o primeiro sinal do movimento que estava por nascer. Para que a realidade impregnasse as telas, os neorrealistas faziam o possível para filmar em locações ou, ao menos, reproduzir do modo mais fidedigno possível cenários ou situações em alguns dos poucos estúdios ainda em pé após a guerra. Essa característica tão neorrealista já podia ser vista em filmes anteriores ao seu nascimento oficial, como em *O coração manda* (1942), de Alessandro Blasetti, e *A culpa dos pais* (1944), de Vittorio de Sica.

Estrelado por Anna Magnani, *Roma, cidade aberta* contava a história de Giorgio Manfredi, líder da resistência perseguido pelos nazistas. Ainda que fosse uma obra de ficção, o filme estava absolutamente impregnado pela realidade – na fotografia, nos diálogos e, sobretudo, nos sentimentos que compunham todos os personagens. O filme também dialogava diretamente com o calor da situação e foi ovacionado no Festival de Cannes e no Oscar, onde foi indicado para o prêmio de melhor roteiro original. Por sua repercussão e maturidade técnica (ainda que com falhas), tornou-se o símbolo inicial do movimento italiano, levando estrelas como Ingrid Bergman a abandonar Hollywood e trabalhar – e se casar – com Roberto Rossellini.

O movimento viveu seu auge em grande parte pela proximidade do fim da Segunda Guerra Mundial. Nada mais natural, pois a realidade devastadora do país foi o alimento artístico e narrativo dos diretores. Por isso, é comum dizer que a era de ouro do Neorrealismo italiano se inicia com *Roma, cidade aberta*, passa por *Alemanha, ano zero*, de Rossellini, *Ladrões de bicicleta*, de Vittorio de Sica, e *A terra treme*, de Luchino Visconti, todos os três de 1948. Tais diretores são os artistas neorrealistas mais importantes, o que não deixa de ser uma denominação excludente, uma vez que outros profissionais tiveram contribuição fundamental, porém de menor repercussão – caso de Giuseppe de Santis, diretor de esquerda que colocou a vontade popular por reformas à frente de sua trilogia *Trágica perseguição* (1947), *Arroz amargo* (1949) e *Páscoa de sangue* (1950). O mesmo se pode dizer de Cesare Zavattini, um dos mais talentosos roteiristas e entusiastas do movimento, que trabalhou com Vittorio de Sica em obras como *Ladrões de bicicleta* e *Vítimas da tormenta* (1946). Foi ele quem conclamou os diretores a ir às ruas e "roubar as histórias" do cotidiano.

A Teoria Realista

Enquanto os italianos abraçavam a realidade por meio da ficção audiovisual, na França o crítico e teórico André Bazin, cofundador da revista *Cahiers du Cinéma*, advogava a favor dessa nova estética em sua bem acabada teoria, também conhecida como Teoria Realista. Bazin era extremamente metódico em seus estudos. Assistia aos filmes com muita atenção, anotando seus valores especiais, suas dificuldades e contradições. Depois, classificava-os segundo um tipo ou fabricava um gênero para eles. Por fim, formulava leis desse gênero, recorrendo a exemplos tirados daqueles ou de outros filmes.

> Bazin achava que a teoria do cinema até sua época fora capaz de levar em conta apenas os tipos mais óbvios de estilo e forma. As técnicas e formas mais abstratas eram consistentemente elogiadas como as mais cinemáticas e as mais artísticas. Era objetivo de Bazin mostrar que o significado cinemático é um *continuum*, indo dos filmes realistas não enfeitados até os mais abstratos. [...] Primeiro, criticou e desacreditou continuamente o ponto de vista de que apenas técnicas e filmes abstratos são realmente cinemáticos. Segundo, explicou e elogiou numerosos tipos de filmes e técnicas que haviam sido negligenciados pela teoria formativa do cinema. [...] Bazin defendeu consistentemente desenvolvimentos técnicos que aproximariam a percepção do cinema da percepção natural. Elogiou as lentes de 17 milímetros de Gregg Toland, que em [...] *Cidadão Kane* proporcionaram um ângulo de visão semelhante ao da visão humana. (Andrew, 1976, p. 151)

Uma conclusão central nas teorias de Bazin é a de que a visão de um artista deveria ser determinada pela seleção que ele faz da realidade e não por sua transformação da realidade (abstração). Para o crítico, a realidade era multinivelada e o diretor poderia escolher o ponto de vista que quisesse, contanto que se ativesse à realidade. Assim como Eisenstein, as observações de Bazin sobre montagem são famosas e importantes. Bazin concebia duas formas de montagem: aquela usada no cinema mudo, na qual imagens eram reunidas de acordo com um argumento, drama ou forma; depois, com a chegada do som, a montagem psicológica, na qual o fato é quebrado em fragmentos que duplicam as mudanças de atenção que naturalmente se experimentaria se estivéssemos fisicamente presentes. Por exemplo, uma conversa mostrada na montagem plano/contraplano para dar a sensação de que nossos olhos mudam de orador para orador. Bazin era adepto do plano em profundidade, que não destrói nem fragmenta a realidade, como faz a montagem. Os filmes de Hollywood dos anos 1930 foram elogiados por Bazin por respeitar tal verossimilhança, quando usavam a montagem sem deturpar a realidade, ou seja, em benefício da narrativa "natural". Bazin queria que o espectador – e não o diretor – interpretasse os fatos vistos na tela. Para isso, não poderia haver montagem psicológica, mas planos em profundidade, a fim de apresentar todos os objetos em cena, abertos à significação.

> O cineasta realista não é um homem sem arte, apesar de seu filme poder parecer destituído de arte. Ele tem o talento para as artes do autoafastamento, que são antes de tudo as virtudes humanas, e em segundo lugar para as escolhas estéticas. Tal cineasta pode usar os poderes interpretativos do cinema quando precisa deles, mas está muito consciente dos poderes básicos e primitivos da imagem pura. (Andrew, 1976, p. 169)

Características principais

Caminhando em paralelo e inspirados nas contribuições teóricas de Bazin, os primeiros anos do Neorrealismo italiano foram marcados por filmes que refletiam e combatiam o fascismo e discutiam as consequências da guerra. Deles fazem parte não só *Roma, cidade aberta*, mas também os dois filmes seguintes de Rossellini, *Paisà* (1946) e *Alemanha, ano zero* (1948). Paralelamente, os resultados indiretos e permanentes do conflito, como o desemprego, foram temas de filmes de De Sica, como *Ladrões de bicicleta* e *Milagre em Milão* (1951). O primeiro apresenta uma das interpretações infantis mais cativantes do movimento e uma clara oposição à dicotomia bem *versus* mal, ao mostrar que todos os seres humanos não são moci-

Alemanha, ano zero (1948), de Roberto Rossellini: trágica história da juventude alemã no pós-guerra surpreendeu o mundo pelo apuro estético e pelo realismo

nhos nem vilões por completo, mas obra das circunstâncias em que se inserem. Escrito por Santis e dirigido por De Sica, *Umberto D.* (1952) fala da solidão e da miséria do idoso vivido por Carlo Battisti. Rossellini, um católico fervoroso, também incluiu a religião sem trair os preceitos neorrealistas em filmes como *Francisco, arauto de Deus* (1950). A mulher e sua condição social também foram foco do movimento, em especial nas mãos de De Sica, em filmes como *Quando a mulher erra* (1953) e *Duas mulheres* (1960).

Enquanto no Expressionismo alemão havia certa unidade estética nos principais filmes, o mesmo não pode ser dito para o Neorrealismo italiano. Talvez o que de fato tenha unido esses diretores foi a urgência de explorar a realidade social de diversas formas narrativas e estéticas. Apesar disso, certas características foram compartilhadas em muitos filmes de diretores distintos, como atores amadores como protagonistas dos filmes – caso do garoto Edmund de *Alemanha, ano zero*, que Rossellini escalou porque acreditava que os atores amadores contribuíam de forma mais autêntica com suas vivências para o papel. Além disso, usavam-se cenários reais, inclusive manipulados, para gerar um realismo extra, como as ruas devastadas pela guerra em *Roma, cidade aberta*. Luchino Visconti foi ainda mais além, já que *A terra treme* foi todo filmado no dialeto local dos pescadores, usando muitos deles como atores amadores, nos confins da Sicília, e os diálogos iam surgindo aos poucos, no desenrolar das filmagens. Evidentemente, os atores amadores mais importantes de uma trama, como Edmund, estavam longe de ser figurantes, pois recebiam orientações prévias para perder o medo da câmera, posicionar-se em relação a ela etc. A vantagem de utilizá-los era que, em muitas ocasiões, a temática realista da cena, como o pavor diante da chegada dos nazistas, fazia que o elenco "sentisse" a verdade por ter vivido de fato sentimentos muito próximos. Bazin chegou a dizer que o que importava, nesses filmes, não era interpretar, mas sentir a realidade. Tratava-se, no entanto, de um exagero teórico, uma vez que a interpretação, ainda que para amadores, era fundamental, por se tratar da ficção. E tampouco tudo saía perfeito, já que alguns atores amadores, Edmund inclusive, nem sempre entregavam uma verdade plena na tela, justamente por não serem profissionais. Desse modo, há uma corrente contrária ao Neorrealismo, que considera que trabalhar com atores amadores pode afastar a trama da realidade, em virtude da falsidade de uma má interpretação.

Alinhados às propostas teóricas de Bazin, os neorrealistas também costumavam usar planos médios ou abertos, deixando o espectador conduzir seu olhar diante das obras. Também se recusavam a usar truques visuais e sonoros, argumentando que eles distanciavam o filme da realidade captada, embora muitos destes truques não fossem usados por pura falta de recursos dos primeiros filmes, tornando muitas cenas dificílimas de ver ou ouvir, de tão escuras e cheias de ruídos. Além disso, outra característica entre eles era o uso de cortes quase imperceptíveis na montagem, a fim de aproximar a narrativa, sempre que possível, da própria lógica espaçotemporal da realidade. Ou seja, cortes abruptos de tempo e espaço tornariam a ficção mais evidente do que a realidade, o que não era do agrado de alguns diretores. O mesmo valia para a filmagem em estúdio, rejeitada por grande parte dos cineastas, não só porque os estúdios estavam combalidos com o final do conflito, mas também porque eles evidenciavam a "farsa da ficção", o que não acontecia com as locações reais, ainda que elas fossem difíceis de controlar em termos de luz e som.

O uso de atores amadores e a preferência por locações geraram, também, outra característica comum do movimento: a abertura à improvisação, tanto nos roteiros quanto na direção. Ou seja, alguns diretores, especialmente Roberto Rossellini, se permitiam improvisar para aproveitar contribuições do local e, também, do elenco, rodando cenas e falas que não estavam previstas no roteiro. E isso exigia jogo de cintura inclusive do elenco profissional, composto por Aldo Fabrizi, Sophia Loren, Giulietta Masina, Alberto Sordi, Gina Lollobrigida, entre outros.

O uso da improvisação também afetava os diálogos, tornando o Neorrealismo italiano referência na popularização do coloquialismo. Foi o fim da pomposidade dos diálogos, sobretudo de Hollywood, que tornava a interação humana nos filmes algo falso, longe da realidade. Agora, os diálogos reproduziam gírias, dialetos e palavras usados no dia a dia, aproximando personagens e enredo do público-alvo ao qual os filmes eram destinados – ainda que nem sempre de forma exitosa, uma vez que nem todos os filmes neorrealistas foram sucessos de bilheteria. Ainda assim, diversos diálogos eram gravados posteriormente e sincronizados na montagem, o que nem sempre resultava em algo natural.

No começo do movimento, os orçamentos dos filmes não eram extravagantes, pois isso iria contra a ideia inicial de se aproximar da dura realidade do país no pós-guerra. Mas o sucesso gerado em festivais e algumas (poucas) bilheterias ajudaram a aumentar a captação de recursos aos poucos, sobretudo com obras que tinham maior apelo comercial.

Como vimos, a estratégia de absorver a realidade, não sendo escravo de um roteiro previamente estruturado, gerava a necessidade de improvisação de diálogos. Isso, por sua vez, fez que o cinema italiano abraçasse o hábito de dublar as falas e sincronizá-las posteriormente em estúdio, deixando os atores mais livres nas locações. Trata-se de um hábito até hoje comum no cinema italiano, que o cinema brasileiro por vezes abraçou, ainda que com qualidade menor. Alguns especialistas e até mesmo o público consideravam que essa dublagem posterior afastava o cinema do naturalismo e da realidade, porque o som não parecia direto. Há quem defendesse, inclusive, o "erro", ou seja, as captações falhas de som feitas por Rossellini em filmes como *Alemanha, ano zero* – em que mal se podia ouvir o que os personagens diziam, mas reproduzia melhor a perspectiva do som num cenário aberto e ruidoso como o que a cena exibia. Ou seja, técnicas como a dublagem se tornaram um paradoxo: ainda que permitissem a liberdade de improvisação, tornavam algumas cenas menos realistas pela evidência da própria dublagem. Sua ausência também era um paradoxo: ao usar som direto, Rossellini "travava" os movimentos dos atores em locações abertas – pois os equipamentos de captação ainda eram precários e precisavam de proximidade –, mas transmitia uma sensação de realidade, pois simulava melhor a situação, como se o espectador estivesse fisicamente em tal lugar.

A habilidade dos neorrealistas de se aproximar do contexto ao seu redor, mesmo que em obras de ficção, foi facilitada pelo fato de muitos deles terem tido experiências anteriores com documentários, caso de Roberto Rossellini, Luciano Emmer e Michelangelo Antonioni, entre outros. De certa forma, as obras de ficção desenvolvidas por eles produziam um diálogo muito mais eficiente com a realidade daquele momento do que, até mesmo, documentários. Afinal, o que emana mais a realidade social de seu respectivo contexto: uma obra de ficção como *Roma, cidade aberta* ou, por exemplo, um documentário da BBC sobre as tumbas de Tutancâmon, tão distante de seu contexto e personagens e enterrado em múltiplas e incertas camadas de oradores que contaram a versão da realidade que melhor lhes conviesse? É importante lembrar que os documentários passaram por uma onda de ceticismo naquela época, uma vez que o formato foi usado ostensivamente por cineastas como arma de propaganda ideológica de todas as correntes desde o final da Primeira Guerra Mundial.

O Pós-Neorrealismo italiano

Ao contrário do Expressionismo alemão, o Neorrealismo italiano não morreu subitamente. Porém, tornou-se vítima do próprio passar do tempo, uma vez que a duríssima realidade da Segunda Guerra foi se afastando aos poucos, com a reconstrução da Europa e a mudança do cenário social, político e econômico. Há quem argumente que a chegada dos anos 1950 também significou o fim do movimento. Mas é certo que o Neorrealismo italiano viveu uma segunda fase, conhecida com o impreciso termo Pós-Neorrealismo, na qual despontaram diretores que souberam abraçar melhor os novos tempos.

Roberto Rossellini, fundador do movimento, não se adaptou bem à passagem do tempo e tampouco aplaudiu de pé os diretores-estrelas dessa nova fase. Chegou a criticar diretores que se afastavam da realidade social dos primeiros filmes e focavam em histórias das classes média e alta. Esse contexto gerou a lendária reação do diretor Michelangelo Antonioni ao afirmar que ele era, sim, um diretor neorrealista, mas de um "Neorrealismo sem bicicletas", fazendo referência ao objeto símbolo da primeira fase e fruto de uma Itália pobre e devastada.

Michelangelo Antonioni foi um desses importantes diretores do Pós-Neorrealismo. Como que contrariando ainda mais os preceitos do fundador do movimento, ele chegava, em alguns filmes, a questionar a própria habilidade do cinema de captar a realidade ao seu redor. Para ele, o tempo era mais importante do que a ação. As incertezas da liberdade eram mais importantes do que o olhar terreno sobre os fatos ao redor. Nem mesmo a imagem captada era sinal de realidade, como se viu em *Blow-up: depois daquele beijo* (1966), no qual as imagens do fotógrafo não necessariamente provavam a realidade de um crime. Antes desse filme, porém, Antonioni dirigiu uma das mais modernas e ousadas trilogias até então: obras que retratavam as angústias do mundo moderno e exploravam o vazio e a incomunicabilidade humana.

Essa segunda fase do movimento, portanto, teve o mérito de atualizar olhares e possibilidades de abordagem da realidade. A burguesia italiana, seu lado hipócrita e seus conflitos psicológicos e religiosos entraram em cena, bem como críticas ácidas à falsa moral dos bons costumes da época. É óbvio que houve um movimento, de conservadores da igreja católica e da alta sociedade, contrário a esses filmes, que viam nessas obras uma afronta ao país. Assim, boicotavam e censuravam filmes, facilitando a entrada do cinema de Hollywood em vez de proteger a produção doméstica. Luchino Visconti foi um dos poucos diretores da primeira fase que soube transitar bem por esse segundo momento, ainda que dialogando com a primeira fase, como no belíssimo *Rocco e seus irmãos* (1960).

Porém, ao lado de Antonioni, certamente o Pós-Neorrealismo manteve o pioneirismo do cinema italiano graças a outros dois diretores: Federico Fellini e Pier Paolo Pasolini. Este último foi um dos mais polêmicos cineastas de sua geração, além de exímio poeta. Crítico feroz do fascismo italiano, Pasolini trabalhou como roteirista com Fellini, em filmes como *Noites de Cabíria* (1957), mas foram seus filmes sobre tabus sexuais e sociais que chamaram a atenção do mundo. É o caso de *Accattone – Desajuste social* (1961). O filme, que conta a história de um cafetão da periferia de Roma, constitui uma representação sombria da Itália que gerou a fúria dos neofascistas. A polêmica deu espaço a um filme que chegou a agradar aos católicos, como *O evangelho segundo São Mateus* (1964). Mas parou por aí, pois a partir de sua próxima trilogia entraram elementos marxistas e homoeróticos: como a imagem da vida devassa de camponeses, brincadeiras sexuais e elementos escatológicos em *Decameron* (1971), *Os contos de Canterbury* (1972) e *As mil e uma noites* (1974).

Nessa trilogia, o catolicismo voltou, mas com forte carga de polêmica. Em *Teorema* (1968), a chegada de um homem com evidente semelhança com a figura de Jesus abala as crenças e tradições de uma família, causando o despertar da traição e sentimentos homossexuais. Pasolini, como se vê, só escalou suas provocações. Além disso, a qualidade dos seus filmes foi se superando até atingir o limite com *Salò, ou os 120 dias de Sodoma* (1975), um dos filmes italianos mais escandalosos de todos os tempos, proibido por anos. Ambientado na Segunda Guerra, ele retrata fascistas submetendo garotos e garotas a 120 dias de tortura física, mental e sexual. O filme, infelizmente, foi o ápice e o fim do diretor, pois logo em seguida ele foi brutalmente assassinado. Sua morte, que ficou controversa por décadas, foi supostamente executada por um garoto de programa. Este foi preso em 1976, mas em 2005 afirmou que não matou o diretor e acusou três sulistas com sotaque forte de tê-lo feito, por ser um "comunista sujo". Até hoje, a causa da morte de Pasolini é incerta.

Ao seu lado, embora menos polêmico, mas igualmente genial, Federico Fellini reoxigenou o Neorrealismo italiano. Ele já era considerado um grande diretor por seus primeiros filmes, como *A estrada da vida* (1954) e *Noites de Cabíria* (1957). Sua crítica social estava implícita em imagens exuberantemente bem construídas, com uma dose de pragmatismo lúdico que encantou o mundo inteiro. Seu ator-fetiche,

Marcello Mastroianni, viveu um colunista social imerso na hipocrisia das classes altas em *A doce vida* (1960), filme que Fellini abriu com um plano aberto de Jesus "flutuando" sobre Roma em reconstrução, num claro contraponto do plano aberto da devastação de Berlim em *Alemanha, ano zero*, de Rossellini. O filme é o melhor exemplo das "imagens barrocas" atribuídas recorrentemente ao diretor e traz cenas memoráveis, como a aspirante a atriz Sylvia (Anita Ekberg) tomando banho seminua na Fontana di Trevi. A obra explorou a decadência moral e espiritual de uma geração, mas suas imagens e seus personagens foram tão cativantes que a crítica perdeu espaço para o fascínio do público diante de tão bem construída narrativa. Mastroiani viveu, depois, o alter-ego do diretor em *Oito e meio* (1963), interpretando um cineasta em crise criativa no meio da filmagem de uma grande produção.

O Pós-Neorrealismo alçou a emissora RAI ao protagonismo do cinema. Esta financiou filmes e patrocinou a carreira de diversos diretores, não só apoiando a produção como distribuindo as obras. O cinema italiano também deu ao mundo obras de diretores que não foram associados diretamente ao Neorrealismo, como Bernardo Bertolucci, que filmou em diversos países, mas fez, na Itália, uma de suas

A doce vida (1960), de Federico Fellini: a visão lúdica e os personagens barrocos do diretor marcaram a história do cinema

melhores obras, *O conformista* (1970). Com sua habitual junção de Marx e Freud, Bertolucci critica o fascismo e o capitalismo, inserindo questões da sexualidade humana nesse filme sobre um homem que tenta provar que é heterossexual casando-se com uma mulher e aderindo ao movimento fascista. Com soberba direção de fotografia de Vittorio Storaro, o filme explora as repressões sexuais da adolescência desse homem, acentuadas por movimentos de câmera ousados e planos meticulosamente elaborados, em cenários que viraram referência estética no mundo inteiro.

Comédias e grandes produções

A fase intitulada Pós-Neorrealismo perdurou até meados dos anos 1970. O cinema italiano, então, perdeu o protagonismo no mundo, mas sem deixar de levar a festivais e a salas de cinema de todo o planeta obras relevantes de tempos em tempos. Destacaram-se, a partir de então, comediantes com forte relação com os espectadores – alguns deles vindos do teatro e com experiência em atuação, como Massimo Troisi, Nanni Moretti e Roberto Benigni.

Sem dúvida, o diretor que segurou a representatividade italiana no cinema mundial a partir de então foi Ettore Scola. Assumidamente fã dos clássicos neorrealistas, nem por isso ficou preso a essa fórmula, manipulando a linguagem cinematográfica em filmes como *Nós que nos amávamos tanto* (1974), premiado longa do diretor sobre as desilusões de três amigos de esquerda após a Segunda Guerra. Já em *Feios, sujos e malvados* (1976), a crítica social é mais feroz. Nele, famílias enormes vivem amontoadas num mesmo cômodo; os personagens são egoístas e promíscuos, mostrando, ora de forma cômica, ora cruel, a feiura da pobreza, com boa dose de exagero e extraindo o belo de imagens grotescamente feias. O exagero e a provocação são marcas do filme, que leva os espectadores a constantes questionamentos, com planos organizados à perfeição, montagem ágil e humor sofisticado, satirizando todas as classes, sem distinção.

Na contracorrente do estilo de Scola também vieram, a partir dos anos 1980, grandes produções que ressaltaram o estilo tradicional da atuação do cinema italiano – com forte uso de trilha musical e atuações exageradas. *Cinema Paradiso* (1988), por exemplo, de Giuseppe Tornatore, venceu o Oscar de melhor filme estrangeiro. Com uma incessante música de levar às lágrimas, feita por Ennio Morricone, a película reforçou a imagem estereotipada da Itália mundo afora. Roberto Benigni se destacou a partir da década seguinte, com produções de grande apelo internacional, como *A vida é bela* (1997), também vencedora do Oscar. No século seguinte, *O crocodilo* (2006), de Nanni Moretti, fez uma crítica ao país governado por Silvio Berlusconi e à sua mordaça à imprensa nacional.

Já Paolo Sorrentino trouxe ao cinema um novo sopro de beleza visual em *As consequências do amor* (2004). Tendo a máfia como pano de fundo, o filme mostra um misterioso hóspede envolto em traições, sonhos frustrados e solidão. Pouca ação e muita imersão em personagens é a marca do diretor, cuja atuação também foi brilhante em *A grande beleza* (2013) – que versa sobre um homem seduzido por uma vida noturna frívola em Roma durante décadas, mas que depara com o legado de sua jornada ao fazer 65 anos. Diálogos precisos e uma paisagem que fazem jus aos grandes estetas do país.

Como se vê, o cinema italiano não ficou refém do formato proposto pelo Neorrealismo, mas tampouco retomou a relevância internacional das duas décadas pós-Segunda Guerra Mundial. O legado do movimento, no entanto, é evidente dentro e fora do país, influenciando outros grandes movimentos cinematográficos – caso da *Nouvelle Vague* francesa e do Cinema Novo brasileiro, como veremos adiante.

FILMES ESSENCIAIS
A captura de Roma (1905)
A queda de Troia (1911)
Inferno (1911)
Os últimos dias de Pompeia (1913)
Cabíria (1914)
Luciano Serra, piloto (1938)
Uomini sul fondo (1941)
La nave bianca (1941)
Um piloto retorna (1942)
O coração manda (1942)
L'uomo dalla croce (1943)
Obsessão (1943)
A culpa dos pais (1944)
Roma, cidade aberta (1945)
Vítimas da tormenta (1946)
Paisà (1946)
Trágica perseguição (1947)
Alemanha, ano zero (1948)
Ladrões de bicicleta (1948)

Continua →

Continuação →

A terra treme (1948)
Arroz amargo (1949)
Páscoa de sangue (1950)
Francisco, arauto de Deus (1950)
Milagre em Milão (1951)
Umberto D. (1952)
Quando a mulher erra (1953)
A estrada da vida (1954)
Noites de Cabíria (1957)
Duas mulheres (1960)
Rocco e seus irmãos (1960)
A doce vida (1960)
Accattone – Desajuste social (1961)
O eclipse (1962)
Oito e meio (1963)
O evangelho segundo São Mateus (1964)
Blow-up: depois daquele beijo (1966)
Teorema (1968)
O conformista (1970)
Decameron (1971)
Os contos de Canterbury (1972)
As mil e uma noites (1974)
Nós que nos amávamos tanto (1974)
Salò, ou os 120 dias de Sodoma (1975)
Feios, sujos e malvados (1976)
Cinema Paradiso (1988)
A vida é bela (1997)
As consequências do amor (2004)
O crocodilo (2006)
A grande beleza (2013)

9. Nouvelle Vague

O país que deu à luz o cinema, em 1895, e a vanguardas fundamentais na primeira metade do século 20 também abrigou um dos movimentos cinematográficos mais ricos e influentes do mundo. E o curioso é que ele nasceu da inquietação de críticos e cineastas diante da relativa mediocridade do cinema francês desde a ocupação nazista até quase toda a década de 1950. Isso nas palavras dos próprios críticos que viriam a se tornar os autores principais do movimento no final dessa década, uma vez que, no espectro oposto, o cinema francês comercial estava muito bem de bilheteria nos anos 1950 – nas mãos de diretores como Claude Autant-Lara, Jacques Becker e René Clément, e ainda alguns poucos diretores do Realismo Poético francês em atuação, como Jean Renoir, Marcel Carné e Jean Cocteau. Junto deles havia um diretor mais rigoroso, Robert Bresson, e sua bela obra existencialista *Um condenado à morte escapou* (1956). Mas, para os futuros cineastas da *Nouvelle Vague*, todos eles estavam fazendo pouco para o cinema francês naquele momento.

A *Nouvelle Vague* foi um movimento organizado que pretendeu sacudir a mesmice, a falsidade e o conservadorismo do cinema francês de então, entregando ao mundo, no alvorecer dos anos 1960, um tipo de cinema tão jovem, ousado e inquieto que podemos arriscar dizer que a própria história cultural e social ocidental dos anos 1960 se deve, em grande parte, à contribuição desses diretores. Nascido dos escombros da ocupação alemã e da inquietação crítica, a *Nouvelle Vague* se tornaria o motivo de resgate do orgulho nacional, símbolo de um cinema que se tornou, imediatamente, um patrimônio cultural da nação.

A crítica de cinema

A crítica de cinema francesa teve papel fundamental no surgimento da *Nouvelle Vague*. Após a Segunda Guerra e com o fim da ocupação alemã, a França devastada se viu incapaz de retomar rapidamente o ritmo e a qualidade de sua produção cinematográfica. Ao mesmo tempo, revistas de cinema, cineclubes e cinematecas promoviam calorosas discussões sobre o pior do cinema francês e o que de melhor estava vindo de fora, como a própria produção neorrealista. Além dos filmes italianos, os franceses devoraram também as películas hollywoodianas até então censuradas durante a ocupação alemã. Críticos faziam uma espécie de "peneiragem" do que de melhor estava sendo produzido nos Estados Unidos.

Mas não somente os críticos fizeram nascer a *Nouvelle Vague*. É preciso dar crédito a figuras como o arquivista e cinéfilo Henri Langlois. Ele foi responsável por guardar filmes fundamentais da França e do mundo, evitando que as latas fossem destruídas durante a guerra. Quando o conflito acabou, Langlois trouxe à tona esses filmes e promoveu importantes discussões e exibições em cinematecas, acalorando um debate crítico sobre os rumos da cinematografia francesa. Nas exibições seguidas de debates estavam presentes os futuros fundadores do movimento. Foi na Cinemateca Francesa, em Paris, que grande parte desses debates históricos ocorreu. Exibindo Jean Renoir, Griffith, Carl Dreyer e Murnau, Langlois alimentou de bagagem cinematográfica os jovens fundadores para que eles, então, rompessem com a tradição e executassem o novo cinema francês.

Entre estes jovens, dois adolescentes inquietos chamaram a atenção no final dos anos 1940. Jean-Luc Godard e François Truffaut devoraram dezenas de filmes e livros, tornando-se cinéfilos que cativaram a atenção do respeitado crítico e teórico de cinema André Bazin, que também manejava a exibição de filmes em alguns cineclubes. Bazin escrevia não só sobre sua Teoria Realista como também artigos em que refletia justamente sobre o pálido cinema francês daquele momento.

Mas esses mesmos jovens, que se tornariam pupilos de Bazin, discordariam do próprio mestre – para quem o estilo era menos importante do que a abordagem realista –, enquanto Godard e Truffaut privilegiavam diretores que tinham evidentemente uma mão autoral – daí o termo Política dos Autores, série de observações que tais críticos faziam sobre o que é ser autor no cinema, atrelando fortemente a palavra autor a diretor. Por exemplo: enquanto Bazin privilegiava procedimentos como o uso de lentes que garantiam profundidade e o uso de planos-sequência para favorecer a verdade do mundo e sua ordem, Godard sugeria romper com tudo isso, por meio de cortes abruptos e montagens descontínuas. Ele e Truffaut teciam elogios em suas críticas, por exemplo, a filmes como *Festim diabólico* (1948), de Alfred Hitchcock, na revista *La Revue du Cinéma*, que fora trazida de volta ao mercado, embora tenha sobrevivido por pouco tempo (1946-1949). Outro diretor elogiado pelos franceses era Orson Welles, em especial o seu *Cidadão Kane* (1941). A defesa desses diretores chegou a irritar alguns críticos franceses da velha guarda, avessos à produção de estúdio hollywoodiana.

Menos radical e mais problemático em sua vida pessoal, François Truffaut se tornou o predileto de André Bazin. Cheio de problemas financeiros e familiares, ele foi "adotado" intelectualmente pelo crítico. E, mesmo que Truffaut tenha sido um dos criadores de um movimento que não colocava em prática – como o neorrealismo – os preceitos de seu mestre, Bazin nunca se opôs aos rumos que esses "jovens turcos" – como ficaram conhecidos, em referência ao movimento na Turquia que quis derrubar a monarquia – imprimiam ao cinema francês. Ao contrário, André Bazin uniu-se a Jacques Doniol-Valcroze e Joseph-Marie Lo Duca para fundar a *Cahiers du Cinéma* em 1951, que não só virou rapidamente um aglutinador dessa juventude cinéfila que fundaria o movimento no final da década como se tornou, graças em parte à própria *Nouvelle Vague*, a revista de cinema mais respeitada do mundo, patrimônio cultural da França.

A revista uniu profissionais da falida *La Revue du Cinéma* com os membros de dois importantes cineclubes parisienses: Ciné-Club du Quartier Latin e Objetif 49. Logo depois, chegaram outros nomes, como Claude Chabrol, Éric Rohmer e Jacques Rivette. Inicialmente, a relação desses jovens cineastas com Bazin era de discordâncias toleráveis, mas aos poucos o grupo fundador da Política do Autores acabou rompendo com Bazin e com críticos antigos, como Georges Sadoul – outro nome fundamental na discussão cineclubista pré-movimento –, e seguiu adiante com a rejeição ao cinema francês dos anos 1950, mirando a ousadia narrativa e visual de diretores como Alfred Hitchcock, Samuel Fuller, Ingmar Bergman, Roberto Rossellini, Robert Bresson, Jean Renoir (com ressalvas) e Howard Hawks. Como vimos, os jovens turcos chegaram a ser criticados pelo excesso de elogios ao cinema dos Estados Unidos numa época (1946-1947) em que o número de filmes daquele país em exibição na França foi multiplicado por dez, causando preocupação até no governo francês.

Usando a *Cahiers du Cinéma* como plataforma de discurso, os jovens críticos e futuros cineastas assentaram as ideias da Política dos Autores. Por exemplo: enquanto Bazin acreditava que um bom diretor poderia fazer maus filmes e diretores medianos poderiam fazer grandes obras por conta da natureza coletiva e industrial do cinema, os jovens turcos discordavam, pois achavam que o olhar do diretor era crucial na qualidade final das películas. Como vimos no capítulo anterior, Bazin defendia o atrelamento do cinema à realidade, mas naquele momento do cinema francês Godard e Truffaut, por exemplo, eram adeptos de cenas propositadamente descontínuas, momentos, imagens soltas, reforçando a visão do autor (diretor) sobre o "mero" recorte da realidade. As diretrizes do que esses jovens críticos gostariam para o cinema francês a partir de então vinham de artigos polêmicos como "Uma certa tendência do cinema francês". Publicado por Truffaut em 1954, criticava duramente a artificialidade narrativa e os convencionalismos técnicos de diretores e roteiristas até então notórios do cinema francês, como René Clément, Jean Delannoy e Yves Allégret. Truffaut criticava a obsessão por adaptações literárias que queriam ser fiéis à obra original, gerando diálogos falsos e moralistas. Dessa crítica nasceria uma característica da *Nouvelle Vague*: o uso de coloquialismo, já comum desde o Neorrealismo italiano. No entanto, se este foi obcecado por abraçar a realidade gritante ao seu redor, o movimento francês traria para o cinema referências artísticas as mais diversas, da arte pop a Balzac. Os traumas do holocausto na juventude, a sociedade de consumo, a nova onda de erotismo, bem como todas as frustrações e expectativas de uma juventude que eclodiria nos movimentos de maio de 1968.

Na época da publicação do artigo, chegava aos cinemas franceses a lente pan--cinoir, com capacidade de zoom de 38 mm a 150 mm, alterando radicalmente as filmagens em locação. Em 1955, uma cineasta belga radicada na França e aluna da Sorbonne, Agnès Varda, lançou *La pointe courte*, editado por Alain Resnais. A trama tinha traços da infância da diretora e narrava de forma quase neorrealista a história dos personagens. O filme foi visto por poucos, mas já dava sinais do caminho que o cinema francês tomaria dali a alguns anos.

Mas foi o artigo de Truffaut que teve forte repercussão na França. Com apenas 22 anos, ele já era reconhecido como um cinéfilo voraz, que tinha visto *A regra do jogo*, de Jean Renoir, dezenas de vezes. Foi graças à cinefilia que ele não caiu no ridículo, uma vez que seus textos desmoronavam o cinema francês feito até então, sobretudo o das últimas duas décadas – uma forma de ascensão arriscada. Truffaut, Godard e Rivette eram admiradores de Rossellini e da forma como ele priorizava a imagem e o processo fílmico sem amarras prévias, atento ao poder da improvisação. Ele foi uma das inspirações para finalmente colocar a *Nouvelle Vague* em operação, no ano de 1959, data do lançamento dos primeiros filmes do movimento, entre eles *Os incompreendidos*, de Truffaut.

Rompendo tradições: o cinema de autor

Assim como no movimento italiano, há divergências quanto ao início oficial do movimento francês. Há quem cite *Nas garras do vício* (1958), de Claude Chabrol, como o primeiro longa, mas sua repercussão não chegou nem perto dos filmes do primeiro grande ano da *Nouvelle Vague*. Além das películas de Truffaut e Godard, o ano de 1959 viu chegar às telas *Os primos*, do próprio Chabrol, e *Hiroshima, meu amor*, de Alain Resnais. Godard foi o último, impulsionado pelo triunfo de Truffaut no Festival de Cannes e pelo sucesso de bilheteria de seu filme e do de Chabrol nos cinemas.

Os incompreendidos (1959) joga parte da vida do próprio diretor para as telas: o garoto deslocado na família, na escola e na sociedade, que mente e rouba, mas também mantém a pureza infantil. Não há espaço para interpretações mentirosas no filme. Quando Antoine Doinel (Jean-Pierre Léaud) vê sua mãe beijando outro homem na rua, não reage com artificialismos de um roteiro moralista, tampouco com falas adultas, mas com a naturalidade e a improvisação tão caras ao movimento que estava nascendo. Assim como no Neorrealismo, o filme usou atores amadores, sobretudo crianças, mostrando grande habilidade do diretor. Nada de especial ou extraordinário acontece na trama – característica de alguns diretores do movimento. Este optava por tramas simples, que resultavam, em contrapartida, em personagens densos e bem explorados. Truffaut destruiu tradições e rompeu com a gramática cinematográfica ao fazer o personagem olhar para a câmera na cena do interrogatório, numa das sequências mais emblemáticas de todo o movimento.

Em *Acossado* (1960), Godard estendeu as sequências à exaustão e manipulou o som e os enquadramentos sem nenhuma fidelidade ao contínuo realista. Sua criatividade como autor é evidente: ele driblou o baixo orçamento com truques como o uso de carrinho de supermercado para fazer o *traveling* dos personagens andando pe-

Os incompreendidos (1959), de François Truffaut: semibiografia do diretor abriu a *Nouvelle Vague* com simplicidade, coloquialidade e encanto inesquecíveis

las ruas, abusou da luz natural e, como Truffaut, realizou planos-sequência enormes e quase experimentais – como a declaração fajuta de amor e sexo do trambiqueiro Michel Poiccard (Jean-Paul Belmondo) à mocinha Patricia (Jean Seberg). Tudo isso graças, também, à eficiência do cinegrafista Raoul Coutard, que ajudou Godard a explorar os fetiches e paixões da Paris de seu tempo, dos fliperamas aos óculos Ray-Ban. Mas foi no corte que Goddard rompeu de vez com tudo que se viu no cinema francês das últimas duas décadas. A película foi toda montada de forma fragmentada, rápida, às vezes abrupta, ora parecendo experimentação fílmica, ora imitando uma proposta documental ou jornalística. Os atores improvisaram ao limite, e essa improvisação se sente, também, no movimento da câmera em muitas das cenas.

Jean Seberg, assim como Brigitte Bardot e Jeanne Moreau, se tornou símbolo da juventude francesa, que nunca antes fora captada pelo cinema daquela forma: livre, espontânea, conturbada e ousada. As atrizes eram filmadas sem muita maquiagem, sempre à luz natural; mostravam seu cotidiano, certa dose proposital de alienação e erotismo, distanciando-se da seriedade do Neorrealismo e dos escombros da guerra. Essas películas foram fundamentais para que o cinema francês ganhasse vida novamente entre os próprios franceses, despertando o orgulho cultural de uma nação com histórias que, no fundo, eram formas de resistência ao engessamento da linguagem do cinema comercial norte-americano – que, como vimos, naquele momento vivia uma profunda crise e olhava com atenção para os movimentos europeus. Em suma, filmes de diretores como Godard, Truffaut e Rivette eram sucessos de crítica e também de bilheteria. Custando muito pouco, às vezes vendiam até 500 mil ingressos.

Menos ousados e mais formais são também desse início do movimento *O signo do leão* (1962), de Éric Rohmer – que contou com sofisticadas referências literárias e belas locações – e *Paris nos pertence* (1961), de Jacques Rivette, narrativa um tanto engessada, mas compensada pelo apurado olhar que o diretor lançou à cidade.

O movimento privilegiava histórias humanas, preferencialmente em locações. Em muitos casos, optava pela simplicidade das tramas, aprofundando-se em apenas um personagem ou elemento narrativo, a fim de evitar a superficialidade – tão comum em produções que pretendiam contar histórias complexas e caíam inevitavelmente na superficialidade. Tanto Truffaut quanto Godard tinham pouquíssima experiência prática com o cinema antes de seus longas de estreia; havia inclusive boatos de que não entendiam muito bem da técnica, uma vez que privilegiavam a formação do olhar – o que para eles poderia levar anos, enquanto a técnica se podia aprender em poucos dias.

A Paris retratada por grande parte dos diretores da *Nouvelle Vague* fugia dos clichês turísticos habituais, encontrando ruelas, cafés e discotecas marginais frequentadas pelos próprios jovens diretores. A resistência em filmar em estúdio – e a "falsidade" de suas imagens, como diriam muitos deles – influenciou, aos poucos, o mundo inteiro, até mesmo Hollywood. Para filmar nas ruas, foi preciso adotar novos equipamentos, mais leves e eficientes – como o Nagra, para som direto, e câmeras típicas de documentários, mais leves.

Na montagem, a comunicação com outras artes se tornava ainda mais evidente, com a colagem de tiras de quadrinhos, cenas de TV, trechos de outros filmes, pinturas, livros (Balzac em *Os incompreendidos*) e até mesmo esculturas, como aquela que se torna a obsessão dos amigos Jules e Jim no filme homônimo, formas que são filmadas por Truffaut numa clara evidência às curvas faciais de Catherine (Jeanne Moreau). *Jules e Jim – Uma mulher para dois* (1962) também apresentou outra característica comum do movimento: o uso de *flashbacks* e *voice-over*, vistos também em *Alphaville* (1965), de Godard – ficção científica futurista de baixo orçamento (para o gênero) com claras críticas políticas a regimes totalitários.

Por sua vez, *Hiroshima, meu amor*, de Alain Resnais, foi um dos filmes mais experimentais desse início de movimento, a ponto de tornar difícil sua compreensão, tamanha a quebra de tempo e de espaço narrativos. É o filme em que mais se nota a luta desses diretores contra o formalismo do cinema francês anterior, embora Resnais não trabalhe com temas simples, tampouco com coloquialismo, o que mostra outra característica típica da *Nouvelle Vague*: regras servem para ser quebradas e a Política dos Autores foi, na verdade, apenas um instrumento inicial de formação do "clube" de diretores que comporiam (ou não) o movimento cinematográfico francês. Mais tarde, Resnais dirigiu *O ano passado em Marienbad* (1961), filme que questionou o processo de montagem no cinema. Filmada num palácio, a obra versa sobre um homem obcecado por uma hóspede que ele garantia conhecer do ano anterior. Aqui, novamente, Resnais rompeu com bases sólidas da linguagem cinematográfica, deixando, muitas vezes, o espectador à deriva. Como no seu filme anterior, muito do que se vê na tela (campo) é menos importante do que o que está de fora (extracampo); quando o diretor corta para o contracampo, teoricamente para vermos a pessoa com quem o personagem estava falando, não vemos ninguém, o que causa uma estranha desorientação. A mesma sensação se dá quando a câmera trafega pelo palácio e vemos conexões entre cômodos que racionalmente não podem existir. Nem mesmo sabemos se aquele homem está realmente lá. Ou seja, o diretor jogou fora todos os alicerces do cinema tradicional (espaço, tempo, lógica).

O sucesso dos primeiros anos do movimento atraiu dezenas de jovens para trás das câmeras, ainda que muitos tenham passado despercebidos. Embora a *Nouvelle Vague* tenha perdido força nos anos 1970, viu grande parte de seus principais diretores na ativa nas décadas posteriores. Truffaut filmou até sua súbita morte, em 1984. Godard invadiu o século 20 e, quase nonagenário, já havia atingido mais de 120 filmes como diretor, passando de sua sutileza experimental do início para filmes de militância de esquerda a experimentações-limite com vídeo, cores, sons, tridimensão etc. Mesmo assim, o movimento perdeu força por conta dos fracassos comerciais que os diretores enfrentaram. Enquanto Godard não cedeu a um cinema mais comercial, reduzindo os custos de seus filmes para manter a independência, Truffaut passou a dirigir películas mais comerciais – uma das razões pelas quais a relação de ambos azedou. Próximo do estilo de Godard ficou Alain Resnais em seus filmes posteriores. Já Claude Chabrol, Jacques Rivette e Éric Rohmer seguiram caminhos bem diferentes entre si, ainda que agarrados ao coloquialismo e avessos ao formalismo posterior do movimento.

Ao contrário do Neorrealismo italiano, que de início era um movimento de esquerda – pois combatia o fascismo –, a *Nouvelle Vague* nasceu sem orientação política, o que possibilitou o convívio entre maoistas como Godard e gente como Truffaut, admirador incondicional de Hollywood a ponto de fazer pontas em filmes dos amigos, como em *Contatos imediatos de terceiro grau* (1977), de Steven Spielberg. Diretores como Chris Marker e Agnès Varda trariam equilíbrio ao movimento, sem filmes obcecados com discursos políticos ou ideológicos uníssonos.

Das dezenas de jovens atraídos pelo cinema, alguns ficaram numa zona intermediária, nem tão notórios como os jovens inauguradores, tampouco despercebidos. Foi o caso de Louis Malle, um dos poucos que eram diretores antes da eclosão do movimento. Influenciado pelo cinema *noir* norte-americano, formado em Ciências Políticas e ex-assistente de Robert Bresson, Malle curiosamente fez filmes mais ousados antes do nascimento oficial da *Nouvelle Vague*, como *Ascensor para o cadafalso* (1958) e *Os amantes* (1958). Quando o movimento já havia ganhado fôlego, fez *Zazie no metrô* (1960), comédia adaptada do romance de Raymond Queneau que satiriza a vida parisiense da época.

O cinema francês pós-*Nouvelle Vague*

Quando a onda francesa começou a perder força, diretores da lavra de Jacques Tati despontaram com filmes como *Playtime – Tempo de diversão* (1967), obra perfeccionista do profissional, que usou muito dinheiro próprio para construir os cenários e filmar a história da paquera entre o intruso *monsieur* Hulot e uma turista norte-americana. Com enquadramentos e exploração em profundidade do espaço das cenas, o filme foi um sucesso de crítica, mas faliu o diretor, que já havia assinado outro belíssimo filme antes disso, ainda que menos ousado: *Meu tio* (1958).

É fato que o cinema francês não conseguiu repetir a força avassaladora dos seus movimentos de vanguarda e, depois, da *Nouvelle Vague*. Mas o legado cultural, comercial e artístico de tais escolas tampouco pode ser ignorado. Do contrário, não seria possível que o cinema nacional ainda tivesse 50% de participação do mercado – marca de causar inveja na cinematografia do mundo todo, que não consegue marcas tão ostentosas como essas em virtude do domínio de indústrias como Hollywood e, em países da Ásia e da África, de Bollywood.

Porém, é preciso frisar que essa marca caiu quase pela metade nos anos 1980, mesmo com a permanência de importantes leis de fomento e proteção do audiovisual francês. Ainda assim, o cinema francês continuou produzindo cerca de 150 filmes por ano, uma parte considerável de coproduções e até de filmes totalmente estrangeiros bancados por produtoras francesas. À época, surgiram diversas películas com forte potencial comercial, semelhantes às normas técnicas e narrativas hollywoodianas – caso de Luc Besson, que trabalhou diretamente em coproduções com os Estados Unidos. Besson não se interessava pela agora tradição da *Nouvelle Vague*: queria contar histórias de grande apelo ao público, caso de filmes como *Subway* (1985), *O profissional* (1994) e *O quinto elemento* (1997). Trafegando entre uma narrativa de maior apelo comercial, mas trazendo o charme intimista francês, está *O fabuloso destino de Amélie Poulain* (2001), de Jean-Pierre Jeunet, comédia romântica de trama trivial e visual caprichado, embora com certa overdose dos cartões postais de Paris.

Mas o cinema com fortes raízes na *Nouvelle Vague* prosseguiu no país, caso de *Os amantes de Pont-Neuf* (1991), de Leos Carax, e *Dobermann* (1997), de Jan Kounen. Herdeira direta do movimento, tendo trabalhado com Jacques Rivette como assistente de direção, Claire Denis lançou narrativas intimistas, histórias simples e atuações soberbas em filmes como *Desejo e obsessão* (2001), *Vendredi soir* (2002) e *O intruso* (2004). Também com forte personalidade autoral, ainda que oposta à diretora, está o argentino Gaspar Noé, cujos melhores e mais perturbadores filmes foram feitos na França, como *Irreversível* (2002) e *Love* (2015). Filmando entre a França e a terra natal, Bélgica, estão os irmãos Jean-Pierre e Luc Dardenne, com belíssimas obras como *A criança* (2005) e *O silêncio de Lorna* (2008). Esses diretores retomam o olhar para histórias simples, às vezes de trabalhadores, saindo da pomposidade comercial que prevaleceu nos anos 1980.

Obviamente, parte dessa produção vem dos próprios diretores da *Nouvelle Vague* que se mantiveram na ativa. Claude Chabrol passeia entre filmes político-policiais, como *A comédia do poder* (2006). Jacques Rivette, por sua vez, foi ovacionado em festivais como Cannes (*A bela intrigante*, 1991) e Berlim (*Não toque no machado*, 2007). E Éric Rohmer, um dos diretores franceses que mais agradaram nas salas de cinema dos Estados Unidos, trabalhou temáticas envolvendo o amor nos seus contos morais – *Conto de verão* (1996), *Conto de outono* (1998), *Conto de primavera* (1990) e *Conto de inverno* (1992) – bem como filmes históricos como *A marquesa d'O* (1976) e *A inglesa e o duque* (2001).

Godard e Resnais também continuaram fortemente na ativa, como vimos. A cada novo filme, Godard levava a experimentação ao limite, como em *Nossa música* (2004) e *Adeus à linguagem* (2014). O mesmo vale para Resnais e seu belíssimo – porém mais compreensível – *Medos privados em lugares públicos* (2006).

O fato é que o cinema francês nunca deixou de despontar novos e promissores nomes, como Claude Miller (*A pequena Lili*, 2003), Philippe Garrel (*Amante por um dia*, 2017; *Liberté, la nuit*, 1984), Alain Cavalier (*Le filmeur*, 2005; *Thérèse*, 1986) e Jean Eustache (*La maman et la putain*, 1973), entre outros. Animações também ganharam o gosto do mundo, como *As bicicletas de Belleville* (2003), de Sylvain Chomet. A nova onda do cinema francês pode ser considerada o último grande movimento cinematográfico do mundo, cujas ousadas propostas inspiram diretores até hoje. Gostando ou não delas, seja qual for o tempo e o país, é impossível trabalhar com cinema e ignorá-las.

Filmes essenciais
La pointe courte (1955)
Um condenado à morte escapou (1956)
Ascensor para o cadafalso (1958)
Os amantes (1958)
Nas garras do vício (1958)
Meu tio (1958)
Os incompreendidos (1959)
Os primos (1959)
Hiroshima, meu amor (1959)
Zazie no metrô (1960)
Acossado (1960)
Paris nos pertence (1961)
O ano passado em Marienbad (1961)
Jules e Jim (1962)
O signo do leão (1962)
Alphaville (1965)

Continua →

Continuação →

Playtime – Tempo de diversão (1967)
La maman et la putain (1973)
A marquesa d'O (1976)
Liberté, la nuit (1984)
Subway (1985)
Thérèse (1986)
Conto de primavera (1990)
Os amantes de Pont-Neuf (1991)
A bela intrigante (1991)
Conto de inverno (1992)
O profissional (1994)
Conto de verão (1996)
Dobermann (1997)
Conto de outono (1998)
O fabuloso destino de Amélie Poulain (2001)
Desejo e obsessão (2001)
A inglesa e o duque (2001)
Vendredi soir (2002)
Irreversível (2002)
A pequena Lili (2003)
As bicicletas de Belleville (2003)
O intruso (2004)
Nossa música (2004)
A criança (2005)
Le filmeur (2005)
A comédia do poder (2006)
Medos privados em lugares públicos (2006)
Não toque no machado (2007)
O silêncio de Lorna (2008)
Adeus à linguagem (2014)
Love (2015)
Amante por um dia (2017)

10. Cinema Novo

O cinema brasileiro viveu, em grande parte de sua história, uma relação conflituosa entre filmes de cunho comercial e os de cunho artístico, experimental, como se ambos não pudessem conviver harmoniosamente. Mas, no caso do Brasil, foi justamente um duro rompimento com as várias tentativas de industrializar a produção cinematográfica nacional que deu origem a um dos movimentos cinematográficos mais importantes do mundo, referência para diversos países latino-americanos e africanos, admirado por diretores de Hollywood e da *Nouvelle Vague*. E, embora não tenha obtido grande sucesso de bilheteria, deixou legados impossíveis de ignorar pelos futuros cineastas do país.

Breve contexto histórico

Não há um consenso sobre quem fez o primeiro filme no Brasil. Para alguns historiadores, foi o italiano Affonso Segretto, que no dia 19 de junho de 1898 filmou a baía de Guanabara a bordo de um navio que estava chegando ao Rio de Janeiro. Tal película, porém, não foi preservada para virar prova incontestável. Já para outros estudiosos, o primeiro filme brasileiro saiu das mãos do advogado José Roberto da Cunha Salles, que em 27 de novembro de 1897 relatou ter feito "fotografias vivas" na seção de Pedidos de Privilégios do Ministério da Agricultura, Comércio e Obras Públicas. Salles anexou ao relato 12 fotogramas, com cerca de um segundo de imagens. Não tardou muito, porém, para que o Brasil vivesse seu primeiro grande ciclo de produção nacional, ocorrido entre 1907 e 1911. A *Belle Époque* do cinema nacional se deu graças à regularização da distribuição de energia elétrica no Rio de Janeiro. A implantação da usina de Ribeirão das Lajes possibilitou a instalação, no segundo semestre de 1907, de mais de 20 salas de cinema em torno da avenida Central, cujos donos passaram também a produzir filmes, atraindo técnicos estrangeiros e profissionais de fotografia de estúdio e jornais. Esse ciclo se deveu também a uma aliança de interesses entre produtores e exibidores nacionais, além da ampliação de salas de cinema. Durante o período, foram lançados filmes como *Os capadócios da Cidade Nova* (1908), *A viúva alegre* (1909), *A gueixa* (1909) e *Sonho de valsa* (1909). Nessa época, fizeram sucesso também filmes que representavam grandes crimes urbanos da época, como *Os estranguladores* (1908) e *A mala sinistra* (1908).

Após a Primeira Guerra Mundial, quando Hollywood se organizava mundialmente, grande parte do mundo, e não só o Brasil, perdia o controle dos três vértices de ouro do triângulo cinematográfico: produção, distribuição e exibição. Quando não se controlam um ou mais vértices, não se tem indústria autossustentável. Porém, nesse início de implantação do cinema no Brasil, não houve nenhuma tentativa de transformá-lo em indústria. Aliás, isso nem era cogitado, já que no início do século 20 ainda se pensava no estabelecimento da indústria de itens básicos – alimentação, roupas, calçados – e a indústria literária não estava consolidada. Portanto, essa primeira fase áurea do cinema brasileiro durou muito pouco e logo sofreu uma queda brusca. Seu fim foi marcado pelos dois últimos filmes mudos de enredo: a comédia *O casamento de Esteves* e o drama *Triste fim de uma vida de prazeres*, ambos de 1910.

Nos anos 1930, surgiu no Brasil a primeira tentativa de formar uma indústria cinematográfica brasileira. O próspero industrial Adalberto de Almada Fagundes patrocinou a construção de estúdios, fundando a Visual Filmes. A empresa só produziu um filme, *Quando elas querem* (1925), mas despertou a atenção dos críticos cinematográficos Adhemar Gonzaga e Pedro Lima, que defendiam o cinema nacional nas revistas *Para Todos*, *Selecta* e, sobretudo, na célebre *Cinearte*. Foi então que Adhemar Gonzaga criou a Cinédia. Enquanto sua produtora queria promover a atualização técnica e estética do cinema brasileiro, a atriz Carmen Santos fundava a Brasil Vita Filmes, que buscava fazer "cinema brasileiro de qualidade".

Essa época foi marcada pela atuação de um dos melhores diretores brasileiros da primeira metade do século 20: o escritor e cineasta Mário Peixoto, que dirigiu *Limite* (1930) – considerado uma obra-prima do cinema mundial, por seus cuidados técnicos, sua narrativa amarrada e, sobretudo, pela beleza e ousadia da direção de fotografia, feita por Edgar Brasil. Peixoto começou a dirigir um segundo longa-metragem, *Onde a terra acaba*, mas não concluiu o projeto.

O primeiro resultado da Cinédia foi o filme *Ganga bruta*, de Humberto Mauro, de 1933, que narra a história de um engenheiro que mata a esposa na noite de núpcias por achar que foi traído. O filme é considerado por muitos o primeiro clássico brasileiro, mas foi um fracasso de público. Isso fez que a Cinédia passasse a produzir comédias musicais, como *A voz do carnaval* (1933) e *Alô, alô, Brasil* (1935), com Carmen Miranda, Francisco Alves, Ary Barroso etc. Seu êxito mais notório, porém, foi *Bonequinha de seda*, de 1936. Mais tarde, a empresa voltou a investir em grandes produções, como *O cortiço* (1945), adaptação do livro de Aluísio Azevedo. Entretanto, as décadas de 1930 e 1940 tiveram a produção limitada praticamente ao Rio de Janeiro.

A década de 1930 testemunhou, portanto, a primeira tentativa séria de industrialização da atividade cinematográfica no Brasil. Além da Cinédia e da Brasil Vita Filmes, houve a experiência da Sonofilmes (1937). A produção paulista nos anos 1930 enfocou a Revolução de 1932, com filmes cívicos e militares, como *Amor e patriotismo* (1930) e *Alvorada de glória* (1931). Um desses filmes, *Às armas* (1930), foi dirigido por um jovem talento na época, o crítico ligado à *Cinearte* Otávio Gabus Mendes. Antes da Revolução, porém, mais especificamente em 1929, Adhemar Gonzaga, Pedro Lima, Paulo Wanderley e Álvaro Rocha filmaram *Barro humano*. A partir do Estado Novo, em virtude da atuação do Estado autoritário de Vargas na promoção do cinema, surgiram vários filmes históricos, que louvavam e aplaudiam a história do Brasil. *Bandeirantes* (1940) foi feito por Edgard Roquette-Pinto e Afonso d'Escragnolle Taunay. Na mesma época, Humberto Mauro produziu *O descobrimento do Brasil* (1936).

Após a Cinédia, começou o reinado da Atlântida, fundada no Rio de Janeiro por profissionais experientes em cinema, como Moacyr Fenelon, José Carlos Burle, Alinor Azevedo e o fotógrafo Edgar Brasil. O foco da Atlântida era manter a continuidade da produção. E a primeira delas saiu em 1943: *Moleque Tião*, adaptação da vida de Grande Otelo que foi um êxito de bilheteria. Os filmes da Atlântida passavam nas salas de Luiz Severiano Ribeiro, o maior exibidor brasileiro dos anos 1940. E a marca da Atlântida, após seu primeiro filme, foi a produção de chanchadas, com Oscarito, Grande Otelo, Dercy Gonçalves etc. Elas passaram a ser sinônimo de sucesso, em filmes como *Fantasma por acaso* (1946), *Carnaval no fogo* (1949) e *Aviso aos navegantes* (1950), além de paródias de filmes estrangeiros, sobretudo americanos, caso de *Nem Sansão nem Dalila* (1955).

Enquanto a Atlântida morria por má administração e pouca inovação narrativa, fora do Rio de Janeiro, mais precisamente em São Bernardo do Campo (Grande São Paulo), nascia outra tentativa de formar uma indústria cinematográfica no Brasil: a Vera Cruz, criada por Francisco Matarazzo Sobrinho e Franco Zampari. Vale lembrar, no entanto, que com a Vera Cruz foram criados outros estúdios menores, como Maristela, Kino, Brasil, Multifilmes e Cinedistri. A Vera Cruz surgiu quando os estúdios americanos passavam por uma grave crise. A ideia da empresa era ser uma companhia moderna, sofisticada e capaz de produzir filmes com a cara do Brasil. Não queriam aquele tom popularesco que era marca registrada da Atlântida.

O primeiro filme da Vera Cruz foi *Caiçara* (1950), de Adolfo Celi, lançado em 14 salas de cinema de São Paulo. A obra representou o Brasil no Festival de Cannes, mas não foi muito bem recebida. A Vera Cruz também produziu melodramas como *Sinhá moça* (1953) e comédias como *Sai da frente* (1952), na qual aparece o maior humorista do cinema daquele tempo: Amácio Mazzaropi.

Mas o grande problema da Vera Cruz era gastar fortunas em produções que não se pagavam. Isso porque ela se baseava no modelo de *star system*, que já estava falido em Hollywood. Além disso, os empresários tentavam copiar esse modelo numa realidade econômica e social totalmente diferente da dos Estados Unidos. Por fim, persistia o problema de que o cinema brasileiro perdera o controle dos eixos distribuição e exibição, fazendo que os distribuidores e exibidores – a maioria ligada a estúdios de Hollywood – vissem com má vontade as grandes produções da Vera Cruz, pois elas dependeriam de tempo de tela para que o boca a boca garantisse público. O problema é que as produções que vinham de fora não paravam de chegar. Era muito arriscado "perder" fins de semana testando um filme brasileiro bem produzido da Vera Cruz – mas inédito – quando chegavam dos estúdios filmes bem produzidos e já testados e aprovados pelo público.

Nem o sucesso de *O cangaceiro*, em 1953, de Vitor Lima Barreto, conseguiu tirar a companhia da falência. E a grande ironia de tudo isso é que *O cangaceiro* rendeu bons dividendos, mas nada ficou para a Vera Cruz, que precisou vender seus direitos para a Columbia Pictures a fim de se livrar de parte de sua dívida. Trata-se de uma das grandes tragédias do cinema brasileiro no século 20. Outro motivo apontado pelos historiadores como causa da falência da empresa foram disputas internas entre Alberto Cavalcanti e Franco Zampari.

A era do Cinema Novo

Na segunda metade dos anos 1950, o cinema brasileiro começou a se redefinir, inspirado no Neorrealismo italiano, que influenciou todos os maiores diretores da nova geração. O primeiro fruto dessa influência foi *Rio, 40 graus*, dirigido por Nelson Pereira dos Santos em 1955. Ao mesmo tempo que lançava o filme, Santos reunia intelectuais comunistas e participava de congressos com intenso engajamento político. Entre eles estavam Glauber Rocha, Paulo César Saraceni, David Neves, Leon Hirszman, Carlos Diegues e Joaquim Pedro de Andrade. Por serem mais velhos e terem começado a carreira antes, Nelson Pereira dos Santos e Ruy Guerra são considerados precursores do movimento, embora seus grandes filmes tenham sido realizados durante a primeira fase, como *Vidas secas* (1963), de Santos, e *Os cafajestes* (1962) e *Os fuzis* (1964), de Guerra.

Foi partindo desse engajamento político e social que um grupo de cineastas saiu às ruas e começou a fazer o que hoje se conhece por Cinema Novo. Abandonando o velho tripé – levando a câmera na mão –, usavam pouca luz e levavam para as telas novos talentos e propostas revolucionárias. A intenção era fazer um cinema totalmente novo e, por isso, virar as costas para o modo narrativo de Hollywood, inclusive negando suas inovações técnicas – ao contrário do que fizeram os franceses da *Nouvelle Vague*.

Filmes como *Cinco vezes favela* (1962), de Leon Hirzman, e *Porto das caixas* (1963), de Paulo César Saraceni, definiam bem o começo da produção do Cinema Novo. Cinema esse caracterizado como projeto político de uma cultura audiovisual crítica e conscientizadora, feito por intelectuais militantes, que questionavam o mito da técnica e da burocracia da produção, preferindo a liberdade de criação e os mergulhos na atualidade.

Inicialmente, a forma encontrada pelos cinemanovistas para discutir as raízes do subdesenvolvimento era abordar, direta ou indiretamente, a permanência da desigualdade e da pobreza na sociedade por meio da violência, de novas formas de escravidão, da religião católica etc. Levavam suas histórias para o Norte e Nordeste, pois era lá que se podia ver o Brasil atrasado, o retrato dos séculos passados. Carlos Diegues discutiu a temática em *Ganga Zumba, rei dos Palmares* (1963) e *Os herdeiros* (1970); Paulo César Saraceni fez o mesmo em *O desafio* (1966). Mas o destaque vai para os filmes de Glauber Rocha, notadamente *Deus e o diabo na terra do sol* (1964), o mais famoso do diretor no mundo todo, além de *O dragão da maldade contra o santo guerreiro* (1969) e *Barravento* (1962), seu primeiro longa. Seus filmes marcaram um novo momento da cultura brasileira, o modo como ela era vista internamente e em âmbito mundial. *Deus e o diabo na terra do sol* é, sem dúvida, seu filme mais emblemático. Dividido em três partes, mostra a saga de Manuel (Geraldo Del Rey), que inicia a trama com fé no trabalho, enquanto sua esposa, Rosa (Yoná Magalhães), mostra-se sempre incrédula diante da esperança do marido. Quando é passado para trás pelo coronel ("A lei está comigo!", brada este), Manuel perde a fé no trabalho e passa a seguir o messiânico Sebastião – numa alusão crítica ao catolicismo que referencia, ao mesmo tempo, o mito português do sebastianismo e Antônio Conselheiro (Canudos). Quando as promessas de Sebastião não o levam para um além-mar de fartura, Manuel se desilude por completo e se transforma em cangaceiro. Com trilha de Heitor Villa-Lobos, Glauber "estourou" propositadamente a luz em quase todo filme, que penetra e queima o rosto e o corpo dos personagens, aludindo ao fato de que, numa terra onde a economia, a política, a cultura e a religião não ajudam a prosperar, seus habitantes estão à mercê do sol para definir o próprio futuro – o que pode ser considerado o cenário mais trágico do subdesenvolvimento humano.

O segundo período do Cinema Novo, a partir de 1965, apresentou obras com a marca de feridas abertas do golpe militar. Cacá Diegues produziu *A grande cidade* (1966); Arnaldo Jabor fez *A opinião pública* (1967) e *Pindorama* (1970); e Glauber

Deus e o diabo na terra do sol (1964): Glauber Rocha criou a mais emblemática gênese do cangaceiro e mexeu nas feridas históricas do Brasil

dirigiu o clássico *Terra em transe* (1967) – que reuniu o conjunto de perplexidades, ambiguidades e contradições nacionais. O filme faz uma crítica brilhante e amarga às alianças de intelectuais de esquerda com a burguesia, que os abandona ao primeiro sinal de ameaça. Glauber refletiu, de forma caótica, panfletária e experimental, sobre a revolução frustrada, tanto da esquerda quanto dos militares que tomaram o poder. Desse período também são *Menino de engenho* (1965), de Walter Lima Jr., e *Cabra marcado para morrer* (1984), de Eduardo Coutinho.

O Cinema Novo colocou o dedo na ferida nacional. Ao contrário da Atlântida, que asseava a pobreza, mostrando empregadas limpas e alegres trabalhando na Zona Sul, os cinemanovistas não exploraram a pobreza de forma exótica nem cômica, o que explica seu repúdio à chanchada. Criaram uma estética da fome, não só discutindo a fome em si, com personagens que comiam terra e roubavam para sobreviver, mas os símbolos satélites da fome, como o analfabetismo e a cegueira religiosa; seus personagens eram feios e sujos e moravam em confins aonde a lei e a prosperidade nunca chegavam.

Abordar a fome era, talvez, a única regra do movimento, uma vez que os filmes não se preocupavam com outras questões. Por exemplo: se em *Deus e o diabo* vemos atores amadores e certo coloquialismo nos diálogos, em *Terra em transe* há discursos panfletários, propositadamente artificiais, como se aquele "país fictício" pós-golpe militar fosse um palco de teatro onde se encenava a maior tragédia de todas. A intenção dos cinemanovistas era produzir filmes que despertassem a consciência do povo para sua própria condição, a "arte revolucionária". Porém, olhando a distância, a estética do Cinema Novo alcançou um número limitado de brasileiros, mais notadamente intelectuais e universitários. Paradoxalmente, a chanchada, que eles tanto criticavam, teve a importante função de formar público para o cinema brasileiro, pois seus filmes eram mais fáceis de compreender justamente pela fatia da população que Glauber almejava alcançar.

Pela primeira vez, e de forma consistente, a produção cinematográfica brasileira se internacionalizou com o Cinema Novo. Só no Festival de Cannes, por exemplo, foram obras como *Deus e o diabo*, *Vidas secas* e *Ganga Zumba*. *Terra em transe*, por exemplo, foi levado clandestinamente para Cannes em maio de 1967, quando a censura militar já recrudescera, mesmo antes do Ato Institucional número 5. Curiosamente, o único filme brasileiro a ganhar a Palma de Ouro no Festival de Cannes foi *O pagador de promessas* (1962), obra de Anselmo Duarte duramente criticada pelos cinemanovistas por enfeitar a miséria brasileira num filme de apelo comercial.

A instauração do AI-5, em 1968, deu início ao fim do movimento cinematográfico e os projetos desta época passaram a se adaptar aos novos tempos, num tom mais reflexivo e melancólico de uma revolução que não deu certo, bem como usando esquemas narrativos que tentavam driblar a própria censura. Destaque para *O dragão da maldade contra o santo guerreiro* (1969), de Glauber, bem como *Os herdeiros* (1970), de Carlos Diegues, *Macunaíma* (1969), de Joaquim Pedro de Andrade, e *Memória de Helena* (1969), de David Neves. O filme de Glauber foi o mais comercial de sua carreira. Não sofreu com censura e venceu o prêmio de melhor diretor em Cannes. Já a obra de Joaquim Pedro de Andrade foi o maior sucesso comercial do Cinema Novo, numa ousada aproximação com a chanchada. É considerado o filme de despedida do movimento. A partir de então, com a repressão cada vez maior, os diretores se dispersaram, cada um tentando o destino de formas diferentes.

Glauber Rocha enumerou, na época, uma série de fatores que propiciaram o subdesenvolvimento econômico do cinema brasileiro, até mesmo durante o internacionalmente reconhecido ciclo do Cinema Novo. Entre esses fatores estão a falência dos financiadores e dos grandes estúdios nacionais e relatórios federais que nunca são transformados em leis de proteção à indústria nacional. Na época, Glauber propunha a limitação da importação de filmes estrangeiros, muitos deles de péssima qualidade, mas que os distribuidores eram forçados a exibir para ter direito a um sucesso do tipo *Ben-Hur*; taxas mais amenas para a produção nacional; melhor distribuição dos lucros advindos de uma produção.

Legados e antilegados do Cinema Novo

A criatividade do Cinema Novo sofreu um declínio após o decreto do AI-5, que endureceu ainda mais a censura no país. Foi quando surgiu o Cinema Marginal (1968-1973). Os filmes dessa corrente eram influenciados pela antropofagia modernista de Oswald de Andrade, redescoberta pelo Tropicalismo, além das ideias de Jean-Luc Godard, com linguagem ousada e fragmentada.

O Cinema Marginal surgiu da ruptura de uma terceira geração de cineastas do Cinema Novo, já não mais de acordo com o ideário de Glauber. Além de Rogério Sganzerla, outros nomes se fizeram nessa "escola": Júlio Bressane, Neville d'Almeida, Carlos Reichenbach, Luiz Rosemberg Filho e Andrea Tonacci. O folheto promocional de *O pornógrafo* (1970) definia bem a estratégia do grupo: abandonar as "elucubrações intelectuais, responsáveis por filmes ininteligíveis, e atingir uma comunicação ativa com o grande público". Travava-se, então, de um diálogo intenso com a produção B do cinema norte-americano, mais ligada à indústria cultural. O filme que marcou a transição do Cinema Novo para o Cinema Marginal foi *O Bandido da Luz Vermelha* (1968), de Rogério Sganzerla. Apesar de lembrar o uso da câmera de Glauber, foi filmado na Boca do Lixo (região central de São Paulo, berço do Cinema Marginal), com forte presença do universo urbano, da sociedade de consumo e do lixo industrial gerado por ela. O modo de produção do Cinema Marginal abriu caminho para os filmes produzidos na Boca do Lixo, já no início dos anos 1970. Essa fase foi marcada também pela produção de comédias eróticas, as pornochanchadas, feitas sobretudo no centro de São Paulo. O movimento voltou a levar o público ao cinema, com filmes como *A ilha dos prazeres proibidos* (1979), *As mulheres amam por conveniência* (1972) e *As cangaceiras eróticas* (1974).

A partir da segunda metade dos 1970, o Estado diminuiu a censura sobre os filmes da Boca do Lixo e começou a marcar presença no cinema de outra maneira, transferindo todas as atribuições do antigo Instituto Nacional de Cinema para outra empresa estatal, a Empresa Brasileira de Filmes (Embrafilme), criada na mesma época. Nascido em 1966, o INC tinha como propósito centralizar a administração do cinema no Brasil, organizando a cobrança de taxas sobre produções estrangeiras exibidas no país, incentivando coproduções, prêmios de bilheteria etc. Vale lembrar que a Boca do Lixo funcionou independentemente da Embrafilme, ou seja, os cineastas faziam seus filmes sem o financiamento do governo. As pornochanchadas, portanto, embora criticadas pelo seu conteúdo tido como apelativo, conquistaram o público e se pagavam sem financiamento estatal.

No começo, a Embrafilme era apenas um apêndice do INC, promovendo o cinema brasileiro no exterior. Em 1970, porém, passou a financiar os filmes e, em 1973, começou a distribuí-los. O primeiro fruto dessa mudança foi o filme *São Bernardo* (1972), de Leon Hirszman. Na época, o brasileiro voltou ao cinema para ver filmes nacionais, principalmente graças a diversas políticas de incentivo ao cinema que dele derivavam. Cerca de cinco filmes ultrapassaram a marca dos 3 milhões de espectadores nessa fase da Embrafilme. *Dona Flor e seus dois maridos* (1976) atingiu a impressionante marca de 10,8 milhões de espectadores, impulsionado pelo sucesso da telenovela; *A dama do lotação* (1978), 6,5 milhões; e *Lúcio Flávio, o passageiro da agonia* (1977), 5,4 milhões. Sem falar do sucesso dos filmes da trupe televisiva Os Trapalhões, que atingiam marcas acima dos 4 milhões de espectadores sem o financiamento da Embrafilme.

A gestão da Embrafilme também levou o cinema nacional aos grandes festivais internacionais, como Cannes, Veneza e Berlim. Como exemplo, temos *Pra frente, Brasil* (1982), de Roberto Farias. Vencedor do Festival de Gramado e indicado ao Urso de Ouro em Berlim, foi um dos primeiros a retratar, de forma realista e cortante, a repressão da ditadura militar ainda vigente no país à época de seu lançamento. Em seguida, vieram *Eu sei que vou te amar* (1986/Cannes), *Eles não usam black-tie* (1981/Veneza) e *A hora da estrela* (1985/Berlim). Mas o desgaste financeiro dos anos 1980 derrubou o sucesso da Embrafilme, com a ajuda do fraco, porém ainda existente, governo militar. Além da questão econômica – da conhecida década perdida –, houve também a popularização do videocassete e a maior penetração da televisão nos lares brasileiros, sem falar do aumento do preço dos ingressos – o que tornou o cinema cada vez mais entretenimento de elite. Outro fator que ajudou a quebrar a empresa estatal foi a gestão do ministro da Cultura Celso Furtado, alegando que a Embrafilme não tinha funções claras e não se adaptava à nova república, pós-regime militar. Sua reestruturação, em 1987, foi praticamente seu fim.

O fim de fato ocorreu no dia 16 de março de 1990, quando o então presidente Fernando Collor de Mello extinguiu a única lei de incentivo fiscal para a cultura, a Lei Sarney (n. 7.505/86). Uma medida provisória também extinguiu autarquias, fundações e empresas públicas federais, demolindo a Fundação Nacional das Artes (Funarte), a Fundação do Cinema Brasileiro (FCB), a Empresa Brasileira de Filmes (Embrafilme) e o Conselho de Cinema (Concine), que controlava a exibição de filmes nacionais. Não demorou muito para que o próprio Ministério da Cultura fosse dissolvido, transformando-se em secretaria – o Instituto Nacional de Atividades Culturais (Inac). Tudo porque, com sua política de liberalização do mercado, Collor concebia a cultura como uma questão também mercadológica, que não deve ser protegida de influências externas. Assim, a entrada de produtos culturais estrangeiros foi liberada praticamente sem nenhum controle.

O cinema brasileiro viveria então, os piores anos desde sua criação. Sem os mecanismos de proteção, como a cota de tela e recursos para o produtor, houve uma abertura irrestrita às importações, fazendo que o público para o cinema nacional passasse de quase 35% em 1983 para 10% em 1990 e quase 0% em 1993. A solução, para muitos cineastas, foi sair do Brasil ou investir em coproduções – caso de Walter Salles em *A grande arte* (1991) e Héctor Babenco em *Brincando nos campos do Senhor* (1991).

Mas o desgaste do governo Collor diante de suspeitas de corrupção derrubou até o secretário da Cultura, Ipojuca Fontes, que foi substituído pelo intelectual e embaixador Sérgio Paulo Rouanet – cuja gestão foi marcada pela tentativa de mudar o deplorável cenário da produção cinematográfica brasileira. Esse cenário mudou em 1992, quando Collor sancionou a Lei do Audiovisual, resultado de um projeto sugerido por um grupo de cineastas. Para receber os incentivos da Lei, os projetos apresentados deveriam atender a alguns requisitos, como: 1) contrapartida de recursos próprios ou de terceiros correspondente a 20% do valor global; 2) limite máximo de captação do equivalente hoje a R$ 3 milhões; 3) viabilidade técnica e artística; 4) viabilidade comercial; 5) aprovação do orçamento e do cronograma físico das etapas de realização e desembolso, fixado o prazo de conclusão.

Embora a Lei do Audiovisual já estivesse em pleno funcionamento em 1994, somente no ano seguinte foi lançado o filme considerado o primeiro fruto da Retomada do cinema nacional: *Carlota Joaquina, princesa do Brazil*, de Carla Camurati, que estreou com apenas quatro cópias e foi ganhando fama. Chegou a ter 1,2 milhão de espectadores, transformando-se no primeiro filme nacional da época a quebrar a barreira do milhão. O ano de 1995 marcou a Retomada não só por *Carlota Joaquina*, mas por uma produção mais robusta em termos de público e crítica. Foram 13 longas nacionais, que somaram quase 3 milhões de ingressos vendidos, dez vezes mais que em 1994. Em grande parte graças a *Carlota Joaquina* e, também, a *Terra estrangeira*, de Walter Salles e Daniela Thomas. Só no ano de 1995, 114 cineastas filmaram seu primeiro longa-metragem e veteranos como Nelson Pereira dos Santos voltaram à ativa.

Outras mudanças foram feitas durante o governo de Fernando Henrique Cardoso: o orçamento do Ministério da Cultura saltou para quase R$ 200 milhões e o limite de captação cresceu, possibilitando a produção de filmes mais caros, como *Tieta do agreste* (1996) e *Guerra de Canudos* (1997). No entanto, a Lei do Audiovisual é até hoje criticada no país, uma vez que, por intermédio de renúncia fiscal, deixa nas mãos de diretores de *marketing* das grandes empresas a decisão de gerenciar a aplicação de recursos. E muitos projetos fortemente autorais, de cunho social e ousados esteticamente, perdiam preferência diante de produções mais comerciais, pois estas "beneficiavam" a imagem das empresas que ali haviam alocado recursos.

Já a Globo Filmes foi criada em 1998, sob o comando de Daniel Filho. A empresa passou três anos praticamente sem dar as caras no mercado, pois não sabia ao certo que modelo mercadológico seguir. Foi só a partir do inesperado sucesso de *O auto da Compadecida* (2000) – que fez 2,1 milhões de espectadores mesmo após a série ter ido ao ar – que a empresa sentiu que havia ali um espaço para promover seus filmes e garantir uma bilheteria significativa. Mesmo assim, por mais poderosa que seja a TV Globo, ela não teve coragem de fundar uma distribuidora e, assim, ficar independente das *majors* norte-americanas. Achou, à época, que isso exigiria a montagem de uma complexa organização comercial e por isso a ideia foi descartada.

Entre 1995 e 2005, mais de 100 diretores lançaram seus primeiros longas-metragens no Brasil, apesar de não haver nenhuma política de estímulo aos novos cineastas. No entanto, eles levaram entre dois e cinco anos para concretizar o projeto e apenas 30% deles conseguiram fazer um segundo longa. De qualquer forma, já em meados do novo século, era possível notar diversos núcleos de produtores organizados no país, a se destacar: Videofilmes, dos irmãos Walter Salles e João Moreira Salles; Conspiração, de Andrucha Waddington, Cláudio Torres, José Henrique Fonseca e outros; O2, de Fernando Meirelles; Casa de Cinema de Porto Alegre, de Jorge Furtado, Carlos Gerbase, Giba Assis Brasil e Ana Luiza Azevedo.

O período compreendido entre 1995 e 2005 viu, também, florescer algumas das propostas artísticas mais notáveis do cinema brasileiro, bem como grandes sucessos comerciais. Alguns poucos conseguiram unir ambas as coisas, como foi o caso de *Central do Brasil* (1998), de Walter Salles, sem dúvida o maior filme brasileiro desde o Cinema Novo. Com atuações soberbas de Fernanda Montenegro e Vinícius de Oliveira, o filme viaja pelo Brasil enquanto envolve o espectador na inesquecível relação de afeto entre Dora e Josué. A fotografia de Walter Carvalho vai do claustrofóbico ocre do Rio de Janeiro até o azul aberto do Nordeste brasileiro. O filme, que venceu o Urso de Ouro de melhor filme e o Urso de Prata de melhor atriz, foi ovacionado em pé durante dez minutos pelo público do Festival de Berlim.

A obra que fechou o ciclo de retomada do cinema nacional foi *Cidade de Deus* (2002), de Fernando Meirelles. Com quatro indicações ao Oscar, usando atores amadores e uma montagem ágil e não linear, o filme deu outra roupagem à estética da fome – para citar o termo cunhado para os filmes do Cinema Novo. Aqui, porém, o termo mais apropriado foi cunhado pela pesquisadora Ivana Bentes: "cosmética da fome". Afinal, ao contrário da pobreza dura e hermética da linguagem do Cinema Novo, a reflexão sobre as mazelas do Brasil foi construída com narrativa e visual mais sedutores e comunicativos para um grande público. O filme de Meirelles é um dos exemplos de produções que tiveram dificuldade de captar recursos por conta da lógica que deixa nas mãos de diretores de *marketing* a decisão de alocar verbas. O que se mostrou um grande equívoco, uma vez que foi esse filme – e não a maioria das produções comerciais – que rodou festivais e salas de cinema do mundo inteiro, o que teria levado gratuitamente, mundo afora, muitas das marcas receosas a "investir" no filme pela via da renúncia fiscal.

Outro exemplo de filme com forte apelo comercial e sucesso de crítica e em festivais foi *Tropa de elite* (2007), de José Padilha. Apesar da polêmica envolvendo sua pirataria antes da estreia, o filme vencedor do Urso de Ouro em Berlim apostou numa narrativa muito mais palatável para o grande público, bem como nas críticas sociais, alicerçadas em fortes doses de violência e trilha sonora impactante.

Dialogando direta ou distantemente do Cinema Novo, outros filmes marcaram o Brasil neste século 21, a citar *2 filhos de Francisco* (2005), de Breno Silveira, e *Carandiru* (2003) de Héctor Babenco. Fortemente aplaudido no Festival de Cannes em meio a protestos do elenco e da produção na época do *impeachment* da presidente Dilma Rousseff, *Aquarius* (2016), de Kleber Mendonça Filho, contou a emocionante saga de uma jornalista (Sonia Braga) contra o assédio de uma construtora em Recife. Em 2019, Mendonça venceu o Prêmio do Júri no Festival de Cannes com *Bacurau* (2019), distopia ambientada no meio do sertão com arestas propositadamente abertas para que o público reflita e se incomode com as origens de brutais atos de violência entre nós e o outro, aquele que vem de fora.

Em contrapartida, foram as comédias, herdeiras direta ou distantemente da Atlântida, que ajudaram o cinema brasileiro a recuperar seu público – caso de *Minha mãe é uma peça 2* (2016), de César Rodrigues, *Se eu fosse você* (2006), de Daniel Filho, *De pernas pro ar* (2010), de Roberto Santucci, e *Lisbela e o prisioneiro* (2003), de Guel Arraes, entre outros.

A trajetória do cinema brasileiro ao longo do século 20 e início do século 21 mostrou que é plenamente possível, e saudável, a convivência de um cinema experimental e artístico com as obras de grande apelo comercial. Os brasileiros – e o mundo – só têm a ganhar com esse casamento.

FILMES ESSENCIAIS

Os estranguladores (1908)

A mala sinistra (1908)

Os capadócios da Cidade Nova (1908)

A viúva alegre (1909)

A gueixa (1909)

Sonho de valsa (1909)

O casamento de Esteves (1910)

Triste fim de uma vida de prazeres (1910)

Quando elas querem (1925)

Barro humano (1929)

Às armas (1930)

Limite (1930)

Amor e patriotismo (1930)

Alvorada de glória (1931)

Ganga bruta (1933)

A voz do carnaval (1933)

Alô, alô, Brasil (1935)

Bonequinha de seda (1936)

O descobrimento do Brasil (1936)

Bandeirantes (1940)

Moleque Tião (1943)

O cortiço (1945)

Fantasma por acaso (1946)

Carnaval no fogo (1949)

Aviso aos navegantes (1950)

Caiçara (1950)

Sai da frente (1952)

O cangaceiro (1953)

Sinhá moça (1953)

Rio, 40 graus (1955)

Nem Sansão nem Dalila (1955)

Continua →

Continuação →

Cinco vezes favela (1962)
Os cafajestes (1962)
O pagador de promessas (1962)
Ganga Zumba, rei dos Palmares (1963)
Vidas secas (1963)
Porto das caixas (1963)
Os fuzis (1964)
Deus e o diabo na terra do sol (1964)
Menino de engenho (1965)
A grande cidade (1966)
O desafio (1966)
A opinião pública (1967)
Terra em transe (1967)
O Bandido da Luz Vermelha (1968)
O dragão da maldade contra o santo guerreiro (1969)
Macunaíma (1969)
Memória de Helena (1969)
Os herdeiros (1970)
Pindorama (1970)
As mulheres amam por conveniência (1972)
São Bernardo (1972)
As cangaceiras eróticas (1974)
Dona Flor e seus dois maridos (1976)
Lúcio Flávio, o passageiro da agonia (1977)
A dama do lotação (1978)
A ilha dos prazeres proibidos (1979)
Eles não usam black-tie (1981)
Cabra marcado para morrer (1984)
A hora da estrela (1985)
Eu sei que vou te amar (1986)
Carlota Joaquina, princesa do Brazil (1995)
Terra estrangeira (1995)
Tieta do agreste (1996)

Continua →

Continuação →

Guerra de Canudos (1997)
Central do Brasil (1998)
O auto da Compadecida (2000)
Cidade de Deus (2002)
Carandiru (2003)
Lisbela e o prisioneiro (2003)
2 filhos de Francisco (2005)
Se eu fosse você (2006)
Tropa de elite (2007)
Aquarius (2016)
Bacurau (2019)

Parte III – Mundo essencial

11. EUROPA

Cinema russo/soviético

Epicentro de algumas das convulsões sociopolíticas mais importantes do século 20, a Rússia foi palco, também, de um cinema efervescente em épocas específicas desse período. Não abrigou movimentos cinematográficos, tampouco conseguiu instaurar uma indústria, mas cultivou um legado de pensadores, teóricos, diretores e filmes que influenciaram a arte no mundo inteiro.

Antes mesmo de se tornar União das Repúblicas Socialistas Soviéticas (URSS), a Rússia fechara suas fronteiras ao cinema estrangeiro, quando entrou na Primeira Guerra Mundial, em 1914. Mas daquele ano até 1917, quando saiu do conflito em virtude da revolução interna, o país já mostrara seu potencial narrativo com filmes sombrios e potentes – como *Depois da morte* (1915) e *A morte do cisne* (1916), ambos de Yevgeni Bauer, e *A dama de espadas* (1916), de Yakov Protazanov. Primeiro grande filme russo, foi influenciado pela literatura e conta a história de um soldado assombrado que vende sua alma ao diabo. Assustador, tornou-se sucesso de público no país.

Um dos primeiros realizadores que também foi teórico veio do cinema russo. Sergei Eisenstein abandonou a engenharia para trabalhar com teatro, ao lado de Dziga Vertov e Lev Kuleshov, entre outros. Com o cinema do país em frangalhos após a Revolução Russa, esses jovens saíram do teatro para improvisar com equipamentos e novas formas de produção e distribuição. Foi nesse cenário de constantes transformações que surgiu o construtivismo nas artes do país. Recusando a realidade como modelo de captação simples e fiel, os construtivistas queriam, como o próprio termo diz, construir a arte como uma experiência, por meio de materiais e formas de registro em que imperava a autorreflexão do artista. Fragmentos do mundo, associação de objetos: a ideia dos construtivistas era a de que o cinema não podia – nem mesmo conseguia – retratar o mundo. As obras queriam construir o mundo pela arte.

É nesse prisma que se insere o trabalho dos dois cineastas russos mais importantes dos anos 1920, Eisenstein e Vertov (este será analisado mais adiante). Eles se destacavam num cinema que incluía, também, Alexander Dovzhenko (*Terra*, 1930) e Vsevolod Pudóvkin (*A mãe*, 1926), entre outros. Mas todos eles se alimentaram de contribuições fundamentais que vieram, antes, de Lev Kuleshov, cujos pensamentos redesenharam não só a famosa montagem soviética, mas toda a forma de manipulação fílmica a partir de então. Kuleshov, que dirigiu a paródia *As aventuras extraordinárias de Mister West no país dos bolcheviques* (1924), via o cinema como a combinação de elementos significantes, e a posição em que eles eram colocados era uma forma de narrar, de não ficar refém da mera captação do real. Professor da primeira escola de cinema do mundo, a Escola de Cinema de Moscou (VGIK), ali ele desenvolveu seu mais famoso experimento, conhecido como "efeito Kuleshov". Ele mostrava a mesma imagem de um homem, primeiro ao lado da imagem de um prato de sopa, depois ao lado de uma criança num caixão e, depois, ao lado de uma mulher deitada num divã. Ainda que a imagem do homem fosse idêntica nas três associações, a reação que a soma das imagens causava no público era diversa, como se o homem exprimisse tristeza, fome ou desejo, mesmo sendo a mesmíssima imagem dele nas três "montagens". Kuleshov queria mostrar que o sentido de uma imagem era dado pela sua associação com outra(s), criando uma "terceira imagem".

Essa premissa se tornaria a base de todo o cinema russo a partir dos anos 1920. Enquanto nos Estados Unidos Griffith envolvia o público pela identificação psicológica com os personagens, os russos queriam trabalhar com velocidade e imagens justapostas. Mas enquanto Kuleshov enfatizava a continuidade, Eisenstein ressaltava o choque de imagens. Ex-aluno de Kuleshov, ele continuou priorizando o poder da montagem, ainda que com forte viés ideológico comunista. Opondo-se à identificação psicológica e a narrativas contínuas, Eisenstein trabalhou com associações de imagens que produziam estímulos sensoriais. Influenciado pelo pensamento do diretor teatral Vsevolod Meyerhold, Sergei Eisenstein dirigiu *A greve* (1925), seu longa de estreia – propaganda soviética sobre a importância do levante proletário. A trama mostrava a repressão dos grevistas. Com empresários propositadamente estereotipados, Eisenstein experimentou, aqui, pela primeira vez, sua montagem intelectual, associando o massacre dos operários com o sacrifício de um touro, por meio da descontinuidade. Ao contrário do paralelismo dramático imersivo de Griffith, Eisenstein jogava o espectador "para fora" da trama, forçando-o a interagir, refletir sobre essa abrupta associação. Um mesmo elemento, como a água, é mostrado em sua mais suave forma e, logo em seguida, em jatos abruptos contra os operários.

Realizado no mesmo ano, porém com mudanças consideráveis na forma de pensar o cinema, estava o segundo e mais famoso longa de Eisenstein, *O encouraçado Potemkin* (1925). A rebelião de marinheiros contra a tirania do capitão e o recebimento deles como heróis em Odessa simbolizou o estado crítico social de um país recém-configurado. Nesse caso, o diretor trabalhou de forma mais linear, mas continuou fazendo associações de imagens – como a de homens com vermes, que intitula a primeira parte do filme. Seu rigor com a montagem surpreendeu o mundo, sobretudo a dilatação do tempo e a fragmentação em múltiplos planos da famosa sequência da escadaria de Odessa, com a inesquecível mãe carregando o filho morto à sombra da guarda repressora do governo. O filme contou com mais de 1.300 planos, praticamente o dobro da média de um longa-metragem de Hollywood para a época. Enquanto a duração dos planos do filme soviético era de, em média, três segundos, a dos franceses e norte-americanos era de cinco segundos. O trabalho de Eisenstein, elogiado por James Joyce e Albert Einstein e fundamental para a dilatação do tempo que se verá no trabalho de Hitchcock, seduziu também o próprio governo soviético, e não tardou para que fosse dada a Eisenstein a incumbência de outros filmes de propaganda.

Foi o caso de *Outubro* (1927), em comemoração aos dez anos da Revolução Russa. A abertura é memorável: a estátua do czar Alexandre III se transformando em ruínas quase sozinha, diante de foices e fuzis. Logo em seguida, na primeira

Cena emblemática de *O encouraçado Potemkin* (1925), de Sergei Eisenstein, um dos mestres da montagem intelectual

parte, o diretor mostra o processo que eclodiu em 25 de outubro e, depois, a tomada do Palácio de Inverno. A primazia da montagem intelectual está na primeira parte, com fortes rupturas que induzem a reflexões ativas do espectador diante das imagens propostas. Com esse filme, a teoria da montagem intelectual de Eisenstein ganhou plena maturidade – na proposta de que a reflexão, no cinema, nasce do choque da composição de imagens, "como na hieroglífica japonesa, na qual dois signos ideográficos independentes (quadros), justapostos, explodem em um novo conceito", segundo o diretor.

A ascensão de Josef Stálin ao poder foi um desastre para a criatividade reflexiva das artes russas. Enquanto o poeta Vladimir Maiakovski cometeu suicídio, Dziga Vertov perdeu recursos e Malevich fez obras tímidas, Eisenstein continuou trabalhando, após viajar pelo Ocidente para estudar, conhecer intelectuais, artistas e (tentar) fazer filmes. Seu retorno foi repleto de críticas, mas ele reagiu dirigindo *Cavaleiros de ferro* (1938), com menos experimentação, mas igual dose de propaganda nacionalista. O filme foi um sucesso de público porque chegou na hora certa: ao mostrar os russos derrotando os teutônicos no século 18, na verdade fazia um alerta aos russos daquela época contra a ameaça nazista. Primeiro filme sonoro de Eisenstein, com trilha excepcional de Serguei Prokófiev, foi fotografado pelo genial Eduard Tisse, e a associação do grão-duque russo com Stálin arrancou elogios do próprio tirano. Em seguida, Eisenstein dirigiu seus dois últimos trabalhos, *Ivan, o terrível*, dividido em duas partes (1944 e 1958). Ele morreu antes de fechar a trilogia. Combinando ideologias nacionalistas com narrativas trágicas shakesperianas, as obras são o epílogo de um diretor que sofreu com o controle abusivo do Estado em sua carreira, tendo praticamente enlouquecido no final da vida.

Da Ucrânia, estado-membro da URSS, veio o trabalho de Alexander Dovzhenko, bastante diferente do de seus colegas de Moscou. Suas imagens eram deliciosamente oníricas, numa liberdade de associações que lembrava as esfuziantes obras das vanguardas francesas. Destaque para dois de seus filmes, *A montanha do tesouro* (1928) e *Arsenal* (1929).

Após o fim da ditadura stalinista na União Soviética, outra referência do cinema russo despontou: Andrei Tarkovsky. Intelectual, filho de poeta e fanático por *Guerra e paz*, de Leon Tolstói, destacou-se já em seu segundo longa, *Andrei Rublev* (1966) – tão ousado na forma que foi banido da produção cinematográfica soviética por seis anos. Ambientado no século 15, conta trechos da vida do monge russo que abandonou a reclusão para enfrentar o caos instaurado pelos tártaros. As imagens construídas da Rússia medieval, com seus pântanos e cidadezinhas saqueadas, foram marcantes e fortes, uma das razões pelas quais o filme teve 20 minutos cortados e sua estreia adiada para 1971. Em seguida, Tarkovsky estreou uma das ficções científicas mais perturbadoras da história do cinema: *Solaris* (1972), considerado o *2001 – Uma odisseia no espaço* soviético. Ao contar a história de uma tripulação soviética perturbada por estranhas visões na órbita do planeta que dá nome ao filme, *Solaris* é tão rigoroso quanto a obra de Kubrick, porém no sentido da experimentação narrativa e imagética. As distorções de imagens e a extensão ao limite dos planos causam no espectador uma sensação de quase delírio próxima à dos próprios personagens. Também marcante foi seu próximo trabalho, *O espelho* (1975), que contou com forte carga espiritual e simbólica.

Contemporânea a Tarkovsky foi a ucraniana Kira Muratova, de *Breves encontros* (1967) – triângulo amoroso entre uma aldeã, uma chefe de empresa e um geólogo *hippie*. No filme seguinte, *O longo adeus* (1971), Kira trabalhou com mais rigor nos diálogos e produção de som, num dos raros filmes em que se observa a rotina da vida na União Soviética de forma distinta das versões que saíam das fábricas de propaganda ideológica de Moscou. O filme, claro, foi proibido no país e só lançado em 1986, quando recebeu aclamação internacional.

Outro que sofreu censura de Moscou foi Serguei Parajanov, ainda que ele viesse da distante Geórgia, estado-membro da URSS. Ex-aluno da Escola de Cinema de Moscou, o cineasta teve problemas com os dirigentes soviéticos, pois sua abordagem temática geralmente envolvia a cultura local e também ancestral (pré-soviético). Foi o caso do belíssimo *Os cavalos de fogo* (1964), história de amor entre pessoas de famílias rivais nos Cárpatos do século 19 dominadas pelo cristianismo. Seu apoio, muitas vezes explícito, aos nacionalistas da Geórgia levou a outros atos de censura, como em *A cor da romã* (1969), acusado de instigar o suicídio e de possuir cenas supostamente homoeróticas. Foi preso, libertado quatro anos depois por pressão mundial e preso novamente nos anos 1980. Morreu de câncer em 1990.

A segunda prisão de Parajanov durou pouco em parte porque a União Soviética estava iniciando um período de abertura ao mundo nos anos 1980, sobretudo após a posse de Mikhail Gorbachev, ocorrida em 1985. Nesse mesmo ano, o bielorrusso Elem Klimov, depois de ser censurado por um longo período, lançou *Vá e veja* (1985), que mostrava a visão de um jovem diante das atrocidades nazistas em seu país no ano de 1943. É considerado um dos filmes mais realistas e atrozes sobre a Segunda Guerra feitos na União Soviética.

Aos poucos, filmes críticos à própria URSS começaram a ser rodados e exibidos sem sofrer censura – caso de *Arrependimento sem perdão* (1984), do georgiano Tengiz Abuladze. O enredo trata de uma mulher que desenterra o corpo de um prefeito, revoltada pelas mortes que ele causara em nome de Stálin. Liberado para exibição por Gorbachev, foi visto por milhões de soviéticos. Não tão vistos, mas também liberados à época, foram os filmes de Kira Muratova citados anteriormente.

Com o fim da União Soviética, a Rússia entrou em profunda crise econômica, mas certa liberdade criativa veio à tona, possibilitando temáticas e abordagens mais diversas daquelas pregadas pelos líderes soviéticos. Um dos maiores destaques do período foi Alexander Sokurov, que em *Mãe e filho* (1997) surpreendeu o mundo não com a originalidade do roteiro sobre a relação de uma mãe doente com o filho, mas com suas experimentações fotográficas: o diretor usou distorções, lentes pintadas, fotografia através de vidro etc., um deleite visual que os russos (e o mundo) puderam ver sem cortes no cinema. Mas Sokurov foi ainda mais longe no filme seguinte, *Arca russa* (2002). Captada digitalmente com a clara intenção de não ter cortes – ser um único plano-sequência –, a película acompanha um homem percorrendo o Museu Hermitage, em São Petersburgo, enquanto discute a cultura russa do século 20 e dialoga com todo o passado do país ao longo de 33 salas e 1.300 metros rodados num só plano. Melhor filme russo do início do século 21, a obra provou que o cinema do país tem fôlego para ir ainda mais longe – agora, quem sabe, com menos censura estatal e a retomada do crescimento econômico.

FILMES ESSENCIAIS
Depois da morte (1915)
A dama de espadas (1916)
A morte do cisne (1916)
As aventuras extraordinárias de Mister West no país dos bolcheviques (1924)
A greve (1925)
O encouraçado Potemkin (1925)
A mãe (1926)
Outubro (1927)
Zvenigora (1928)
Arsenal (1929)
Terra (1930)
Cavaleiros de ferro (1938)
Ivan, o terrível (1944)
Ivan, o terrível – Parte 2 (1958)
Os cavalos de fogo (1964)
Andrei Rublev (1966)
Breves encontros (1967)
A cor da romã (1969)

Continua →

Continuação →

O longo adeus (1971)
Solaris (1972)
O espelho (1975)
Arrependimento sem perdão (1984)
Vá e veja (1985)
Mãe e filho (1997)
Arca russa (2002)

Leste Europeu

Composto por inúmeros países, que viveram ocupações sangrentas tanto do lado soviético quanto do ocidental (Alemanha nazista), o Leste Europeu foi um caldeirão social inspirador para o cinema no século 20. No entanto, parte considerável dos seus mais de 20 países sofreu influência direta ou indireta da propaganda soviética, fazendo que sua produção audiovisual ficasse engessada em grande parte desse período. Controlado por Moscou, o cinema foi usado como uma poderosa arma de conquista das classes populares, com obras que faziam alusão positiva às fazendas coletivas e ao partido comunista. Os países que conseguiam ter uma produção cinematográfica com certa independência sofriam, ainda assim, forte censura, e muitas obras não chegavam a atravessar as fronteiras rumo a festivais internacionais. Os que furaram a barreira tinham uma estética que ia da frieza formal ao realismo mágico, ambos muito sedutores em termos narrativos e de imagem.

Um dos países que primeiro despontaram no cinema da região foi a República Tcheca. O primeiro sucesso internacional veio das mãos de Gustav Machatý, com *Êxtase* (1933). Absolutamente corajoso para a época, sua história versava sobre uma mulher que larga o marido com transtornos obsessivos para ficar com um jovem. O filme é carregado de cenas eróticas nada vulgares. Quando os alemães invadiram o país, o cinema quase foi à ruína, mas a escola nacional de cinema, a Famu, continuou em pé – e, depois da ascensão comunista, se especializou em filmes animados com bonecos. Seu artista mais notório foi Jirí Trnka, que fez centenas de animações com bonecos, mas uma delas ganhou notoriedade internacional: *A mão* (1965). O curta mostra um boneco apavorado diante de uma mão sem corpo, que representava a opressão do estado comunista. A obra foi lançada no rico contexto das novas ondas cinematográficas dos anos 1960, que entre os tchecos viu nascer nomes como Miloš Forman, Jirí Menzel e Vera Chytilová. Utilizando a sátira, Forman dirigiu *Pedro, o negro* (1964), sobre a relação de um jovem com seu pai, sendo o jovem muito semelhante às figuras ousadas e livres retratadas pela *Nouvelle Vague* na França. Seu segundo filme, *O baile dos bombeiros* (1967), foi um sucesso comercial. Forman, então, fez como Polanski: saiu do país e foi trabalhar nos Estados Unidos, onde fez filmes como *Um estranho no ninho* (1975), *Amadeus* (1984) e *O povo contra Larry Flint* (1996).

Jan Svérak levou o Oscar de Melhor Filme Estrangeiro por *Kolya, uma lição de amor* (1996), ambientado em Praga durante o regime comunista. Na película, um músico solteirão faz um acordo financeiro para se casar com uma russa, mas a mulher foge para o Ocidente, deixando o filho com ele. A obra fez enorme sucesso, em grande parte pela química entre o garoto e o protagonista.

Já Vera Chytilová colocou personagens femininos fortes em seus filmes – caso de *Algo diferente* (1963), sobre uma dona de casa que queria ser ginasta, ousada mistura de ficção e documentário em um mesmo filme. Seu experimentalismo foi além em *As pequenas margaridas* (1966), agora usando distorções e enquadramentos absurdos para falar das ousadias de duas mulheres. O filme foi odiado por diretores como Godard, que não percebeu que, no Leste Europeu, para fugir da censura, muitos diretores apelavam para o absurdo, o surreal e o bizarro como forma de crítica e reflexão. Com a invasão soviética dois anos depois, a diretora foi proibida de filmar. De Jirí Menzel, o destaque da carreira foi *Trens estreitamente vigiados* (1966), sobre um jovem ferroviário que tenta perder a virgindade e se distrair dos horrores da ocupação nazista.

Durante a influência soviética, muitos países do Leste Europeu produziram filmes que criticavam, satirizavam ou refletiam a dominação ideológica vinda de Moscou. Mas isso não queria dizer que eram filmes de direita, que combatiam a esquerda. Combatiam, sim, aquela esquerda que vinha de cima, da Praça Vermelha, forçada violentamente na vida dessas populações.

Poucos foram os países que conseguiram internacionalizar seus diretores no período de influência da União Soviética. Mas a escola de cinema de Łódź, da Polônia, foi uma dessas exceções, sendo responsável por projetar nomes como Roman Polanski, Jerzy Skolimowski, Krzysztof Zanussi e Andrzej Wajda, este último o mais importante diretor da região nos anos 1950. Ex-combatente do exército polonês contra os alemães, foi pintor, e essas duas experiências ditaram sua trilogia de filmes sobre seu país na Segunda Guerra: *Geração* (1955), *Kanal* (1957) e *Cinzas e diamantes* (1958), que respectivamente abordavam a luta clandestina no país, a resistência durante a guerra e o primeiro dia de paz depois do armistício. Um dos truques usados por Wajda para fugir da censura foi amparar o significado de suas obras em símbolos (objetos e ações), nem sempre óbvios a um primeiro olhar. Depois de Wajda, o diretor polonês mais notório foi Roman Polanski. Seu primeiro filme, *A faca na água* (1962), causou grande *frisson* nos espectadores ao ser todo filmado num veleiro, alimentando a tensão claustrofóbica na trama sobre um triângulo amoroso. A obra imediatamente levou o diretor a uma carreira internacional.

Da Hungria, a maior contribuição da época veio do diretor Miklós Jancsó, considerado referência quando se trata de usar longos planos-sequência para exprimir a potência de um sentimento destruidor – como fez em *Vermelhos e brancos* (1967), que fala sobre conflitos de soldados em linhas opostas. O rigor fotográfico do diretor – e seus posicionamentos de câmera precisos – é escola no Leste Europeu até hoje, com destaque para a cena final, em que homens se posicionam num campo enquanto um deles olha para a câmera e saúda com uma espada sobre o rosto.

Também ex-aluno da Łódźfoi o polonês Krzysztof Kieslowski, cineasta mais conhecido do movimento "Cinema da Inquietação Moral", cujo início se deu com *O homem de mármore* (1977), de Andrzej Wajda. Krzysztof contribuiu com *Decálogo* (1989-1990), dez filmes de 60 minutos feitos para a TV do país que usavam os Dez Mandamentos como mote para falar dos preceitos morais daquela época, que haviam causado a morte de tanta gente. Todos os filmes são ambientados num mesmo prédio de Varsóvia, microcosmo da Polônia moderna. Um dos filmes foi estendido e se tornou a melhor obra de todas, *Não matarás* (1988). Famoso, o diretor foi à França filmar sua trilogia das cores – *A liberdade é azul* (1993), *A igualdade é branca* (1994) e *A fraternidade é vermelha* (1994) – que utilizou a cor como linha visual mestra para traçar o desenrolar dramático da trama. Aliás, é comum que os países do Leste Europeu percam seus diretores mais aclamados para a França, ou porque esta oferece melhores condições para a produção cinematográfica, ou porque esses diretores acabam tendo problemas políticos em seus países de origem.

Veio também da Hungria uma das contribuições cinematográficas mais importantes para entender o que passaram as mulheres durante o regime tirânico de Stálin. Ex-esposa de Miklós Jancsó, a cineasta Márta Mészáros dedicou uma trilogia ao assunto: *Diário para minhas crianças* (1984), *Diário para meus amores* (1987) e *Diário para meu pai e minha mãe* (1990), todos eles com forte repercussão em festivais e nas bilheterias da época. Carreira internacional igualmente gloriosa teve *Mephisto* (1981), do húngaro István Szabó, vencedor do Oscar de melhor filme estrangeiro. A película é baseada no romance de Klaus Mann e na vida do ator teatral alemão Gustav Gründgens, que namorava uma mestiça e frequentava cabarés de esquerda, mas acabou se tornando ator-fetiche do nazismo. Trata-se de uma reflexão do diretor sobre a arte em regimes totalitários. Há cenas inesquecíveis, como a do personagem diminuto diante de imensas suásticas e do cenário montado para a filmagem do comício de Nuremberg.

Muito influenciado por Jancsó, um dos cineastas que despontaram na Hungria logo em seguida foi Béla Tarr, diretor de um dos melhores filmes sobre o fantasma do comunismo: *O tango de Satã* (1994). Com sete horas de duração, planos-sequência majestosos e trilha musical de causar arrepios, o filme versa sobre uma fazenda coletiva em ruínas e fez de Tarr um dos maiores criadores do cinema no final do século 20.

A partir dos anos 1990, os Bálcãs passaram a produzir um cinema constantemente premiado em festivais do mundo inteiro. A região viveu uma década terrivelmente efervescente, que alimentou à altura a reflexão cinematográfica – devido, entre outros fatores, à crise econômica pós-queda do comunismo, a conflitos étnicos e com a igreja ortodoxa, ao terrorismo etc. Nas tramas, a guerra territorial era colocada em confronto com a busca ilusória de identidades nacionais.

O diretor bósnio Boro Draškovic fez *Vukovar, jedna prica* (1994), sobre a violenta desarticulação do próprio país. Narrado do ponto de vista sérvio, ele usa a história de um casal de etnias distintas na cidade que dá nome ao filme como cenário e metáfora antes e depois da explosão do conflito que dissolveu a Iugoslávia. Com temática semelhante é *Bela aldeia, bela chama* (1996), do sérvio Srđan Dragojevic, sobre dois garotos, um sérvio e outro muçulmano, que cresceram juntos, mas são separados pela guerra civil na Bósnia.

Um dos mais talentosos diretores da região é o sérvio Emir Kusturica. Em *Underground – Mentiras de guerra* (1995), vencedor do Festival de Cannes, ele discute a guerra de seu país dilacerado. O filme causou grande polêmica, mesmo sendo uma comédia musical. Financiado por uma TV estatal sérvia, detalha a história da Iugoslávia no começo da Segunda Guerra até seu desaparecimento, nos anos 1990, tudo do ponto de vista sérvio e com forte tom irônico. Isso não invalidou, porém, o poder da imagem nesse filme, que coloca em xeque todos os acontecimentos que afetaram a vida da população local, do nazismo à queda do comunismo e ao governo do marechal Tito. Kusturica é conhecido por usar o feio para esculpir o belo cinematográfico; ele usa imagens aparentemente grotescas, mas com forte carga dramática, como que se do podre, do feio nascesse uma nova esperança de vida. Isso acontece também em outro de seus filmes, *A vida é um milagre* (2004), que tem cenas como a de uma burra que sofre de amor e se joga numa linha de trem que ainda não funcionava por conta do governo corrupto local. São caricaturas propositais que transpõem um lado humano e muito exótico para os olhares estrangeiros. Outro diretor que trabalhou na TV estatal e se destacou no cinema foi o sérvio Goran Paskaljevic, de *Barril de pólvora* (1998). O filme se passa em uma única noite em Belgrado – simbolizando tempos escuros e violentos – e está dividido em episódios que contam o drama de quem quer ficar ou sair da capital, os conflitos com estrangeiros, mal-entendidos e, ao mesmo tempo, a esperança que vem da união comunitária.

Da Macedônia, um dos mais belos filmes é *Antes da chuva* (1994), de Milcho Manchevski – vencedor do Festival de Veneza. Abordando o conflito étnico entre muçulmanos albaneses e macedônios ortodoxos, a trama é dividida em três partes e mostra, de maneira muito habilidosa, como o ódio entre povos percorre gerações e gera conflitos cíclicos, mas também permanentes, em certas sociedades.

De modo geral, o cinema do Leste Europeu, quando usufruiu de liberdade criativa e ousadia, soube expressar impecavelmente bem todo o caldeirão sociopolítico e cultural que viveu, sem descanso, do surgimento da URSS à reconfiguração geopolítica de seus países de influência.

FILMES ESSENCIAIS
Êxtase (1933)
Geração (1955)
Kanal (1957)
Cinzas e diamantes (1958)
A faca na água (1962)
Algo diferente (1963)
Pedro, o negro (1964)
A mão (1965)
As pequenas margaridas (1966)
Trens estreitamente vigiados (1966)
O baile dos bombeiros (1967)
Vermelhos e brancos (1967)
O homem de mármore (1977)
Mephisto (1981)
Diário para minhas crianças (1984)
Diário para os meus amores (1987)
Não matarás (1988)
Decálogo (1989-1990)
Diário para meu pai e minha mãe (1990)
A liberdade é azul (1993)
O tango de Satã (1994)
Vukovar, jedna prica (1994)
Antes da chuva (1994)
Underground – Mentiras de guerra (1995)
Bela aldeia, bela chama (1996)
Barril de pólvora (1998)
A vida é um milagre (2004)

Cinema nórdico

Desfrutando de uma estabilidade político-econômica em grande parte do século 20 e, sobretudo, de liberdade de expressão, os países nórdicos souberam usufruir dessas raras benesses para produzir um dos cinemas mais ricos, influentes, polêmicos, reflexivos e ousados de todo o mundo.

Uma das primeiras películas da região a chamar atenção foi *Häxan – A feitiçaria através dos tempos* (1922), do sueco Benjamin Christensen, baseado num guia alemão para inquisidores do século 15. O filme mostrava como superstições e a incompreensão de doenças físicas e mentais podiam levar a uma caça às bruxas e à histeria social. Filmado como se fosse um documentário, aterrorizou as plateias com reproduções meticulosas de cenas medievais. Foi o mais caro dos países nórdicos até então, aclamado na região e banido nos Estados Unidos em virtude de algumas cenas que continham tortura, nudez e o que os censores chamaram de "perversão sexual".

Enquanto os recém-nascidos estúdios de Hollywood confinavam cada vez mais seus filmes em cenários com luzes artificiais nos anos 1910 e 1920, os nórdicos davam preferência à luz natural. É o caso de diretores como Mauritz Stiller e Victor Sjöström, cujo realismo das imagens influenciou grandes nomes da fotografia posteriormente, como o diretor de fotografia mais famoso da região, Sven Nykvist, que trabalharia a vida toda com Ingmar Bergman. De Sjöström, *A carruagem fantasma* (1921) é o melhor exemplo e um dos grandes primeiros filmes suecos, um quase épico protagonizado pelo próprio diretor como David Holm – que, num cemitério, recebe a visita da morte cavalgando uma carruagem, enquanto seus grandes erros na vida são mostrados em cinco *flashbacks*, interrompidos por *flashforwards*, numa montagem bastante ousada para a época. O filme é tão emblemático na região que influenciou diversos diretores, como Lars von Trier em *Ondas do destino* (1996). Já de Mauritz Stiller, o melhor exemplo foi *A saga de Gösta Berling* (1924), com Greta Garbo no papel principal em um cenário espetacularmente bem fotografado.

O primeiro grande realizador da transição mudo-sonora da região foi o dinamarquês Carl T. Dreyer, tão rigoroso na forma como trabalhava seus filmes que exerceu grande influência em diretores de outros países, sobretudo do Expressionismo alemão. O cinema mais pulsante dos anos 1920 e 1930 que vinha dos países nórdicos era o que abordava, entre outros temas, a intransigência do protestantismo radical, contrapondo-o à tolerância e ao amor. Inclusive em filmes históricos, como *O martírio de Joana d'Arc* (1928), que contou com uma interpretação magistral de Maria Falconetti – esta por vezes parece fugir do quadro, como que querendo escapar de sua condenação. Com produção que durou oito meses e reconstituição rigorosa do castelo de Rouen, a obra revelou ao mundo um dos primeiros grandes diretores de fotografia do cinema, Rudolph Maté. Ele compôs uma luz que se tornou icônica nos filmes de Dreyer, como a do rosto da personagem voltado para cima tomado de um feixe de luz quase espiritual. Mas foi seu próximo filme que marcou sua proposta estética de forma ainda mais sólida. *O vampiro* (1932), uma das obras mais aterrorizantes feitas até então para a tela grande, contava a história de um aventureiro que vai parar num hotel e começa a presenciar pessoas que parecem estar mortas. Maté revolucionou a fotografia nesse filme, pois queria que o espectador se sentisse como o pobre Allan Grey, sem saber se quem estava ali estava vivo ou morto. Para isso, o diretor de fotografia fez um forte rebaixamento dos contrastes em determinadas cenas, deixando alguns personagens quase transparentes. Além disso, para dar uma sensação onírica à imagem, usava uma pequena névoa líquida na lente como filtro, que aliada a ousados movimentos de câmera para a época estremeceu as plateias. Primeiro filme falado de Dreyer, *O vampiro* fez ótimo uso dessa nova tecnologia. Além da trilha certeira de Wolfgang Zeller, a captação dos diálogos ficou assustadora, com vozes que vinham de direções aleatórias e, em algumas cenas, uma "massa de sons" que o espectador não conseguia identificar, o que causava forte estranhamento. O diretor também se adiantou no tempo e usou atores amadores, o que só se tornaria recorrente no Neorrealismo italiano. Dreyer fez poucos longas de ficção, mas quase todos foram ousados para sua época. Caso de *A palavra* (1955), no qual os movimentos de câmera e os filtros privilegiam uma espécie de visão transcendental, onírica e onisciente, marcando a presença de Deus e dos espíritos numa trama na qual uma esposa ressuscita dos mortos para voltar a ser sã.

Pouco conhecido no mundo, o sueco Alf Sjöberg dirigiu filmes fundamentais para a história, como *Tortura do desejo* (1944) e sua ambiência psicológica sombria e claustrofóbica. O diretor também fez a melhor adaptação do texto do dramaturgo August Strindberg em *Senhorita Júlia* (1951). Já o também sueco Hasse Ekman discutiu a decisão de seu país de permanecer neutro na Segunda Guerra no filme *Flicka och hyacinter* [Moça com jacintos] (1950), cuja trama mostra o suicídio de uma moça. Contemporâneos a eles são a norueguesa Edith Carlmar e seu *Døden er et kjærtegn* [A morte é um carinho] (1949), o também norueguês Arne Skouen, com *Nove vidas* (1957), e o finlandês Erik Blomberg, com *A rena branca* (1952), baseado em uma história folclórica famosa na região.

Porém, ninguém teve maior relevância no cinema nórdico do que o sueco Ingmar Bergman. Filho de pais luteranos rígidos – seu pai era pastor –, assim como Hitchcock, ele sofreu com castigos violentíssimos ao longo da infância e da adolescência. Trabalhou no teatro e fez diversos roteiros, aos poucos sendo conhecido como o diretor que melhor trabalhava dramas internos de personagens muito bem construídos. Ficou conhecido mundialmente com *Sorrisos de uma noite de amor* (1955), mas alguns anos antes *Monika e o desejo* (1953) ganhou aplausos fortíssimos dos jovens críticos da *Cahiers du Cinéma*. Estes apontaram Bergman como exemplo de diretor que trabalhava com personagens femininas fortes, contraposições de símbolos e closes que desvelavam a alma humana, o que o tornou conhecido como "o retratista do cinema". Bergman passou, então, a resgatar lembranças da infância, que podem ser vistas em uma de suas obras-primas: *O sétimo selo* (1957). Nela, símbolos medievais afloram, como a peste negra, na trama de um cavaleiro que retorna das Cruzadas e, no meio de uma praia, encontra a Morte. Ele, então, a desafia para um jogo de xadrez e, se ganhar, pode continuar vivendo. A peste negra, aqui, claramente remete à ausência de Deus que se sentia na Europa após o Holocausto e a bomba atômica. Um homem medieval sem fé em busca de algum sentido para a vida discutia, na verdade, a natureza da fé nos tempos em que a obra foi feita. Enquanto os neorrealistas trabalharam com imagens ligadas diretamente à realidade do momento, Bergman usou como poucos símbolos religiosos e filosóficos para falar do mesmo tema: o silêncio de Deus.

No mesmo ano – e quase sempre com os mesmos atores –, Bergman fez *Morangos silvestres* (1957), um dos mais arrebatadores filmes sobre o envelhecer humano. A trama versa sobre um médico que sonha com a própria morte na noite anterior à viagem para Lund, onde receberá uma homenagem pelos seus 50 anos de prática da medicina. Porém, ao longo do caminho, ele revê, em sonhos, tudo de pior que fez às pessoas ao seu redor – mãe, nora, filho, esposa –, uma espécie de inventário tão bem trabalhado que a personalidade do dr. Isak é construída inteiramente pela composição do que os terceiros dizem sobre quem ele foi em vida. Já *Através de um espelho* (1961), sobre a doença de uma filha que abala ainda mais a fria relação dela com o pai, começa com um mar sereno, porém turvo, como a alma desses personagens perturbados. *Quando duas mulheres pecam* (1966) foi, então, seu filme mais revolucionário da década. Ele teve não só este subtítulo cortado no lançamento no Brasil já sob regime ditatorial como também sua abertura, na qual uma série de imagens super-rápidas evoca fobias e desejos reprimidos humanos, como a crucificação, uma aranha, um pênis ereto, o abate de uma ovelha etc. Em seguida, um garoto acorda ao redor de cadáveres e começa a ler *Um herói de nosso tempo*, de Michail Lermontov, acariciando o rosto de Alma (Bibi Andersson), uma enfermeira que cuidará de uma atriz (Liv Ullmann) que surta numa apresentação de Sófocles e fica completamente muda. Com claros traços lésbicos no filme, Bergman nunca quis falar demais sobre os significados da trama, o que a tornou enigmática e até hoje moderna. Na trajetória do diretor, ao lado deste filme, é considerada sua maior obra-prima *Gritos e sussurros* (1972), seu melhor mergulho nas profundezas da alma humana, centrado na convalescente Agnes (Harriet Andersson), auxiliada por suas irmãs Karin (Ingrid Thulin) e Maria (Liv Ullmann), e na empregada Anna (Kari Sylwan). Fotografado por Sven Nykvist, num vermelho que remete ao passional e ao útero materno e com imagens como a de Agnes caída no colo de Anna, como na Pietà, o filme trafega entre a vida e a morte, deixando de lado a religião para falar de piedade humana.

Os países nórdicos foram palco do último movimento cinematográfico da história do cinema, ou pelo menos de uma tentativa de se criar artificialmente um movimento, espertamente anunciado no ano de 1995, quando o cinema fazia um século. Depois do sueco Bergman, certamente o cineasta mais importante daquela região é o dinamarquês Lars von Trier, que, ao lado do diretor Thomas Vinterberg, anunciou a intenção de criar uma série de regras – risíveis, compreensíveis e esdrúxulas – para o movimento Dogma 95. A intenção era libertar o cinema da "tirania" dos altos orçamentos, que ao final do século 20 tomou conta dos *blockbusters* de Hollywood e passou a impressão de que filme bom era filme caro e cheio de efeitos especiais. Ao contrário, diziam os dinamarqueses, o cinema precisava voltar a ser primitivo, menos industrial. A tecnologia, por sua vez, teria também um lado positivo: democratizaria o cinema, sobretudo com o advento das câmeras digitais, na virada do século. De modo geral, o Dogma queria negar a autoria individual do cinema, colocando-o como autoria coletiva, ao mesmo tempo que queriam resgatar o real por meio da negação de artifícios e métodos de ilusão. Eles negavam, portanto, a autoralidade maior do diretor, dita pela *Nouvelle Vague*, e acenavam para o Neorrealismo italiano.

Os dinamarqueses pretenderam criar um movimento mundial, no qual qualquer cineasta poderia participar, desde que respeitasse os "dez mandamentos", as tais regras criadas por eles: não construir nenhum cenário, filmar em locações reais, sem uso de acessórios, sem trilha musical que não seja som direto, câmera manual, sem trabalho de iluminação, nenhuma "ação superficial" (tiroteios, perseguições), sem *flashbacks*, sem o nome do diretor nos créditos etc. Como dito antes, a intenção era amarrar, via regras técnicas, de modo que o filme se sobressaísse pelo conteúdo – composição de personagens, atuação, narrativa, capital humano – e não pelo capital econômico e tecnológico que transformava uma obra por completo na pós-produção.

A questão é que nem mesmo os criadores do movimento o levaram a sério, pois fizeram apenas um filme seguindo as regras por eles criadas. Lars von Trier fez *Os idiotas* (1998), que chamou mais a atenção pela polêmica da história – que satirizava deficientes mentais – do que pelo movimento em si. Já Thomas Vinterberg fez *Festa de família* (1998), filmado com uma câmera de vídeo doméstica num castelo onde o patriarca, em pleno aniversário, é acusado pelo filho de molestar a ele e às irmãs.

Mas foi quando Lars von Trier se libertou dessas amarras por ele criadas que, então, começou a dirigir seus melhores filmes e recolocou os países nórdicos no

Com *Anticristo* (2009), Lars von Trier trabalhou a culpa inerente do ser humano de forma simbólica e catártica

olimpo das grandes produções mundiais, como nos tempos de Bergman. Dirigiu um musical às avessas, *Dançando no escuro* (2000), com Björk no papel principal, no qual a música causa angústia pela condição trágica da protagonista. Após o 11 de setembro, fez dois filmes que discutiam as raízes morais dos EUA, *Dogville* (2003) e *Manderlay* (2005), filmados em tablados, com cenário minimalista, remetendo à essência da atuação teatral. O primeiro, com Nicole Kidman, apresenta a marca narrativa do diretor, a catarse final em que se inverte, às vezes bruscamente, a expectativa do público. Mas suas obras-primas serão as que ficaram conhecidas como Trilogia da Depressão: *Anticristo* (2009), com uma das mais belas aberturas cinematográficas da história, fala da culpa; *Melancolia* (2011) atribui a depressão à total ausência de sentido da vida; *Ninfomaníaca,* volumes 1 e 2 (2013), sobre a depressão advinda da total ausência de prazer sexual. Lars von Trier carrega todos eles de símbolos religiosos – o tema proibido em sua casa da infância, em que reinava o ateísmo e a ausência de educação repressora –, sempre jogando sobre personagens femininas as maiores taras, perversões e pulsões de violência e repressão. De certa forma, o diretor reafirma o potencial criativo, provocativo e polêmico dos primeiros filmes dos países nórdicos, o que alguns chamam de Escola Nórdica.

FILMES ESSENCIAIS
A carruagem fantasma (1921)
Häxan – A feitiçaria através dos tempos (1922)
A saga de Gösta Berling (1924)
O martírio de Joana d'Arc (1928)
O vampiro (1932)

Continua →

Continuação →

Tortura do desejo (1944)
Døden er et kjærtegn (1949)
Flicka och hyacinter (1950)
Senhorita Júlia (1951)
A rena branca (1952)
Monika e o desejo (1953)
A palavra (1955)
Sorrisos de uma noite de amor (1955)
Nove vidas (1957)
O sétimo selo (1957)
Morangos silvestres (1957)
Através de um espelho (1961)
Quando duas mulheres pecam (1966)
Gritos e sussurros (1972)
Ondas do destino (1996)
Os idiotas (1998)
Festa de família (1998)
Dançando no escuro (2000)
Dogville (2003)
Manderlay (2005)
Anticristo (2009)
Melancolia (2011)
Ninfomaníaca – Volumes 1 e 2 (2013)

Reino Unido

A língua inglesa e o cordão umbilical da colonização uniram, de certa forma, a produção cinematográfica do Reino Unido a Hollywood. Para o bem e para o mal. Pois da mesma forma que o idioma ajudou a internacionalizar obras que nem de longe teriam esse potencial se não fosse pela língua, a ilha também se tornou uma enorme locação para as próprias produções norte-americanas, sendo difícil distinguir de quais países são, de fato, muitas delas. Além disso, alguns talentos mal tiveram tempo de despontar na ilha e já eram dragados para Hollywood, como foi o caso de Chaplin e Hitchcock. Porém, ao longo do século 20, o Reino Unido soube, também, produzir filmes que retrataram dramas, belezas, fatos históricos e conturbações sociais, e são eles que privilegiaremos aqui.

A ilha teve protagonistas importantes nos primeiros anos do cinema, como vimos no primeiro capítulo. Nas primeiras décadas, os curtas e primeiros longas-metragens mudos eram, em geral, comédias e melodramas, muitos deles adaptando Shakespeare e Charles Dickens. Diversos estúdios começam a surgir nesse período, como o Gaumont-British Picture Corp., Hepworth Studios, Ealing Studios e Islington Studios, onde Alfred Hitchcock começou a filmar, nos anos 1920. No entanto, a produção cinematográfica, neste momento, se tornou medíocre com o avanço dos estúdios de Hollywood. Estimativas apontam que apenas 5% dos filmes em cartaz eram britânicos em 1926, instigando, nos anos seguintes, algumas legislações protecionistas da produção local. Antes de ser puxado para Hollywood, Alfred Hitchcock fará o primeiro filme sonoro britânico, *Chantagem e confissão* (1929). Apesar de a ficção minguar – ou migrar para Hollywood –, o Reino Unido teve relevância mundial na produção de documentários, como veremos mais adiante.

Até o final dos anos 1930, o cinema britânico tinha a imagem de não ser tão divertido quanto o de Hollywood, nem tão artístico quanto o francês, com raras exceções, como *Malvada* (1945), sobre uma nobre que inicia uma vida dupla para sair do tédio, sendo o maior sucesso cinematográfico da ilha naquela década. Mas o fim da Segunda Guerra vai mudar esse cenário, primeiramente com David Lean dirigindo duas adaptações, com forte tom expressionista, das obras de Charles Dickens: *Grandes esperanças* (1946) e *Oliver Twist* (1948). Contemporâneo, Carol Reed fará uma bem-sucedida parceria com o escritor Graham Greene em *O ídolo caído* (1948) e *O terceiro homem* (1949). O mérito destes filmes recai também no produtor Joseph Arthur Rank, dono da produtora Pinewood Studios, que decidiu assumir riscos estéticos e narrativos para alavancar o cinema britânico no pós-guerra.

Foi nos anos 1950 que o Reino Unido começou a ganhar protagonismo autoral no cinema, com cineastas clamando por mudanças políticas e sociais encampadas em ficções de cunho autoral. A ficção foi fortemente influenciada por uma onda de documentários que ficou conhecida como Cinema Livre, tomando as salas de Londres em 1956. Na ficção, esse momento do cinema ficou conhecido como a *New Wave* Britânica, fortemente influenciada pela nova onda francesa que começava em paralelo e também era impulsionada por críticos de cinema, ligados à revista *Sequence*, da Universidade de Oxford, e posteriormente pela revista *Sight and Sound*, como os críticos Tony Richardson, Lindsay Anderson e Karel Reisz, que também se tornariam cineastas. O filme inicial do movimento, no entanto, não foi deles, mas de Jack Clayton, *Almas em leilão* (1959), sobre um trabalhador do Norte e seus dramas sociais e sexuais. Em seguida, Tony Richardson fez *Odeio essa mulher* (1959) e

A solidão de uma corrida sem fim (1962), na mesma época de *Tudo começou no sábado* (1960), de Karel Reisz, e *O pranto de um ídolo* (1963), de Lindsay Anderson. Sem dúvida, era o cinema britânico no seu auge estético e reflexivo e, em comum, eram filmes feitos com pouco orçamento, poucos equipamentos, e que privilegiavam locações reais, personagens masculinos fortes, em geral operários de fábricas do Norte ou de classes média-baixa, com forte influência de grandes documentaristas britânicos, como John Grierson, ainda que no caso dos britânicos as adaptações de peças teatrais fossem mais frequentes do que na *Nouvelle Vague*. Mas essa onda durou pouco, pois nos anos 1960 a seriedade do cinema foi dando lugar ao frenesi da *British invasion*, a música britânica que dominou o mundo e se transformou no maior poder suave inglês, ao mesmo tempo que muitos cineastas foram trabalhar em Hollywood, ainda que tenham deixado um legado de influência na geração seguinte, formada por Mike Leigh, Ken Loach e Terence Davies, entre outros.

E mesmo diretores britânicos talentosos influenciados por essa geração acabaram indo para os EUA, como Ken Loach, que dirigiu *Kes* (1969), sobre a realidade de um garoto de uma família recém-desfeita, com fortes semelhanças com *Os incompreendidos*, de Truffaut, pois ele também trabalhou com atores amadores, roteiro aberto a improvisações etc.

Diretor altamente experimentalista do País de Gales, Peter Greenaway chamou a atenção já em seu primeiro longa, *The falls* (1980), utilizando sistemas numéricos e alfabéticos para conduzir a trama. Fortemente influenciado pelas artes plásticas na composição visual de cenas, foi o seu *O bebê santo de Mâcon* (1993) que espantou o mundo. Ambientado no século 17, numa comunidade atingida por praga, fome e esterilidade, nasce uma criança de uma mulher supostamente virgem, criando um clima de histeria na região.

Os anos 1980 do cinema do Reino Unido foram marcados por produções de impacto comercial internacional, em grande parte graças à entrada de investimentos da televisão pública, como a BBC e o Channel Four, com filmes como *Carruagens de fogo* (1981), de Hugh Hudson, e *Gandhi* (1982), de Richard Attenborough. A era Thatcher também gerou filmes mais imersivos e reflexivos, com forte influência neorrealista, rebatendo e criticando as duras atitudes econômicas e sociais da dama de ferro e os reflexos da perda de dois milhões de empregos e do desaparecimento das fábricas no Norte da ilha. Como exemplo, temos obras como *Minha adorável lavanderia* (1985), de Stephen Frears com Daniel Day-Lewis, que discute homossexualidade, relações com a Índia e identidade cultural britânica. Este filme, por exemplo, teve financiamento total do Channel Four, ou seja, dinheiro para produção e distribuição. Daniel Day-Lewis venceria o Oscar, em seguida, por sua interpretação de Christy Brown em *Meu pé esquerdo* (1989), do irlandês Jim Sheridan. A dama inglesa Helen Mirren fez filmes comerciais de grande sucesso, como *Excalibur* (1981), de John Boorman, e o pouco comercial, visualmente ousado e cheio de excessos e críticas *O cozinheiro, o ladrão, sua mulher e seu amante* (1989), de Peter Greenaway. O grupo Monty Python, que já havia ecoado mundo afora com *A vida de Brian* (1979) e *Em busca do cálice sagrado* (1975), ganhou o Grande Prêmio do Júri em Cannes por *O sentido da vida* (1983). Terence Davies fará *Vozes distantes* (1988), trama semibiográfica da infância em Liverpool de uma família proletária, com um pai violento que bate nos filhos e na mulher. O diretor insere uma série de imagens que remetem às suas memórias da infância, desbota as imagens e usa as músicas populares da adolescência.

Até o final dos anos 1990, persistia no Reino Unido um trágico costume, quase que inimaginável para um país que divide a mesma língua que a indústria cinematográfica mais poderosa do mundo. Ou talvez seja justamente por isso que este costume permaneça: o hábito do britânico de rejeitar seus próprios filmes nas salas do cinema, mas adorá-los na televisão, quando o número de público chega a ser 30 vezes maior. Como exemplo, alguns filmes de Ken Loach, como *Riff-raff* (1991), que, embora tenha dado o Bafta de melhor ator para Robert Carlyle, fez mais público na França, onde venceu Cannes, do que no Reino Unido. Mesmo filmes de forte apelo comercial, como *Razão e sensibilidade* (1995), são primeiro lançados nos EUA do que em seu país de origem, e os norte-americanos lotam as salas, ao contrário dos britânicos.

Mesmo assim, nos anos 1990, o Reino Unido ganhou popularidade nos cinemas mundiais com comédias românticas populares, como *Quatro casamentos e um funeral* (1994), com Hugh Grant. Porém, contemporâneos a esse sucesso comercial tiveram também produções mais inventivas, como *A vida é doce* (1990), de Mike Leigh, e *Time code* (2000), de Mike Figgis, este último uma obra ousada, feita em quatro *takes* sem edição acompanhando personagens cujas histórias são conectadas e mostradas ao mesmo tempo, em quatro quadrantes da tela, variando o som de acordo com a trama que o diretor queria privilegiar a cada momento, um dos primeiros filmes digitais experimentais do mundo. A língua inglesa e as raízes culturais próximas ajudaram a ilha, também, a liderar o número de indicações ao Oscar na década. Foram 15 indicações para melhor ator e atriz vindos do Reino Unido nos anos 1990.

Alguns diretores de grande circulação em festivais e relativo sucesso comercial também despontaram no final do século 20, como Danny Boyle com o seu *Trainspotting: sem limites* (1996), um retrato (literalmente) ácido e irônico do desalento da juventude fruto da era Thatcher. Já Guy Ritchie inseriu o bom humor negro britânico no subgênero gângster em *Jogos, trapaças e dois canos fumegantes* (1998). A violenta relação da Irlanda com a Inglaterra ganhou duas obras de grande sensibilidade humana nas mãos de Neil Jordan (*Traídos pelo desejo*, 1992) e Jim Sheridan (*Em nome do pai*, 1993). Mike Leigh retorna em altíssimo padrão com *Segredos e mentiras* (1996), o melhor roteiro de sua carreira até então, fortemente marcado pela improvisação e colaboração de todo o elenco. Histórias envolvendo famílias humildes do Norte, tão comuns na onda britânica do meio do século, foram relembradas por Stephen Daldry em *Billy Elliot* (2000), em contraposição à adoração dos britânicos por histórias da realeza, levada à tela por Stephen Frears em *A rainha* (2006). O cinema britânico, que começou sua história sendo um dos menos criativos da Europa, pontuou o século 20 com obras fundamentais para a cultura da ilha, ainda que muitas vezes à sombra da indústria hollywoodiana, a grande irmã sempre de olho nos talentos vindos do antigo reino.

FILMES ESSENCIAIS
Chantagem e confissão (1929)
Malvada (1945)
Grandes esperanças (1946)
Oliver Twist (1948)
O ídolo caído (1948)
O terceiro homem (1949)
Almas em leilão (1959)
Odeio essa mulher (1959)
Tudo começou no sábado (1960)
A solidão de uma corrida sem fim (1962)
O pranto de um ídolo (1963)
Kes (1969)
Em busca do cálice sagrado (1975)
A vida de Brian (1979)
The falls (1980)
Carruagens de fogo (1981)
Excalibur (1981)
Gandhi (1982)
O sentido da vida (1983)
Minha adorável lavanderia (1985)

Continua →

Continuação →

Vozes distantes (1988)
Meu pé esquerdo (1989)
O cozinheiro, o ladrão, sua mulher e seu amante (1989)
A vida é doce (1990)
Riff-raff (1991)
Traídos pelo desejo (1992)
O bebê santo de Mâcon (1993)
Em nome do pai (1993)
Quatro casamentos e um funeral (1994)
Razão e sensibilidade (1995)
Trainspotting: sem limites (1996)
Segredos e mentiras (1996)
Jogos, trapaças e dois canos fumegantes (1998)
Time code (2000)
Billy Elliot (2000)
A rainha (2006)

Europa Centro-Ocidental

A região foi berço dos maiores movimentos cinematográficos do mundo, começando pelas vanguardas dos anos 1920 e 1930, bruscamente interrompidas pela Segunda Guerra Mundial, que por sua vez forneceu o terreno fértil para o Neorrealismo italiano e, posteriormente, a *Nouvelle Vague*. Mas mesmo sem grandes movimentos internacionais, a Europa centro-ocidental permaneceu no protagonismo da produção cinematográfica, ainda que de forma pontual e fragmentada.

A Espanha passou décadas com pouca liberdade criativa debaixo da ditadura de Francisco Franco, mas conseguiu driblar a censura por meio de comédias com toques realistas, como o filme *A cadela* (1972), dirigido pelo italiano Marco Ferreri, sobre um viúvo que mata a família inteira quando compra uma cadeira de rodas motorizada, sua maior obsessão. O maior diretor espanhol até então, Luis Buñuel, depois de suas obras-primas surrealistas, vai dar as costas para o país e fazer grande parte de seus filmes no México. Quando tenta retomar os laços com o país, ao dirigir *Viridiana* (1961), volta a ser fortemente censurado – pelo governo espanhol e até pelo Vaticano – com cenas como a de aleijados e mendigos em volta de uma mesa, numa crítica à Santa Ceia. Para evitar uma nova censura, o diretor fará na França

A bela da tarde (1967), um trabalho de direção rigoroso em que coloca Catherine Deneuve em um de seus melhores papéis, como a dona de casa que vira prostituta e parece ter obsessão por homens violentos, sexo masoquista e fantasias transgressoras. Na reta final da carreira, fará ainda *O discreto charme da burguesia* (1972), uma comédia provocante, cínica e com toques de surrealismo sobre uma série de sonhos de seis pessoas de classe média e sua refeição sempre interrompida.

Ainda debaixo do franquismo começa a carreira de Carlos Saura, que atacou a ditadura espanhola em *A caça* (1966), sobre amigos que lutaram a favor de Francisco Franco e vão caçar coelhos onde fora o centro das lutas durante a Guerra Civil. Mas o conflito não é mencionado no filme, pois era certo de que seria censurado. Celebrando a caça, eles então viram alvo e são mortos um atrás do outro, onde reside a crítica àquela barbárie imortalizada na tela por Picasso. O diretor fez ainda *Cría cuervos* (1976), um drama potente sobre a juventude de uma menina durante a ditadura franquista, com fortes traços niilistas, nostálgicos e cínicos, de um tempo em que ser jovem não era sinônimo de vontade de viver, com tons sombrios e um destino que leva ao vazio.

Mesmo com as grandes obras de Buñuel e Saura, nenhum diretor espanhol teve maior visibilidade internacional do que Pedro Almodóvar. Parte do segredo do diretor se deve ao fato de ter trabalhado com dramas de apelo universal, mas ambientados debaixo da cultura espanhola, com o olhar particular do diretor sobre ângulos, pessoas, bairros periféricos, moldados com trilha musical latina certeira – muito Caetano Veloso –, sendo quase todos modelos de melodramas bem trabalhados em termos de construção de imagem, diálogos e música. Trafegando sobre temáticas relativamente ligadas às suas experiências pessoais – desejo, paixão, identidade, abusos sexuais, homossexualidade e família –, o diretor mescla referências culturais espanholas com a cultura pop no estilo MTV na montagem e condução narrativa. Seu *glamour* visual exuberante começa em *A lei do desejo* (1987) e seu tino para a comédia propositadamente cheia de excessos vem em *Matador* (1986). Suas cores-fetiche – como o vermelho em contraposição com o azul, por exemplo – começam a aparecer em *Mulheres à beira de um ataque de nervos* (1988) e são impecavelmente bem trabalhadas em *Tudo sobre minha mãe* (1999), cuja cena da morte do filho é de um apuro técnico incomparável, num melodrama que dispensou até a melodia, tamanhos a força da atuação de Cecilia Roth, os enquadramentos do ponto de vista do filho, a trilha sonora (ruídos, chuva) e as distorções de velocidade dos *frames*. *Fale com ela* (2002) adiciona a esse apuro um roteiro mais sofisticado e com críticas inteligentes ao jornalismo de fofoca e obsessão às celebridades. Utilizando metalinguagem e comunicação constante com as outras artes, homenageando seus ídolos – de Buñuel a Fellini –, Almodóvar acerta justamente por fincar a carreira em seu país de origem, conferindo-lhe forte

Em *Tudo sobre minha mãe* (1999), Pedro Almodóvar trabalha a cor, as atuações e a trilha sonora de forma ímpar, tornando-o um mestre do melodrama

marca autoral, cultural, sendo o cartão de visita audiovisual da Espanha.

Claro que o diretor não está sozinho na cena audiovisual espanhola, eclipsando um pouco outros grandes talentos, como o basco Julio Medem, que trabalhou o cinema fantástico em *Vacas* (1992) e *Tierra* (1996), mas viaja o mundo com o longa *Lúcia e o sexo* (2001), num roteiro circular preciso que aborda o acaso e a tragédia na rotina humana. Com uma carreira quase nada ligada a tramas ambientadas na Espanha, mas absolutamente talentosa é a diretora Isabel Coixet. Ela é diretora de obras como *Minha vida sem mim* (2003), produzida por Almodóvar, sobre uma jovem em processo de aceitação de seu câncer terminal, e protagonizada pela atriz Sarah Polley, que iria ser dirigida novamente por Isabel em *A vida secreta das palavras* (2005), sobre traumas individuais num mundo cheio de violência crua. Com produções tanto internacionais quanto culturalmente enraizadas na Espanha está Agustín Díaz Yanes, diretor de *Ninguém falará de nós quando estivermos mortos* (1995), drama sobre alcoolismo com forte influência de Almodóvar – com quem trabalhou em *Atame* (1989) – e Quentin Tarantino, sobretudo nas sarcásticas cenas de tortura contra a protagonista. Yanes dirigiu uma das produções mais caras da Espanha, *Alatriste* (2006), adaptação das obras de Arturo Pérez-Reverte, sobre um capitão do exército no século 17 e suas desventuras, com roteiro misturando referências reais com devaneios criativos sobre a história.

A vizinha Portugal, apesar de pequena, lançou obras e diretores marcantes. Um dos primeiros grandes sucessos foi O *pátio das cantigas* (1942), de Francisco Ribeiro, um musical de enorme sucesso no país sobre moradores de um pequeno bairro de Lisboa durante as festas populares. Seus grandes escritores também tiveram livros bem adaptados, como Eça de Queiroz, cuja obra homônima *O crime do padre amaro* (2005) foi bem executada por Carlos Coelho da Silva. Mas nenhum diretor português chegou perto da produção de Manoel de Oliveira, que continuou filmando até seus 105 anos de vida. Atuou no primeiro filme falado do país, *A canção de Lisboa* (1933), de José Cottinelli Telmo. Dirigiu filmes mesmo debaixo da ditadura salazarista – o que, provavelmente, não fosse esse contexto, teria tido repercussão internacional ainda maior. Isso porque foi só quando ele já passava dos 70 anos e após o fim do regime que seus filmes ganharam vigor maior, como *O convento* (1995), *Viagem ao princípio do mundo* (1997), *La lettre* (1999) e *O princípio da incerteza* (2002), todos marcados pelo apuro visual e por uma constante reflexão sobre o próprio espírito narrador do cinema.

Da Grécia, Theo Angelopoulos ganha o mundo com *A viagem dos comediantes* (1975), um longa de quase quatro horas de duração e apenas 80 planos – pouquíssimo para o tamanho da trama – que mostra atores encenando uma peça na Grécia dos anos 1940 sob a invasão nazista, seguida pela guerra civil. Poucos planos porque os *travelings* do diretor são deslumbrantes. A posição delicada do país na Europa e com vizinhos cheios de conflito permeou a identidade fílmica do diretor, como em *Paisagem na neblina* (1988) e *A eternidade em um dia* (1998). Em todos eles, os planos-sequência evidenciam a presença quase como protagonista da geografia do país na vida de seus moradores. Ainda que seja da Grécia, Costa-Gavras não trabalhará em seu país. Naturalizado francês, percorreu a carreira falando das injustiças do Estado em obras como *A confissão* (1970), sobre os comunistas tchecos, e *Estado de sítio* (1972), sobre o envolvimento da CIA no Uruguai.

Nascido na Alemanha, mas com berço artístico na Áustria, um dos maiores diretores do mundo é Michael Haneke, com um estilo peculiar e preciso de abordar a violência. Não aquela que gera divertimento e emoções falsas, mas a violência real, incômoda, tão forte que o próprio diretor raramente a coloca no campo visual. O diretor é quem melhor criticou o espectador pelo prazer que tem de ver o sofrimento alheio e também pela forma como o audiovisual minimiza a dor e a violência, atacando os filmes de suspense e terror que manipulam os elementos fílmicos de modo a tornar a violência entretenimento. Incorporando sua formação em Filosofia, Psicologia e Teatro de modo único no cinema, Haneke chamou a atenção do mundo já em seu primeiro filme, *O sétimo continente* (1989), baseado em uma história real de uma família pacata, aparentemente imersa em sua vida sem grandes incidentes, mas cujo final catártico chocou a polícia europeia por anos. Aqui, Haneke trabalha com um ritmo que exige paciência do espectador, menos frenético que as obras de Hollywood, para que se apoie nas sutilezas das atuações e nas escolhas das imagens. Em seguida, fez *O vídeo de Benny* (1992), sobre um garoto obcecado por vídeos que usa a tecnologia para registrar um ato de assassinato. O final alarmante traz desalento e desesperança que serão a marca do diretor, cujos créditos sobem sempre num silêncio devastador. Já *71 fragmentos de uma cronologia do acaso* (1994) mostra a precisão do roteiro trazendo 71 cenas envolvendo a chegada de um imigrante, um casal que adotou uma filha, um estudante e um velho solitário. As conexões entre as histórias exigem do espectador atenção máxima a cada detalhe da trama. *Violência gratuita* (1997) teve tamanha repercussão no mundo que teve *remake* em Hollywood uma década depois, com Naomi Watts e Tim Roth. É uma obra-prima desenhada a dedo, com cada cena precisamente colocada para mostrar a brincadeira impune de dois garotos num condomínio fechado. Trabalhando constantemente na Áustria e também na França, colocará Isabelle Huppert em algumas de suas maiores atuações, como *A professora de piano* (2001), que tem uma relação perturbadora com a mãe e desenvolve uma obsessão masoquista por um aluno. Um de seus filmes mais premiados, *Cachê* (2005), dialoga com os dilemas contemporâneos ao colocar um casal apavorado com o recebimento de fitas em que são observados em suas rotinas dentro de casa, filmados por alguém na rua. Magistralmente fotografado, *A fita branca* (2009) mostra como nascem os impulsos fascistas nas sociedades, ambientando a trama numa pequena vila alemã no começo do século 20. Um tratado sobre educação e as crian-

Um dos maiores mestres do cinema, Michael Haneke expõe de forma incomparável as origens da violência na humanidade

ças que seriam os futuros soldados nazistas do país. Vencedor do Oscar de melhor filme estrangeiro, *Amor* (2012), com a musa francesa Emmanuelle Riva, é um dos melhores longas já feitos sobre o processo de envelhecimento humano e os dilemas diante do fim da vida. Da Áustria, vale também conferir o trabalho da diretora Jessica Hausner, em obras como *Lourdes* (2009), e Valeska Grisebach, em *Saudade* (2006).

Do Centro-Sudeste, a Romênia certamente encantou o mundo com uma onda de diretores e filmes no começo do século 21. Partilhando de elementos estéticos muito próximos, fizeram milagres com orçamentos tímidos, elementos fatalistas, uma abordagem seca do realismo local, que podem ser saboreados em filmes como *A morte do Sr. Lazarescu* (2005), de Cristi Puiu, *A leste de Bucareste* (2006), de Corneliu Porumboiu, e *California dreamin'* (2007), de Cristian Nemescu. Numa linha um pouco distinta, a diretora romena Adina Pintilie ganhou o Festival de Berlim com sua abordagem da vida de três pessoas e suas dificuldades de ter intimidade no longa *Touch me not* (2018).

É óbvio que o cinema europeu possui muito mais obras fundamentais do que estas mencionadas. Mas abraçar tamanha diversidade cultural e de produção é impossível, ainda mais para o continente que deu uma nova e nobre missão à luz: contar histórias.

FILMES ESSENCIAIS
A canção de Lisboa (1933)
O pátio das cantigas (1942)
Viridiana (1961)
A caça (1966)
A bela da tarde (1967)
A confissão (1970)
O discreto charme da burguesia (1972)
Estado de sítio (1972)
A cadela (1972)
A viagem dos comediantes (1975)
Cría cuervos (1976)
Matador (1986)
A lei do desejo (1987)
Mulheres à beira de um ataque de nervos (1988)
Paisagem na neblina (1988)

Continua →

Continuação →

O sétimo continente (1989)
Ata-me (1989)
Vacas (1992)
O vídeo de Benny (1992)
71 fragmentos de uma cronologia do acaso (1994)
Ninguém falará de nós quando estivermos mortos (1995)
O convento (1995)
Tierra (1996)
Violência gratuita (1997)
Viagem ao princípio do mundo (1997)
A eternidade em um dia (1998)
La lettre (1999)
Tudo sobre minha mãe (1999)
Lúcia e o sexo (2001)
A professora de piano (2001)
Fale com ela (2002)
O princípio da incerteza (2002)
Minha vida sem mim (2003)
O crime do padre amaro (2005)
Cachê (2005)
A morte do Sr. Lazarescu (2005)
A vida secreta das palavras (2005)
A leste de Bucareste (2006)
Alatriste (2006)
Saudade (2006)
California dreamin' (2007)
A fita branca (2009)
Lourdes (2009)
Amor (2012)
Touch me not (2018)

12. ÁSIA

Japão

Nenhum país asiático exerceu maior influência sobre os rumos da indústria cinematográfica e nas características narrativas, estéticas e técnicas dos filmes em geral do que o Japão no século 20. Desde muito cedo, os japoneses souberam interligar suas plataformas de produção cultural – cinema, rádio, mangás, *animes*, televisão, *games* e internet – de forma que elas se retroalimentassem tecnologicamente, mas, sobretudo, conteudisticamente, transformando o trio MAG (mangá, *animes* e *games*) no seu maior poder suave até hoje. Mesmo imerso em uma sociedade conservadora ao extremo, o cinema japonês soube aproveitar algumas janelas de liberdade criativa típicas de um país democrático, ainda que certas obras tenham pagado caro pela ousadia, sendo censuradas por anos dentro do país. Incansável ganhador de festivais internacionais, o cinema japonês foi um dos que melhor romperam com a ideia de que o ritmo, o roteiro, os enquadramentos e as formas de atuação hollywoodianas eram os padrões a ser seguidos.

O fascínio por ver imagens projetadas já era grande no país graças ao sucesso das lanternas mágicas, no final do século 19, associadas aos filmes que chegavam com a invenção dos irmãos Lumière. O início do cinema no país é impreciso, visto que as salas começaram a ser construídas em Tóquio a partir de 1903, embora o filme japonês com datação precisa mais longínqua seja o documentário *Geisha no teodori* (1899). Já a ficção, em seus primórdios, baseou-se no teatro tradicional japonês, como o *kabuki* e o *bunraku*.

Uma das primeiras influências de âmbito internacional que o cinema japonês proporcionou foi a presença do *benshi*, profissional contratado para se sentar ao lado da tela e narrar os filmes mudos para a plateia, adicionando comentários e certa dose de interpretação. Acompanhados ou não de música, esses indivíduos atuaram também em outros países da Ásia por muito tempo. Shozo Makino foi o Georges Méliès japonês: além de ter feito dezenas de curtas nos primeiros

15 anos do século 20, foi responsável por transformar Matsunosuke Onoe, um ator de *kabuki*, na primeira grande estrela nacional das telonas. Porém, o cinema japonês avançou mesmo a partir dos anos 1910 graças à imprensa, como a lendária *Katsudo Shinshinkai*, publicação que criticava fortemente os primeiros filmes por imitarem demais as formas teatrais japonesas e depositarem a narrativa na voz dos *benshis*. Aos poucos, o cinema japonês foi se afastando dessas amarras e passou a se apoiar em técnicas e elementos de linguagem próprios. Assim como na França décadas depois, um dos críticos, Norimasa Kaeriyama, quis colocar as ideias em prática no filme *The glow of life* (1919), um dos primeiros longas a usar atrizes e experimentar enquadramentos e cortes diferentes dos curtas japoneses da época. Um passo fundamental para o surgimento dos primeiros estúdios e, também, dos diretores que ousariam ainda mais no cinema mudo, como o grande Kenji Mizoguchi, que só começou a ser conhecido fora do país décadas depois de seus primeiros filmes, iniciando com *Oharu, a vida de uma cortesã* (1952). Muito antes disso, porém, os japoneses já mostravam sua adoração por filmes de samurai – e talvez os primeiros grandes sucessos do gênero tenham saído das mãos dos diretores Daisuke Ito, de *Chuji tabinikki daisanbu goyohen* (1927), e Masahiro Makino, com *Rônin-gai* (1928). Esses filmes impulsionam fortemente a nascente indústria cinematográfica japonesa com seus cortes mais rápidos e cenas de batalhas cada vez mais caras e bem produzidas. Enquanto tais obras tinham forte apelo comercial, nasceria a primeira obra-prima do cinema japonês, *Uma página de loucura* (1926), de Teinosuke Kinugasa. Com forte influência impressionista, o filme é de um apuro estético impressionante, trabalhando a luz e os enquadramentos de maneira precisa, com distorções, sombras e imagens labirínticas para assustar o público, alternando pontos de vista e usando máscaras e expressões nos atores nunca vistos no país até aquele momento.

    O grande terremoto de 1923, junto com a umidade do país e, posteriormente, os bombardeios durante a Segunda Guerra Mundial, foi o responsável por uma perda imensa do patrimônio do cinema mudo japonês. Curiosamente, o país foi um dos últimos a abandonar a produção de filmes mudos no mundo. Enquanto o Ocidente foi paulatinamente deixando de fazer obras assim a partir de 1927, no Japão os filmes mudos ainda eram populares até o final dos anos 1930. Uma das explicações vem da linguagem cinematográfica desenvolvida no país, muito mais ligada à contemplação de imagens do que ao acompanhamento narrativo por meio de diálogos. As cenas dos filmes japoneses – com exceção dos de samurai – já tinham duração maior do que as obras ocidentais e a quantidade de diálogos dos primeiros filmes falados japoneses era muito menor.

    Foi na era muda que nasceu um dos maiores diretores japoneses de todos os tempos: Yasujirō Ozu. Ainda que tenha feito obras emblemáticas na era sonora, sua primeira obra-prima, *Uma estalagem em Tóquio* (1935), é muda. A importância do filme não está na trama de Kihachi, desempregado com dois filhos que tenta se virar para sobreviver enquanto flerta com Otaka, uma mãe solteira; está na abordagem bastante realista – e rara – do assunto. A obra tem diversas características – enquadramento, ritmo, atuação, montagem – que seriam típicas do Neorrealismo italiano, que surgiria só uma década depois. Ozu foi um precursor desse estilo e só não influenciou os italianos porque os filmes japoneses viajavam pouco para o Ocidente, sobretudo os de Ozu, vistos pouquíssimo na Europa.

Naquela época, Kenji Mizogushi partiu para o cinema sonoro e fez dois grandes filmes, *As irmãs de Gion* (1936) e *Elegia de Osaka* (1936). Em comum, os filmes mostram o apreço do diretor por abordar a vida feminina, mas em filmes ambientados décadas antes de seu tempo, tendo menos chances de ser censurados. As tais irmãs eram gueixas, diferenciadas por seus valores – uma moderna, outra conservadora. Já em *Elegia de Osaka*, o diretor explora a dor feminina de maneira diferente da dos dramas ocidentais, afastando a câmera dos personagens toda vez que se acentua o sofrimento. Em *Contos da lua vaga* (1953), Mizoguchi atingiu sucesso pleno com a história de um artesão do século 16 que sonha em ser rico. Fotografado por Kazuo Miyagawa (o mesmo de *Yojimbo, o guarda-costas*), aprofundou uma marca estilística do diretor: a de usar planos longos e certo distanciamento da ação em cena.

Nos anos 1930, eram raros filmes japoneses notáveis sem forte influência da ideologia nacionalista, que varria o cinema com propaganda desde que o Japão invadiu novamente a Manchúria, em 1931, fechando-se para o Ocidente. Mas tal isolamento também propiciou obras belíssimas, sobretudo nas mãos de Ozu, que retratava os trabalhadores, a vida cotidiana nas cidades, nas fábricas, nas escolas. Foi uma escola o cenário de seu primeiro sucesso, *Meninos de Tóquio* (1932), em que aborda a intimidação sofrida por dois irmãos que, assim que aprendem a se defender e descobrem que o próprio pai é intimidado pelo patrão, fazem greve de fome por vergonha, porque querem um pai tão valente quanto eles se tornaram. Com esse filme, Ozu começa a se tornar um mestre na abordagem realista das relações sociais japonesas, principalmente entre pais e filhos, tão marcada por tradições e renúncias – a renúncia do filho ao casamento para cuidar do pai e a renúncia do pai de viver a própria vida para economizar para os filhos –, como em *Filho único* (1936), seu primeiro filme sonoro, no qual a mãe diz que enfim pode morrer porque o filho encontrou uma boa esposa. Enquanto os americanos fechavam suas obras com um final feliz e os soviéticos, com final pesado e trágico, Ozu não fazia do desfecho um grande espetáculo, mas a deixa para o início de uma reflexão sobre a própria vida.

Em *Era uma vez em Tóquio* (1953), Yasujirō Ozu mostra por que é o maior mestre japonês da contemplação da imagem e da abordagem de dramas socioculturais

Um dos maiores filmes japoneses de todos os tempos é *Era uma vez em Tóquio* (1953), no qual Ozu aborda a inadequação de gerações antigas diante do ritmo de vida da metrópole. Quando um casal de idosos vai a Tóquio conhecer o novo netinho, eles percebem que pouco podem fazer para ajudar os pais do garoto – um forte rompimento com as tradições sociais japonesas – e decidem passear pela imensa cidade. A câmera de Ozu persiste no olhar do casal diante dos arranha-céus, e é essa persistência que nos faz refletir profundamente sobre a condição humana e o envelhecimento, de modo semelhante à reflexão diante de um quadro e bem diferente dos filmes de Hollywood e de samurais, com cortes tão rápidos que não existe espaço para pensar. Ozu criticava esse tipo de montagem, que impedia uma perspectiva múltipla com base na imagem.

Ozu filmou praticamente todos os seus filmes com a câmera à altura de um homem sentado no tatame, o que a nivela à altura do olhar de uma criança. No entanto, talvez o diretor quisesse deixar o enfoque à altura de pessoas sentadas num tatame mesmo, uma tradição familiar forte do Japão. Ozu filmava assim até com personagens em pé – enquadramento muito usado, por exemplo, na sua deliciosa comédia *Bom dia* (1959), sobre dois filhos que fazem greve de fome porque o pai se recusa a comprar uma TV para casa. A hipótese sobre esse enquadramento é de que o diretor quisesse atrair a atenção do espectador para o centro do fotograma (umbigo), e não para o olhar humano, embora também focando mais para cima, sem mostrar muito o chão, o que dá uma leveza e liberdade espacial pouco vistas no cinema até então. Ozu também rompia com "regras" cinematográficas. Fazia propositadamente a quebra de eixo, como em *Era uma vez em Tóquio*: ao trocar a posição da câmera com personagens em movimento, queria dar ao espectador uma sensação de desorientação geográfica, semelhante à que aquele casal passava na casa do novo neto. A riqueza que ele trouxe para o cinema era justamente introduzir novos olhares, muito diferentes daquilo que Hollywood começou a empregar nas telas a partir dos anos 1920. Ozu adorava, por exemplo, usar planos vazios, ou seja, planos que aparentemente não focam um personagem, um objeto, tampouco levam à cena seguinte, como a de um céu ou uma parede. É como se o diretor interrompesse a fluidez da trama para mostrar o mundo estático, contemplá-lo sem premissas nem pressa. Não é à toa que diretores como Wim Wenders disseram que Ozu foi o maior mestre do cinema de todos os tempos. Por ter viajado tão pouco para festivais internacionais, seu mérito só foi devidamente reconhecido a partir do final do século 20, mas ainda faltam muitos aplausos para esse mestre.

Poucos anos antes de Ozu iniciar sua despedida do cinema, o Ocidente conheceu aquele que se tornaria o diretor japonês mais premiado do mundo: Akira Kurosawa, apresentado ao mundo quando ganhou o Festival de Veneza com *Rashomon* (1950). Parte da crítica japonesa torcia o nariz para o diretor no começo de sua carreira, argumentando que ele adaptava seu estilo ao gosto ocidental, até por se assumir fã intenso de diretores como Abel Gance, John Ford e Howard Hawks. O ritmo dos filmes de ação hollywoodianos parece ter influenciado esse futuro mestre em seus filmes de artes marciais. Em *Rashomon*, Kurosawa inaugura uma espécie de marca pessoal: utilizar as mudanças de tempo e temperatura para transmitir o estado de ânimo dos personagens. Nessa obra, uma chuva torrencial pauta a tensão da memória do julgamento. Também é assim seu filme mais emblemático, *Os sete samurais* (1954), um dos mais importantes dessa década, com uma sequência final de batalha que muitos diretores nem sonham em repetir hoje com a mesma mestria. Filmado também sob uma chuva torrencial, Kurosawa usou dezenas de figurantes e cavalos numa batalha que, em vez das planícies abertas dos faroestes, é ambientada entre árvores e casas encharcadas e pessoas enlameadas circulando e morrendo com golpes de espada. O diretor usou diversas câmeras para captar todos os ângulos possíveis da batalha.

A habilidade na composição das cenas nos filmes de Kurosawa influenciou claramente diversos diretores, como Sergio Leone, que se inspirou (até demais, na opinião do japonês) em *Yojimbo* (1961) para o seu faroeste *Por um punhado de dólares* (1964), e George Lucas, que buscou inspiração para o seu *Guerra nas estrelas – Uma nova esperança* (1977) em *A fortaleza escondida* (1958). Ao longo da carreira, Kurosawa perdeu o tom de indivíduo e sua aventura por justiça e liberdade para se tornar aos poucos mais melancólico, como em *Rapsódia em agosto* (1991), seu último grande filme, cujo pano de fundo da relação de três gerações de uma família era a bomba atômica de Nagasaki – um filme mais belo do ponto de vista estético e visual do que propriamente pelos personagens construídos.

Contemporâneo de Ozu e Kurosawa foi Kon Ichikawa, autor de filmes como *Não deixarei os mortos* (*A harpa birmana*) (1956), ambientado no final da Segunda Guerra Mundial e cujo tema é a perda da inocência, em que a música dá o tom do luto e das cicatrizes do conflito em momento de rendição, bem como a fina fronteira que separa culpados e inocentes em tempos de guerra.

O cinema japonês também abordou o trauma da derrota na Segunda Guerra Mundial e, principalmente, as bombas atômicas sobre Hiroshima e Nagasaki. Masaki Kobayashi, por exemplo, filmou a cinessérie *Guerra e humanidade* (1959-1961), de 9 horas, sobre o drama humano e as consequências da guerra no Japão. Nos anos 1950, o país abraçou com entusiasmo o formato CinemaScope criado pela Fox nos EUA. Como a imagem era mais retangular (na proporção de 16:9), tornava-se próxima das pinturas horizontais em pergaminhos, tradição japonesa secular.

Ainda que seja uma das sociedades mais conservadoras do mundo, o Japão também viveu uma nova onda cinematográfica nos anos 1960. Um dos principais nomes foi o de Nagisa Oshima, ex-crítico de cinema e um dos mais ousados diretores japoneses. Ele retratou o choque de gerações em seu país no filme *Conto cruel da juventude* (1960), no qual irmãs de idades diferentes representam a mentalidade do país – uma tradicionalista; a outra, liberal. Irritado com o suposto conformismo japonês pós-guerra, Ōshima ataca o conservadorismo social em *O império dos sentidos* (1976), proibido por anos no próprio país por mostrar um casal que testa o limite das fronteiras do prazer e propõe-se a descobrir o limite possível do sexo, que é a morte, um elemento tradicionalmente muito próximo do próprio ato sexual na cultura japonesa. Ōshima também debate as consequências da guerra em *Furyo – Em nome da honra* (1983), sobre aliados ocidentais presos num campo de prisioneiros.

Outro grande diretor dessa nova onda foi Shôhei Imamura. Seu filme *A mulher inseto* (1963) é um retrato ácido e impiedoso de uma prostituta bastante racional tentando sobreviver numa sociedade hipócrita e cruel. Já em *A balada de Narayama* (1983), o diretor vai para o Japão rural paupérrimo do século 19, onde todos os que atingem os 70 anos devem pular de uma montanha, entre eles uma senhora cujo apreço à família a faz pensar em fugir dessa tradição. Ainda mais assustadora é a obra de Hideo Nakata, que se impressionou com o romance *Ringu*, de Koji Suzuki, e o transformou num dos filmes de terror mais emblemáticos do cinema, *O chamado* (2002), sobre um vídeo amaldiçoado que mata aquele que assiste a ele. A obra trabalha com sons e um estilo de atuação tão diferentes de Hollywood que, por essa mesma imprevisibilidade, encantou o mundo. Talvez um frenesi assim por um filme de terror japonês só tenha se repetido com *Audição* (1999), de Takashi Miike, sobre uma moça tímida que apavora a sociedade japonesa, simbolizando as neuroses e repressões de seu país. É uma obra-prima do terror, pois ele não tem pressa ao construir o jogo de xadrez de seu roteiro imagem por imagem, com planos lentos, até que ruídos, e não imagens, vão sugerindo os horrores que a doce moça está por cometer.

Em Hollywood, as animações foram tradicionalmente produzidas para o público infantojuvenil, tornando-se praticamente um gênero, como os estúdios tanto gostavam de classificar suas produções. O Japão, no entanto, nunca viu seus *animes* como um gênero, mas como um meio: uma forma audiovisual de contar história. Qualquer história. Dessa forma, criou-se um lucrativo mercado desde os anos 1950, amplamente ancorado em mangás, de *animes* feitos para crianças, adolescentes e também adultos (pornográficos, eróticos), mulheres, idosos etc.

Sem dúvida, o maior nome da área é Hayao Miyazaki, que começou produzindo *animes* para a televisão, mas logo os levou para o cinema, onde já fez sucesso em duas de suas primeiras obras, *O castelo de Cagliostro* (1979) e *O castelo no céu* (1986) – ambos cheios de elementos místicos, mas misturando uma inocência infantil com personagens assustadores e tramas quase sempre impiedosas. A partir de então, ele foi campeão de bilheteria no país e em muitos lugares do mundo. *A princesa Mononoke* (1997) foi o filme de maior sucesso do Japão, tendo sido desbancado pelo próprio Miyazaki no insuperável *A viagem de Chihiro* (2001), que deixou para trás fortes concorrentes, como Pixar e DreamWorks, e levou o Oscar de melhor animação, consagrando-se como uma das maiores obras do gênero já produzidas. Com visual exuberante, é a trama de uma garotinha que vai atrás dos pais, que viraram porcos, num mundo onde é perseguida por bruxas, espíritos e seres surreais. A leveza dos traços de Miyazaki, combinada com um roteiro preciso e uma trilha emocionante, chamou tanto a atenção do mundo que a Disney comprou os direitos de venda internacional de grande parte de suas obras. Seguindo a mesma linha, ele fez *O castelo animado* (2004) e depois discutiu o grande temor de seu país de ser engolido pelos mares no filme *Ponyo – Uma amizade que veio do mar* (2008). O *anime* encanta crianças, assusta adultos e diverte todo tipo de público, habilidade que os japoneses souberam construir com precisão no cinema ao longo das décadas.

FILMES ESSENCIAIS

Geisha no teodori (1899)

The glow of life (1919)

Uma página de loucura (1926)

Chuji tabinikki daisanbu goyohen (1927)

Rônin-gai (1928)

Meninos de Tóquio (1932)

Uma estalagem em Tóquio (1935)

As irmãs de Gion (1936)

Elegia de Osaka (1936)

Filho único (1936)

Rashomon (1950)

Oharu, a vida de uma cortesã (1952)

Contos da lua vaga (1953)

Era uma vez em Tóquio (1953)

Os sete samurais (1954)

Não deixarei os mortos (A harpa birmana) (1956)

A fortaleza escondida (1958)

Bom dia (1959)

A condição humana (1959)

Conto cruel da juventude (1960)

Yojimbo (1961)

Guerra e humanidade (1959-1961)

A mulher inseto (1963)

O império dos sentidos (1976)

O castelo de Cagliostro (1979)

Furyo – Em nome da honra (1983)

A balada de Narayama (1983)

O castelo no céu (1986)

Rapsódia em agosto (1991)

A princesa Mononoke (1997)

Audição (1999)

Continua →

Continuação →

A viagem de Chihiro (2001)
O chamado (2002)
O castelo animado (2004)
Ponyo – Uma amizade que veio do mar (2008)

Coreia do Sul

Com uma história marcada por invasões, guerras e pela divisão do país ao meio, a Coreia viu seu cinema ganhar fôlego muito tardiamente na península sul. Mas a fúria por bilheteria e reconhecimento internacional com que os sul-coreanos vêm se apresentando ao mundo desde o final do século 20 transformou o país em um dos grandes titãs de produção audiovisual. A Coreia do Sul foi capaz de seduzir até mesmo plateias arredias, como as vizinhas chinesa, japonesa e, claro, ainda que de forma ilegal e arriscada, a norte-coreana.

Quando a península foi desocupada, por conta da rendição do Japão, em 1945, a temática da liberdade logo se colocou como uma das mais importantes do cinema do país, como em *Jayu manse* (1946), uma das maiores bilheterias nacionais, que abordava a resistência coreana e a luta contra a invasão japonesa. Mas a sensação de liberdade durou pouco, pois a Guerra da Coreia (1950-1953) não só causou um banho de sangue e a divisão do país até hoje como também reduziu para 14 o número de filmes produzidos no período. No pós-guerra, a censura era forte, mas o cinema viveu um período comercial próspero com melodramas e filmes de artes marciais, saltando para mais de 100 produções no final dos anos 1950. Já dividida, a Coreia do Sul fez *Madame freedom* (1956), inspirado num importante romance nacional, que abordava fidelidade e adultério e atraiu multidões às poucas salas do novo país.

Quando a censura baixou, nos anos 1960, a Coreia do Sul fez alguns de seus melhores filmes, como *Hanyo, a empregada* (1960), de Kim Ki-young, sobre uma empregada que abala a relação entre um compositor e sua esposa; e *Obaltan* (1961), o belíssimo drama de Yoo Hyun-mok sobre um veterano de guerra dentro de uma família problemática que tenta ajudá-lo a se reintegrar na sociedade do país. A obra é considerada até hoje a melhor do cinema sul-coreano de todos os tempos por alguns críticos locais. O sucesso desses filmes entre críticos do país de certa forma ajudou um filme seguinte, *Mabu* (1961), de Kang Dae-jin, a ganhar o Urso de Prata no Festival de Cinema de Berlim. O drama, sobre um homem que tenta criar seus quatro filhos numa condição absolutamente precária, emocionou a plateia alemã. Mas novamente, um novo governo, em 1962, mudou o cenário cinematográfico, criando cotas rígidas contra filmes estrangeiros e censura interna contra filmes não patrióticos, comunismo e temas sexuais. Para cobrir a demanda de entretenimento, a produção interna subiu, embora grande parte dela fosse medíocre. A censura governamental atingiu seu auge nos anos 1970, período que para filmar era preciso permissão do governo e diretores que desrespeitavam as leis eram banidos para sempre da indústria – ou, pior, sumiam na vizinha Coreia do Norte. Foi esse o caso de Shin Sang-ok, obrigado pelo ditador Kim Jong-il a fazer filmes de propaganda durante toda a vida. A censura diminuiu fortemente a qualidade dos filmes e, em paralelo, a televisão surgiu no país, diminuindo em mais de 60% a venda de ingressos das salas de cinema.

No entanto, essas limitações foram paulatinamente caindo nos anos 1980 e os cineastas independentes receberam permissão para trabalhar, assim como aumentou o fluxo de filmes importados. A censura ainda ocorria em áreas esporádicas, como no famoso episódio da revolta em Gwangju, cidade no Sudoeste do país que inspirou cineastas a fazer documentários sobre camponeses – *Parangsae* (1986) e *O dreamland* (1989) –, que foram exibidos com fervor em universidades, mas cujos realizadores foram presos ou processados. Na época, o diretor Im Kwon-taek fez grande sucesso internacional com obras como *Mandala* (1981) e *Gilsoddeum* (1986), tornando-se um dos mais premiados cineastas asiáticos daquela década. Grandes conglomerados de tecnologia sul-coreanos, os chamados *chaebol*, também passaram a bancar filmes comerciais, como *Marriage story* (1992), produzido pela Samsung e um enorme sucesso de público. A empresa produziu e distribuiu a obra dentro e fora do país, embora ela tenha sido um fracasso internacional.

Mas foi nos anos 1990 que o cinema sul-coreano começou realmente a fazer história. Com conglomerados como a Samsung investindo fortunas na indústria cinematográfica e uma nova geração de cineastas saídos de boas escolas de dentro e fora do país, a Coreia do Sul viu florescer uma indústria que deu as mãos para o cinema experimental sem renegar filmes de caráter comercial. Festivais como o de Busan (antigo Pusan) – o maior da Ásia – oxigenam as produtoras com novos talentos a cada ano. Além disso, leis mais rígidas passaram a obrigar as salas de cinema a exibir um número considerável de filmes nacionais por ano. A soma de tudo isso trouxe fenômenos, iniciados por *Shiri – Missão terrorista* (1999), filme de ação de Kang Je-gyu que usou um estilo de narrativa hollywoodiano e versava sobre uma terrorista norte-coreana disfarçada de vendedora que matava figuras públicas na Coreia do Sul. O filme desbancou até *Titanic* nas bilheterias nacionais. Em paralelo, a década viu obras aclamadas pela crítica internacional, como *O dia em que o porco caiu no poço* (1996), de Hong Sang-soo, que interliga quatro histórias urbanas na tecnológica capital do país, Seul.

No começo do século 21, veio da Coreia do Sul um dos mais aclamados e populares filmes de suspense do mundo, *Oldboy* (2003), de Park Chan-wook, vencedor do Grande Prêmio do Júri do Festival de Cannes. Com um dos mais bem-feitos planos-sequência da história, o filme conta o drama de um homem subitamente sequestrado e mantido em cativeiro por 15 anos enquanto é acusado, lá fora, de ter matado a esposa. Quando solto, vai buscar vingança, mas descobre algo envolvendo a filha que embrulhou o estômago até das plateias mais fortes, uma das inversões de expectativas mais bem escritas num roteiro daquela década. Spike Lee adorou o filme e o levou para Hollywood uma década depois – também um grande sucesso de bilheteria.

Alguns anos depois vieram *The king and the clown* (2005), de Lee Joon-ik, e, acima de todos, o fenômeno *O hospedeiro* (2006), de Bong Joon-ho, este visto por um quarto da população do país e também enorme sucesso comercial fora da Coreia do Sul. A história de um monstrengo que toma as ruas de Seul e apavora a população ganhou 25 prêmios e foi considerada um novo caminho para os filmes de terror no mundo, com uma mistura de elementos *trash* e sustos hiper-realistas. Antes disso, porém, outros filmes com violência estilizada, grotesca ou bem-humorada fizeram sucesso, ainda que menor, como o caso de *Mr. Vingança* (2002), de Park Chan-wook, e *Songneunghan* (1997), de Song Neung-han.

Um dos diretores sul-coreanos mais ousados em temáticas sexuais é Hong Sang-soo. Ele trabalha com narrativas minimalistas e intimistas, planos fechados e personagens que aparentemente só fazem coisas triviais, como andar e comer, e emprega uma série de objetos e sons que decoram a intimidade de casais com um apuro estético inesquecível, como em *A virgem desnudada por seus celibatários* (2000), *Conto de cinema* (2005) e *Na praia à noite sozinha* (2017).

O cinema é um dos fatores mais importantes no investimento do país em arte e diversão, numa iniciativa de levar a Coreia do Sul a ter um poder suave tão forte quanto a cultura MAG (mangá, *anime* e *games*) do Japão. Já existe até um nome – *hallyu* – para designar essa onda cultural que começou nos anos 1990. Os investimentos deram certo, pois em alguns anos os filmes sul-coreanos ganharam das maiores produções americanas do momento, como ocorreu com *Assassinato* (2015), de Choi Dong-hoon, e *Northern limit line* (2015), de Kim Hak-sun, que desbancaram *O exterminador do futuro – Gênesis* e *Jurassic World: o mundo dos dinossauros* dentro do país.

Fruto direto do *hallyu* é o diretor Kim Ki-duk, um dos mais premiados da Ásia e autor de obras-primas como *Samaritana* (2004) e *Pietà* (2012). Ele chamou a atenção do mundo com um filme superviolento, *A ilha* (2000), e depois com o belíssimo romance budista *Primavera, verão, outono, inverno e... primavera* (2003). *Samaritana* fala de duas jovens que querem fugir para a Europa e juntam dinheiro se prostituindo, mas a polícia deflagra uma rede de pedofilia que causará todo o desenrolar do drama. O diretor aprimora suas marcas, como roteiro circular, atuação natural e o uso moderado de efeitos sonoros para fixar o poder de suas imagens. Já *Pietà*, sobre um agiota que mutila quem não paga as dívidas, critica o capitalismo e sua agressão às relações familiares, até aparecer a suposta mãe do agiota, que faz tudo por ele. Com câmera na mão e gosto por planos detalhados, Kim Ki-duk inspira-se nas tragédias gregas para falar da família, sempre entremeando os filmes com cenas quase explícitas ou bizarras de sexo. O diretor, no entanto, não tem garantido lucro para seus filmes na Coreia do Sul e é uma das vítimas das superproduções que os críticos sul-coreanos alegam esmagar o cinema independente ou de arte. Quando fez *Samaritana*, foi engolido por *A irmandade da guerra* (2004), de Kang Je-gyu, a maior bilheteria do país naquele ano, que mais uma vez aborda a obsessão sul-coreana sobre a divisão do país. A trama envolve dois irmãos separados pela guerra, um dos quais se torna muito violento com o conflito. É filmado no estilo agitado de documentário, com cenas chocantes de corpos que se espatifam no chão e explosões que confirmam os milhões de dólares investidos na produção.

Ainda que as grandes produções dos estúdios sul-coreanos tendam a sufocar o cinema independente – como em grande parte do mundo –, por lá parece existir mais liberdade e ousadia experimental, maior do que os riscos assumidos por grandes produtoras como Warner, Paramount e Disney nos Estados Unidos. A ordem é criar novas formas de assustar, emocionar, surpreender com imagens e sons. Com muito dinheiro nas mãos, diretores como Bong Joon-ho fazem filmes como *Memórias de um assassino* (2003), que é de uma beleza visual rara no cinema mundial. A tal *hallyu*, a onda cultural sul-coreana, parece que tem muito fôlego para banhar os cinemas por anos a fio.

FILMES ESSENCIAIS
Jayu manse (1946)
Madame freedom (1956)
Hanyo, a empregada (1960)
Obaltan (1961)
Mabu (1961)
Mandala (1981)
Parangsae (1986)
Gilsoddeum (1986)

Continua →

Continuação →

O dreamland (1989)
Marriage story (1992)
O dia em que o porco caiu no poço (1996)
Songneunghan (1997)
Shiri – Missão terrorista (1999)
A virgem desnudada por seus celibatários (2000)
A ilha (2000)
Mr. Vingança (2002)
Oldboy (2003)
Primavera, verão, outono, inverno e... primavera (2003)
Memórias de um assassino (2003)
A irmandade da guerra (2004)
Samaritana (2004)
Conto de cinema (2005)
The king and the clown (2005)
O hospedeiro (2006)
Pietà (2012)
Assassinato (2015)
Northern limit line (2015)
Na praia à noite sozinha (2017)

Irã

O cinema feito no Irã é a prova de que a criação dos irmãos Lumière se tornou a ferramenta que melhor nos transporta para outras culturas, povos e épocas. A riqueza visual e narrativa dos filmes iranianos contrasta com todas as óbvias dificuldades de filmar num país fraturado por guerras, sanções e fundamentalismo religioso. A revolução de 1979 impôs uma série de normas para contar histórias no cinema, desde o uso obrigatório do véu na cabeça até orientações temáticas. O primeiro ano pós-revolução foi traumático para o cinema, pois ele era visto como uma arma do sistema de governo anterior, e quase 200 salas foram completamente destruídas.

Mesmo assim, saíram do país obras-primas, que venceram os principais festivais de cinema do mundo, driblando a censura, por exemplo, por meio de personagens infantis que lançavam um olhar inocente e doce sobre o mundo ao redor. Ainda que com um risco moderado, outros filmes também propuseram diálogos com o outro, o diferente. O governo iraniano sempre viu no cinema um importante meio narrativo e, claro, ideológico. Nos anos 1970, ajudou a fundar o Instituto para o Desenvolvimento Intelectual de Crianças e Jovens, o Kanun, que produziu filmes focados em temas de apelo à juventude, numa década em que o país se beneficiou do aumento do preço internacional do petróleo, o que financiou parte das produções alinhadas com o governo.

Quem melhor conquistou plateias, prêmios e aplausos para o cinema iraniano foi Abbas Kiarostami, diretor que soube, como poucos, trabalhar com atuações infantis autênticas e absorveu fortes influências neorrealistas, como o uso de atores amadores e produções minimalistas, com orçamentos modestos. Driblou como poucos a censura do Estado ao trabalhar, no roteiro, com a ausência de juízo, ou seja, não conduzir o olhar do espectador para dizer que tal atitude é apenas certa ou errada. No entanto, por filmar quase sempre em cenários reais – deixando a desordem e as imperfeições à vista –, faz naturalmente uma crítica social apenas por deixar a janela transparente para o espectador ver seu país. O suspense de seus filmes é, em geral, fruto de personagens que precisam realizar alguma tarefa contra o tempo. É o caso de *Onde fica a casa do meu amigo?* (1987), em que um garoto percorre a enorme periferia de Teerã para entregar o caderno do amigo que ele levou por engano. Uma missão nobre, inocente, permeada com olhares e frases de repúdio no caminho por onde o garoto passa. Mas o diretor não romantiza o garoto; não torna sua jornada a de um herói mirim hollywoodiano. É realista-naturalista; quer que a ambiguidade aflore da atuação amadora, propositadamente imperfeita. Assim como os diálogos, a pausa e os silêncios são fundamentais nos filmes de Kiarostami. O diretor afirmou algumas vezes que seus filmes não são apenas o que está na tela, mas também aquilo que os espectadores completam nele com sentidos. Ele pede ao espectador que preencha a tela, diluindo a ideia de autor. Incompletude da imagem. Planos longos, inserindo o personagem no tempo, pois, para Kiarostami, quanto mais a câmera persiste, mais ambíguas são a imagem e a vida. O diretor também reproduziu uma história real de um julgamento, com personagens reais colocados na ficção em *Close-up* (1990), sobre um desempregado que se faz passar por cineasta. Ali, quase tudo é real, fraturando os limites da ficção com o documentário.

Na mesma região que filmou *Onde fica a casa do meu amigo?* aconteceu um terrível terremoto, e Kiarostami voltou lá para filmar *E a vida continua* (1992), sobre a persistência da vida e da rotina mesmo diante de destruições persistentes. Já as relações pessoais e o contato com o diferente são marcas de *Gosto de cereja* (1997), filme que ganhou a Palma de Ouro em Cannes. Um motorista, senhor Badii, ex-

Em *Dez* (2002), Abbas Kiarostami manipula o cinema ao limite, fixando uma câmera e rompendo as barreiras da ficção com a realidade

plica a três passageiros – um soldado curdo, um turco e um religioso afegão – que quer morrer, mas pede que um deles concorde em enterrá-lo no dia seguinte. A trama é mínima em ação e movimento, mas grandiosa nos diálogos e no simbolismo. O carro é um componente dramático corriqueiro nos filmes de Kiarostami e também inicia *O vento nos levará* (1999), na belíssima paisagem do interior do país, onde uma equipe de TV vai filmar o ritual da morte de uma senhora, mas ela não morre de jeito nenhum.

Ao final do século 20, Abbas Kiarostami já havia ganhado tantos prêmios que suas produções eram bancadas por grandes empresas europeias, como ocorreu com *Dez* (2002), cuja simplicidade fílmica contrasta com a ousadia narrativa. Nele, na primeira sequência, uma câmera fixa acompanha apenas a imagem de um garoto no banco do passageiro indo para a natação. Quem dirige o carro é a mãe, que nunca vemos. A conversa começa amena, mas, aos poucos, inicia-se uma troca ríspida de provocações entre filho e mãe – em uma atuação impressionante do garoto. A mãe reclama do casamento fracassado com o pai do menino, do pedido do divórcio, da falta de oportunidades para mulheres numa sociedade machista, sem nunca especificar o Irã ou seu governo. Desse modo, Kiarostami dribla a censura do seu país, pois, em vez de engrandecer temas polêmicos, coloca-os na boca de um personagem isolado. O resultado é fantástico: ao longo de uma conversa tensa, o espectador vai montando a imagem daquela mulher. Seria ela feia? Velha? Amarga? Até que, nos segundos finais, a câmera se inverte e mostra a mulher, lindíssima, moderna, segura de si. E o filme segue para outra história, com a câmera pegando outros personagens – uma prostituta, uma irmã, outra mulher divorciada etc. Observamos por pequenas frestas da janela o mundo ao redor, a Teerã que nunca paramos para contemplar porque não saímos do carro. Não só essa primeira parte, mas todas as outras nove foram feitas praticamente apenas por atores. Muita gente não acreditou que se tratasse de atuação essa que foi uma das *performances* coletivas mais naturais que já se viram na história do cinema.

Mas o Irã não é feito de um cineasta apenas. Um dos primeiros grandes expoentes pós-revolução de 1979 foi Mohsen Makhmalbaf. Seu primeiro filme notável foi *O ciclista* (1989), um retrato realista da pobreza latente de Teerã. Seu filme seguinte, *Tempo de amor* (1990), sofreu as consequências de buscar a liberdade no cinema, pois fora proibido no país. Mas Makhmalbaf foi fortemente aplaudido em Cannes, em 2001, com o seu *A caminho de Kandahar*, sobre a vida urbana afegã. Ganhou notoriedade espontânea no mundo por ter sido lançado na época dos atentados de 11 de setembro nos Estados Unidos. O Irã foi aplaudido no mundo na mesma época com outros dois filmes de diretores distintos: *Bemani* (2002), de Dariush Mehrjui, e *Exílio no Iraque* (2002), de Bahman Ghobadi.

As duas filhas de Makhmalbaf também viraram diretoras. Marzieh Makhmalbaf fez *O dia em que me tornei mulher* (2000), trama de três retratos femininos impactantes: Hava, menina de 9 anos considerada mulher feita com essa idade, proibida de falar com homens; Ahoo, ameaçada pelo marido por querer participar de um torneio de bicicleta; e Hoora, viúva que se rebela contra as regras sociais. Sua irmã, a corajosa Samira Makhmalbaf, ganhou o prêmio máximo do Festival de Cannes com *Às cinco da tarde* (2003), sobre uma mulher que teima em frequentar a escola e enfrentar o pai no Afeganistão pós-Talibã.

Filmes como esses são fruto de um país onde a lei islâmica dá pouquíssima liberdade à mulher, mas fazer cinema é uma delas, desde que se respeitem os preceitos da *sharia* (lei suprema) de teocracia, monoteísmo, valores tradicionais e combate à dependência econômica externa. Obviamente, as cineastas não deixam de fazer críticas – pelo menos a fatia de diretoras aqui mencionadas, cujo ofício é fazer cinema-arte. Os recursos que usam são, quase sempre, metáforas, símbolos – ora vagos, ora mais diretos – dos problemas sociais do país. Como a situação das mulheres em *Leila* (1997), de Dariush Mehrjui, e *A maçã* (1998), também de Samira Makhmalbaf – este, um intenso drama sobre duas irmãs confinadas durante anos pelos pais.

Mas também houve contratempos, como o filme *Zendan-e zanan* (2002) [*Prisão feminina*], de Manijeh Hekmat, sobre a vida de duas mulheres no sistema prisional iraniano. O governo de Mohamad Khatami até autorizou as filmagens na prisão, mas os censores acharam o filme direto demais. Após muitas negociações, o diretor aceitou cortar algumas cenas e o filme foi exibido. Já Mania Akbari, a atriz de *Dez*, filmou em formato digital *20 dedos* (2004), que claramente aborda adultério, aborto e homossexualidade (crime no Irã). Só burlou a censura porque o filme foi pós-produzido em Londres e de lá voou para festivais de todo o mundo. Em consequência, a diretora vive constantes atritos com o regime iraniano e parte de suas obras nunca é exibida no país.

Outro exemplo notável de diretora iraniana é Rakhshan Bani-E'temad, com forte experiência na TV iraniana com documentários e curtas. Ela levou para a ficção traços narrativos dos seus documentários em filmes como *Zona proibida* (1986) e *Moeda estrangeira* (1989), que abordam a realidade das classes mais pobres do país e são estrelados por ela. Ela vai se desgarrando de uma abordagem mais vitimizada de seus protagonistas ao realçar dramas mais intensos nos filmes posteriores, como *Rusari abi* [*De véu azul*] (1995) e *Zir-e poost-e shahr* [*Sob a pele da cidade*] (2001), com foco nas mulheres e em suas tentativas de conquistar espaço na sociedade islâmica.

Assistente de direção de Kiarostami, Jafar Panahi tornou-se um novo expoente do cinema do Irã. Seus dois primeiros longas, *O balão branco* (1995) e *O espelho* (1997), não lhe deram tantas dores de cabeça com o governo, pois falavam da infância e do próprio cinema. Mas com *O círculo* (2000) e *Fora do jogo* (2006) tudo mudou, pois ele resolveu contar histórias com forte tom de crítica à sociedade patriarcal do seu país, destacando as frequentes humilhações das mulheres no cotidiano. Sofreu forte censura, que piorou quando ele tentou filmar a sucessão presidencial do Irã, o que o deixou em prisão domiciliar, originando grande comoção no meio cinematográfico mundial.

Em oposição a esse cinema-arte, o cinema iraniano é fomentado pelo governo islâmico para entreter o país, uma vez que os filmes hollywoodianos imperavam nas salas de cinema antes da revolução de 1979. Desde os anos 1980, o Festival Internacional de Cinema de Fajr serve de porta-voz das diretrizes prescritas pelo governo como rumo desejado para o cinema do país, em claro recado àqueles que pretendem ter apoio – ou licença – do governo para filmar. As coproduções são permitidas, sob o olhar atento do governo, como é o caso de *Baran* (2001), de Majid Majidi, feito com dinheiro canadense e francês, mas obrigatoriamente citado como coprodução iraniana com outros países, ainda que com pouca participação monetária do Irã.

O Irã é o único país entre os "inimigos políticos" recentes dos EUA que ganhou o Oscar de melhor filme estrangeiro mais de uma vez, um claro recado da Academia não só ao governo americano, mas também ao próprio governo iraniano, uma vez que os filmes revelam, astutamente, críticas à teocracia de Teerã, e mesmo assim conseguiram viajar para festivais internacionais. Um exemplo é *A separação* (2011), de Asghar Farhadi – Globo de Ouro e melhor filme internacional no Festival de Berlim –, sobre a médica Simin e o bancário Nader, que discutem o divórcio em um tribunal. Ela quer sair do país e levar a filha de 11 anos; o juiz não resolve nada; Simin se vai e a filha fica com o pai, e daí despertam diversos problemas familiares, que levam a família novamente ao tribunal. O núcleo familiar obviamente emana críticas ao país, o que incomodou a república islâmica.

Cinco anos depois, Asghar Farhadi ganhou o Oscar novamente com *O apartamento* (2016), sobre um marido em busca de justiça quando sua mulher é violentada por um estranho. O diretor não foi à premiação para protestar contra a política de imigração dos Estados Unidos, desta vez amenizando suas relações pessoais com o próprio governo de Teerã.

Uso de simbologias, metáforas, histórias simples, numerosas diretoras enfrentando uma sociedade patriarcal, diretores que mesmo presos e ameaçados continuam filmando. Como se pode ver, a história do cinema no Irã é tão surpreendente quanto seus próprios filmes. E, ao que tudo indica, mesmo com o cerco religioso, os cineastas não pretendem desligar as câmeras.

FILMES ESSENCIAIS
O ambulante (1985)
Zona proibida (1986)
Onde fica a casa do meu amigo? (1987)
Moeda estrangeira (1989)
Tempo de amor (1990)
Close-up (1990)
E a vida continua (1992)
Rusari abi (1995)
O balão branco (1995)
Leila (1997)
Gosto de cereja (1997)
O espelho (1997)
A maçã (1998)
O vento nos levará (1999)
O dia em que me tornei mulher (2000)

Continua →

Continuação →

O círculo (2000)
A caminho de Kandahar (2001)
Baran (2001)
Zir-e poost-e shahr (2001)
Zendan-e zanan (2002)
Bemani (2002)
Dez (2002)
Exílio no Iraque (2002)
Às cinco da tarde (2003)
20 dedos (2004)
Fora do jogo (2006)
A separação (2011)
O apartamento (2016)

Israel

Ainda que Israel exista como Estado independente apenas desde 1948, a região da Palestina já produzia filmes desde a era muda. Para ser mais preciso, os criadores do cinema, Auguste e Louis Lumière, filmaram alguns curtas em Jerusalém ainda no ano de 1896. Agentes privados produziram obras importantes na Palestina que abordaram as questões do povo judeu, como *Oded Hanoded* (1932), de Chaim Halachmi, primeiro longa, de 70 minutos, em hebraico. O autor do livro no qual o filme foi baseado, Tzvi Lieberman-Livne, foi roteirista de outro filme importante pré-Estado de Israel, *M'al hahuravot* [*Sobre as ruínas*] (1938), dirigido por Nathan Axelrod e Alfred Wolf. Essa trama histórica conta a saga de crianças que reconstroem uma vila sozinhas depois que todos os adultos haviam sido mortos pelos romanos. Já o primeiro filme sionista do mundo foi *Zot hi haaretz* [*Esta é a terra*] (1935), de Baruch Agadati, visto por poucos. O diretor tentou fundar uma produtora na então região da Palestina.

A produção cinematográfica só cresceu após a declaração do Estado de Israel, em 1948, por causa do apoio do próprio governo. A primeira lei de fomento do cinema israelense foi instaurada em 1954 e ajudou a produzir, no ano seguinte, o primeiro longa-metragem do país, *Colina 24 não responde* (1955), dirigido pelo inglês Thorold Dickinson. O filme fala das hostilidades durante a guerra da independência de Israel, em 1948. Leis de fomento impulsionaram o início da produção de filmes populares, conhecidos como filmes *bureka*, como é o caso de *Sallah Shabati* (1964), do húngaro Ephraim Kishon, indicado ao Oscar de melhor filme estrangeiro e o maior sucesso do cinema israelense até então. É uma sátira que envolve uma família de imigrantes. Os filmes *bureka* geralmente satirizavam conflitos étnicos e as diferenças entre ricos e pobres, e *Sallah Shabati* é uma exceção entre a maioria dos filmes desse gênero, pois foi aclamado pela crítica, enquanto quase todo o resto fazia muito sucesso de público e pouco de crítica.

Paralelamente, nos anos 1970, fizeram sucesso os chamados novos filmes de sensibilidade, bastante inspirados na *Nouvelle Vague* francesa, promovendo um cinema moderno na estética e na narrativa. Exemplo é *Le'an ne'elam Daniel Wax?* [*Mas onde está Daniel Wax?*] (1972), de Avraham Heffner – sobre um homem que volta para Israel após uma década nos EUA –, a comédia *Ha-Shoter Azulai* [*O policial Azulai*] (1971), de Ephraim Kishon, e *Ha-bayit berechov Chelouche* [*A casa na rua Chelouche*] (1973), de Moshé Mizrahi – sobre uma família que migra do Egito para Israel sem o pai durante o conturbado período político da dominação britânica na região. Ambos também foram indicados ao Oscar. Uri Zohar foi um dos diretores precursores desse gênero, com filmes como *Hor b'Levana* [*Buraco na Lua*] (1964), também um drama sobre imigrantes, e *Shlosha yamim veyeled* [*Três dias e uma criança*] (1967), uma história simples de uma criança cuidada por um homem, simbolizando alguns grandes dilemas da vida moderna naquele momento.

A partir dos anos 1980, o cinema israelense se diversificou tanto que se tornou difícil categorizá-lo. Foram feitos muitos filmes sobre o holocausto, como *Sob uma árvore* (1994), de Eli Cohen, sobre lembranças de sobreviventes e os conflitos gerados por elas. Protagonizado por adolescentes, *Sh'chur* (1994), de Shmuel Hasfari, enfoca a adaptação ao novo país, mesmo tema de *Café com limão* (1994), de Leonid Gorivets. O conflito e a convivência entre árabes e israelenses é um tema fértil para diversos longas, como *Além das fronteiras* (1984), de Uri Barbash, aqui do prisma das tensões étnicas e culturais. Já o lado alienado ou hedonista da nova geração de Tel Aviv compôs *A vida de acordo com Agfa* (1992), de Assi Dayan, voltado para a juventude que deixa o ódio de seus ancestrais para trás, o que não significa celebrar a paz de espírito entre eles.

Amos Gitaï talvez seja um dos diretores israelenses com carreira mais sólida e reconhecida no mundo. Ex-militante da causa sionista (pátria para os judeus) e nascido em Israel, Gitaï faz um cinema que quase sempre aborda o diálogo entre judeus e o diálogo destes com seus vizinhos. Fez diversos curtas documentais, alguns dos quais incomodaram o governo israelense, por dar luz ao ponto de vista dos árabes com igual cuidado e tempo narrativo. Passou um tempo fora do país e, quando voltou, filmou *Esther* (1986), épico com orçamento não muito alto,

Em *Kadosh – Laços sagrados* (1999), Amos Gitaï trabalha um conflito religioso-cultural com forte carga simbólica

mas muito elogiado pela crítica. Em seguida, o diretor voltou a se concentrar em documentários – com destaque para uma trilogia sobre o neofascismo, filmada nos anos 1990 – até voltar com força para a ficção, já na fase de suas melhores produções. Começou por *Kadosh – Laços sagrados* (1999), sobre Rivka, casada há dez anos com Meir, mas sem conseguir ter filhos. Por isso, mesmo se amando, são pressionados a se separar, com base na tradição judaica mais ortodoxa. Malka, irmã mais nova de Rivka, representa a nova mentalidade de Israel e tenta fazer a irmã continuar casada com o marido e não dar bolas à tradição. Porém, ela mesma é forçada a se casar com um homem que não ama.

A ficção seguinte de Amos Gitaï, *O Dia do Perdão* (2000), é um drama intenso sobre a guerra de Yom Kipur (1973) da perspectiva dos soldados de Israel. Cinco anos e oito filmes depois, Gitaï trabalharia com a atriz israelense Natalie Portman em *Free zone* [*Zona livre*] (2005), segundo filme de sua trilogia *Border* [*Divisa*], ou *Frontier* [*Fronteira*]. Trata-se de um *road movie* em que duas mulheres se unem pelas circunstâncias. Rebecca (Portman) briga com a sogra e implora à motorista Hanna (Hana Laslo, melhor atriz em Cannes e em Israel por esse filme) que a leve consigo para a Jordânia. O filme é impecável e se abre com uma longa cena em que Rebecca olha chorando para a janela de um veículo, ao som de uma cantiga cuja letra fala do ciclo sem fim de dor e morte na região, simbolizado por bichos.

Ambas são hostilizadas por israelenses machistas na fronteira da Jordânia, mas passam sem grandes problemas pelos guardas jordanianos.

Há certas semelhanças entre Gitaï e o iraniano Kiarostami. Ambos trabalham com um tempo lento, com silêncios. Todavia, ao contrário de Kiarostami, que tenta fugir de julgamentos pessoais, Gitaï emprega um olhar através da câmera que indica com clareza seu pensamento. O diretor disse certa vez que as três religiões monoteístas fundamentam-se na opressão da mulher, dando a entender como ele constrói e aborda seus personagens femininos.

Um dos filmes mais premiados de Israel é *Valsa com Bashir* (2008), de Ari Folman, documentário sobre veteranos da invasão israelense no Líbano, em 1982, e a reconstrução de suas memórias. Há também produções israelenses faladas em árabe que ficaram notórias, como *Ajami* (2009). Ambientada no bairro árabe na zona sul de Jafa, põe em cena uma comunidade de muçulmanos e cristãos, que se movem por cinco tramas e seus desenlaces na rotina diária.

O país também ganhou prêmios com filmes que não falam diretamente desses temas étnicos quase estereotipados da região. *Asas quebradas* (2002), de Nir Bergman, é um belíssimo drama que fala da morte de um pai e do impacto dessa perda na vida da mulher e dos quatro filhos. O país tem, também, diretores que caminham bem entre o forte apelo ao público e premiações em festivais, como Eytan Fox, diretor de *A bolha* (2006), uma linda homenagem a Tel Aviv e seus habitantes tentando viver entre as diferenças. Antes, em *Delicada relação* (2002), ele se ocupara do desejo homossexual entre dois soldados israelenses na fronteira com o Líbano.

No século 21, os festivais têm sido generosos com o cinema israelense, agraciado com muitos prêmios. *Beaufort* (2007), de Joseph Cedar, levou dois prêmios em Berlim por sua abordagem da retirada das tropas de Israel do Líbano. As férias de uma família ultraortodoxa em *Meu pai, meu senhor* (2007), de David Volach, levou o prêmio máximo no Festival de Cinema de Tribeca, em Nova York. *A banda* (2007), de Eran Kolirin, foi um fenômeno de prêmios e indicações, sobretudo em Cannes. Essa deliciosa comédia musical conta os percalços de uma banda formada por policiais egípcios – a Orquestra da Polícia Cerimonial de Alexandria – que é convidada a tocar na inauguração de um centro de artes árabes em Israel, mas acaba se perdendo numa cidade.

Muito dinheiro estrangeiro ajuda na manutenção e no crescimento do cinema israelense. A Cinemateca de Jerusalém, por exemplo, sedia anualmente o Festival de Cinema de Israel e recebe doações constantes para promover eventos de fomento e divulgação da produção do país. Já a Universidade Hebraica de Jerusalém é sede do Arquivo Spielberg de Filmes Judaicos, a maior coleção do gênero no mundo.

Desde os anos 1990, com a prosperidade da economia israelense, o cinema passou a ficar menos na "defensiva", ou seja, deixou de lado a obrigatoriedade de discursos ideológicos do povo israelense, abrindo-se também a uma multiplicidade de abordagens e vozes. Em resultado, não só os festivais o reconhecem como também o público. No ano de 2014, por exemplo, o cinema israelense vendeu 1,6 milhão de ingressos, o maior volume na história do país. Com o aplauso dos festivais e o financiamento da comunidade judaica de filmes de todas as partes do mundo, o país tem tudo para superar os próprios recordes a cada ano, sem deixar de lado as reflexões inerentes a seu povo e cultura milenares.

FILMES ESSENCIAIS
Oded Hanoded (1932)
Zot hi haaretz (1935)
M'al hahuravot (1938)
Colina 24 não responde (1955)
Sallah Shabati (1964)
Hole in the moon (1964)
Três dias e uma criança (1967)
Ha-Shoter Azulai (1971)
Le'an ne'elam Daniel Wax? (1972)
Ha-bayit berechov Chelouche (1973)
Além das fronteiras (1984)
Esther (1986)
A vida de acordo com Agfa (1992)
Sob uma árvore (1994)
Sh'chur (1994)
Café com limão (1994)
Kadosh – Laços sagrados (1999)
O Dia do Perdão (2000)
Asas quebradas (2002)
Delicada relação (2002)
Free zone (2005)
A bolha (2006)

Continua →

Continuação →

Beaufort (2007)
Meu pai, meu senhor (2007)
A banda (2007)
Valsa com Bashir (2008)
Ajami (2009)

13. ÁFRICA

Breve histórico geral

Um continente com tamanha diversidade sociocultural une-se no cinema por realidades muito semelhantes. Ele depende majoritariamente de capital estrangeiro para contar suas histórias – marcas claras do colonialismo e, também, do que se intitulou neocolonialismo. Evidentemente, alguns países não pertencem a esse quadro, como se aplica à Nigéria e à sua indústria, Nollywood. O bom, porém, é que os países africanos estão mudando rapidamente e o cinema tem se tornado uma poderosa ferramenta de difusão e emancipação cultural. Ainda assim, há muito caminho pela frente para reverter a dependência de financiamento externo para distribuir e exibir os próprios filmes, bem como mudar o hábito do africano de dar preferência a produções estrangeiras, que, na conjuntura africana, vem da forte penetração de Hollywood e de Bollywood.

É fundamental lembrar que a Conferência de Berlim – também conhecida por Conferência do Congo ou Conferência da África Ocidental –, realizada nos anos de 1894 e 1895, fatiou o continente para que os países europeus os explorassem sem respeitar tribos, culturas ou delimitações geográficas. No ano seguinte, o cinematógrafo dos irmãos Lumière começou a chegar a países como África do Sul, Nigéria e Argélia. A partir de então, grande parte das produções cinematográficas no continente era de filmes rodados por estrangeiros – europeus e americanos – instalados nas colônias recém-adquiridas. Eram, assim, produções estrangeiras filmadas no continente africano, como documentários etnográficos.

O primeiro filme genuinamente africano não era de negros nem sobre os negros. *A moça de Cartagena* (1924), de Chemama Chikly, nasceu na Tunísia, e logo depois o Egito realizou *Laïla* (1928), de Estefan Rosti. Somente com o início das lutas de independência, a partir dos anos 1950, o cinema africano negro começou a despontar. Obras como *Soleil Ô* [*Ó Sol*] (1967), do mauritano Med Hondo, e *La noire de...* [*A negra de...*] (1966), do senegalês Ousmane Sembène, cutucaram os países europeus ao falar das trágicas consequências da escravidão e do colonialismo. Antes, porém, a Argélia teve papel preponderante ao discorrer sobre o empenho pela independência em filmes como *Peuple en marche* [Povo em marcha] (1963), de Nacer Guenifi e Ahmed Rachedi, e *Rih al Awras* ou *Le vent des Aurès* [O vento dos Aurès] (1966), de Mohammed Lakhdar-Hamina.

Ousmane Sembène é considerado o pai do cinema africano negro por uma série de razões. É o diretor do primeiro filme subsaariano verdadeiramente africano, *Borom sarret* [O carroceiro] (1963), bem como do primeiro falado em dialeto africano, *Mandabi* [Ordem de pagamento] (1968). E entre esses dois está o citado *La noire de...* (1966), considerado o primeiro longa-metragem sobre a África negra dirigido por um negro não pertencente à diáspora. Trata-se da trágica história de uma moça negra que trabalha para franceses brancos, sente-se profundamente sozinha e comete suicídio. Narrado pela voz da moça como se fosse outra mulher, o filme impressionou o mundo pela ousadia estética. Sembène foi um destacado ativista político e seu cinema já nasceu grande, com referências às tradições orais africanas e mesclas narrativas (brechtianas) que vão do forte realismo a dramas intimistas. Influenciado pelo Neorrealismo italiano, passou para uma fase final de forte experimentalismo visual. Foi ele um dos grandes ativistas em prol de um cinema continental sem estereótipos, que até permitisse abordar questões africanas centrais – aids, fome, violência –, mas sempre em busca de uma perspectiva local, fugindo da superficialidade que, segundo ele, filmes feitos fora do continente adotam.

Outro grande precursor do cinema africano foi Paulin Soumanou Vieyra, que nasceu em Daomei (hoje Benim), mas trabalhou muitos anos no Senegal. Vieyra estudou no Institute des Hautes Études Cinématographiques, em Paris, mas restrições legislativas francesas não lhe permitiam filmar na África: um decreto de 1934 restringia fortemente a participação artística e a decisão de africanos em filmes feitos no continente ou sobre ele. Toda a produção realizada nas colônias tinha de ser aprovada por Paris. Assim, o primeiro curta-metragem de Vieyra, *África sobre o Sena* (1957), foi filmado na capital francesa, mas abordava questões africanas, o que o torna um dos mais importantes pioneiros do cinema africano, já que essa denominação inclui também filmes rodados por imigrantes.

O Senegal ainda gestou uma das mulheres mais talentosas do cinema africano e mundial. Safi Faye nasceu na zona rural, cresceu e conheceu o cineasta francês Jean Rouch num festival em Dacar. Jovem e bonita, atuou num filme do diretor, mas detestou sua maneira de abordar os problemas africanos, o que a levou a aprender cinema para dar sua visão de sua terra. Formada em Etnologia em Paris, fez doutorado em seguida. Depois de estudar produção audiovisual em Berlim, voltou ao país e começou sua carreira como diretora, com filmes como *La passante* [A transeunte] (1972) e *Kaddu Beykat* [Carta rural] (1976). Este, tido como o primeiro longa-metragem dirigido por uma africana e exibido no exterior, é uma lindíssima história de um jovem, Ngor, que quer se casar com Columba, mas a seca assola sua produção e ele não consegue dinheiro para concretizar o casamento. Falado em uólofe, o filme teve apoio financeiro da França. Ainda que proibido em seu país, o Senegal, Safi Faye ganhou, graças a ele, o Prêmio da Federação Internacional dos Críticos de Cinema (Fipresci) pela obra. Ela é até hoje um exemplo da determinação africana para lançar ao mundo obras cinematográficas com olhares nacionais sem estereótipos.

Após os documentários *Fad'jal* (1979) e *Selbe* (1983), Safi Faye retornou à ficção com *Mossane* (1996), talvez seu filme mais emocionante, sobre uma garota de 14 anos que atingiu a idade de se casar. Lindíssima, é cobiçada por vários garotos, inclusive seu irmão. Mas ela se apaixona por Fara, estudante que voltou da cidade por causa da greve na universidade. A garota, então, decide desafiar a tradição e os pais. Com uma fotografia magnífica e atuações precisas, *Mossane* tornou-se um daqueles trágicos casos de filmes africanos fundamentais que não se consegue encontrar nem mesmo o *trailer*, muito menos o filme para ser comprado ou visto em qualquer plataforma de *streaming* mundial – um cinema fundamental para a história da África que não se consegue apreciar por falta de interesse comercial. Esse é um drama não só da diretora, mas de grande parte do cinema de arte do mundo todo há décadas.

É também senegalês Djibril Diop Mambéty, diretor do belíssimo *Touki Bouki* (1973), sobre dois amigos rebeldes que dão todo tipo de golpe para conseguir dinheiro e viver em Paris. O filme é cheio de vida e jovialidade, derruba convenções, tem atuações encantadoras de atores amadores e paisagens memoráveis. Infelizmente, apesar do sucesso do filme em festivais, o diretor só conseguiu emplacar outro longa com o mesmo peso duas décadas depois – *Hienas* (1992), indicado a melhor filme no Festival de Cannes e premiado no Festival Internacional de Cinema de Chicago, uma comédia dramática sobre um homem popular em sua vila abalado pelo retorno de uma antiga namorada, agora riquíssima.

Pouco tempo depois da descolonização de alguns países, a África começou a receber prêmios nos mais importantes festivais de cinema do mundo. O argelino Mohammed Lakhdar-Hamina ganhou o prêmio de filme de estreia no Festival de Cannes, em 1967, com *Rih al Awras* (1966). Já Ousmane Sembène, primeiro diretor africano de destaque internacional, ganhou o prêmio especial do júri do Festival de Veneza com o drama com ares de comédia *Mandabi* (1968). Com a fama africana em alta no mundo, em 1969 se realizou o primeiro Festival Pan-Africano de Cinema e Televisão de Ouagadougou (Fespaco), em Burkina Fasso, que em pouco tempo se tornou o maior do continente.

No mesmo ano, cerca de 30 cineastas de diversos países da África se uniram para reivindicar de seus governos subsídios e condições para cumprir uma lista de

Em *Touki Bouki* (1973), Djibril Diop Mambéty derrubou convenções com atuações encantadoras em paisagens inesquecíveis

tópicos que tornariam o cinema africano livre, reflexivo e eficiente na arte e na comunicação com o próprio povo. Dessa reivindicação nasceu, em 1970, a Federação Pan-Africana de Cineastas (Fepaci). O órgão nunca conseguiu conscientizar os governos e financiar o cinema continental em ampla escala, mas até hoje é um instituto significativo e referência mundial de união de um continente em torno de seu cinema, algo que não existe em nenhum outro. Suas cartas de intenções, escritas por cineastas como Sembène, descrevem claramente as amarras e limitações do cinema africano, uma forma da atual e da futura geração se conscientizarem e tomarem uma atitude de "libertação" do cinema em cada um dos países.

Como se viu, portanto, o critério para ser um filme africano não é apenas a nacionalidade – haja vista a divisão quase aleatória feita pelos europeus na África –, mas também a temática e o autor (diretor) que realiza a história. No entanto, há muita polêmica nesses recortes, uma vez que alguns países que conquistaram a independência a partir dos anos 1950 contrataram diretores europeus e americanos para contar histórias africanas em coproduções com dinheiro e equipe do país deles. Tais filmes nem sempre são considerados parte da história do cinema africano.

Nação-mãe do cinema, a França é um caso para análise mais detida. Sucessivos governos franceses apoiaram financeiramente diversos cineastas africanos que residem no país a contar histórias sobre imigrantes e sobre a diáspora, porque o país sempre teve forte interesse em manter boa relação com suas antigas colônias.

É o caso, por exemplo, de *Bye bye Africa* (1999), documentário premiado feito por Mahamat Saleh Haroun. Nascido no Chade, mudou-se para a França e lá se formou cineasta. O filme é um docudrama metalinguístico, que mostra o diretor voltando ao seu país, reencontrando antigos amigos e namoradas e vendo a destruição do cinema africano com os próprios olhos. É a diáspora: diretores africanos de formação europeia que lançam um olhar não estereotipado, mas, sim, influenciado por valores e epistemologias eurocêntricos.

Há exemplos ainda mais complexos e difíceis de categorizar. *Rachida* (2002) é o primeiro longa da argelina Yamina Bachir, um drama sobre o terrorismo em seu país. Porém, o filme foi completamente financiado pela França e, embora a diretora seja da Argélia, muitos não o consideram um filme argelino. Não se trata de um caso isolado, uma vez que a França criou, em 1984, o Fonds Sud Cinéma, um fundo de fomento de produções do "Sul", que produziu centenas de filmes na África e iniciou a carreira de diversos diretores do continente. Mas a dependência africana da França era arrebatadora, uma vez que todos os filmes deviam ser pós-produzidos lá, pois os franceses não se preocuparam em fomentar empresas de montagem, mixagem e efeitos especiais no continente. Isso criou polêmicas internacionais, como a de Rachid Bouchareb e seu filme *Dias de glória* (2006). O filme fala da mobilização de milhares de africanos para libertar a França da Alemanha na Segunda Guerra Mundial. Rachid nasceu em Paris, mas sua família é da Argélia. O filme fala de uma questão europeia, mas envolve personagens africanos. Contudo, o fato de esse longa ter sido indicado como candidato argelino ao Oscar de melhor filme estrangeiro irritou muitos produtores franceses.

Alguns diretores da França também fizeram obras importantes sobre o continente, como Jean-Louis Bertuccelli, que dirigiu *Remparts d'argile* [*Muros de argila*] (1970), sobre a tunisiana Rima, literalmente presa numa comunidade tradicional e machista, de onde só os homens podem sair. O exército intervém numa greve dos operários de uma mina de sal, e a moça, para obrigar os militares a ir embora, fecha o abastecimento de água. O filme foi proibido na Tunísia, mas hoje é fundamental para entender parte da história do país.

Já a Grã-Bretanha tomou caminhos bem distintos da França no que concerne ao cinema africano. Ao contrário dos franceses, os britânicos não viram importância nenhuma em financiar nem manter relações com o continente por meio da produção cinematográfica. Extinguiram em 1955 a Colonial Film Unit, criada em 1939, transferindo a única escola de cinema de Gana para a Jamaica. A Nigéria foi a única exceção entre os países colonizados pelos ingleses que conseguiu sobrepor-se à indiferença britânica e criar uma produção cinematográfica próspera nos anos pós-coloniais.

Como dito, a cultura africana é fortemente alicerçada na tradição oral. E uma figura importante no continente são os *griots*, pessoas geralmente mais velhas cuja função é preservar fatos e a cultura por meio da oralidade – músicas e histórias. São "menestréis", "bardos" ou "mentores" que chegam a aconselhar príncipes em diversas nações e povos. Curiosamente, essa rica característica do continente foi pouco explorada no cinema nas últimas décadas. Ao que tudo indica, os cineastas africanos estão mais preocupados em falar das perdas culturais, da colonização e de todas as formas de opressão que vinham de fora do continente.

Depois do surgimento do Fespaco e da Fepaci, rodaram-se diversos filmes no continente que discutiram temas fundamentais entre os africanos. As consequências da colonização foram abordadas brilhantemente pelo mauritano Med Hondo em *Soleil Ô* (1967) e pelo senegalês Ousmane Sembène em *Xala* (1975), este uma adaptação de um romance do próprio diretor sobre o abuso de poder dos líderes da África pós-colonial, seu cinismo e repúdio às tradições milenares do continente. O governo censurou o filme com mão pesada, mas seu original foi preservado e se tornou uma das maiores obras de Sembène e do cinema africano.

Antes de morrer, em 2007, Sembène desafiou o governo senegalês e tocou num tema espinhoso no continente em seu último filme, *Moolaadé* (2004), em que quatro garotas fogem da família para evitar o ritual do *salindé* (purificação por mutilação vaginal) e se abrigam na casa de uma mulher, Collé, que as acolhe com a magia do direito de proteção, que dá nome à obra. O filme tem uma proposta de esperança, pois no final as mulheres se revoltam, pegam em faca e evitam que a última garota seja circuncidada, desafiando as tradições e toda a sociedade do Senegal.

Uma das mais lindas obras cinematográficas africanas foi escrita e dirigida por um talento do Mali, Souleymane Cissé: o filme *A luz* (1987), sobre um jovem com poderes mágicos que se junta ao seu tio para derrotar o pai, desvelando rituais africanos tradicionais e como as antigas e novas gerações da África os encaram. Trata-se de um marco na história do cinema africano, pois foi o primeiro longa de um negro aceito no Festival de Cannes, além de ser um dos poucos que trabalham muito bem a tão importante tradição narrativa oral africana difundida pelos *griots*. Cissé dirigiu e roteirizou *Finye* (1982), que enfoca igualmente o hiato geracional pós-descolonização da África Ocidental, contando a história da filha de um militar que fuma maconha e se apaixona por um estudante, descendente de um chefe de tribo no Mali.

O mauritano Abderrahmane Sissako escreveu e dirigiu *Bamako* (2006), nome da capital do Mali, país vizinho da Mauritânia. Esse drama tece relações pessoais com o pano de fundo político-econômico do Mali, onde, no quintal de uma casa compartilhada por várias famílias, realiza-se o inusitado julgamento do FMI e do Banco Mundial, acusados pela sociedade civil por toda a tragédia social da África. Com aceitação facilitada pela língua francesa, a obra circulou bem em festivais europeus. Tem uma narrativa um tanto panfletária e artificial, mas o julgamento e algumas belas imagens e atuações femininas deram o destaque merecido ao filme.

Ainda são minoria os países africanos que conseguiram alavancar uma produção numerosa ou diretores e filmes de repercussão internacional. Infelizmente, casos como o do Níger ainda são a regra: até o início do século 21, o país, com uma população de quase 20 milhões de habitantes, não dispunha nem 15 salas de cinema e havia feito menos de 20 longas-metragens em sua história, e muitos deles pelas mãos de um único cineasta, Moustapha Alassane, autor de *Femme, villa, voiture, argent* [Mulher, mansão, carro, dinheiro] (1972) e *Toula ou le génie des eaux* [Toula ou o gênio das águas] (1974).

Outro exemplo é a Etiópia, cuja profunda pobreza levou ao surgimento de poucos cineastas e longas. Uma linda exceção é *Mirt sost shi amit* [Colheita: 3 mil anos] (1975), de Hailé Gerima, a respeito da tirania de um negro sobre uma família de agricultores. O mérito do filme, porém, é seu impressionante experimentalismo, quebrando convenções no uso de contracampos – deixando o espectador sem uma localização geográfica exata. Há quem diga que Gerima se inspirou no Cinema Novo brasileiro. Em seu filme, um ancião, Kebebe, é um visionário radical que amealha seguidores, muito semelhante ao Sebastião do brasileiro *Deus e o diabo na terra do sol*. O tom panfletário, passando por mazelas de 3 mil anos da história do continente, e uma fotografia e montagem intimistas fizeram o diretor tornar-se professor de cinema na Universidade Howard (Estados Unidos).

O destaque em Burkina Fasso é também um dos primeiros longas do país, *Wend Kuuni* [O dom de Deus] (1982), de Gaston Kaboré, trama que se desenrola no território antes de se tornar colônia, sobre um menino abandonado pela família por ser mudo. Ele é então adotado por uma aldeia inteira. O garoto volta a falar com o susto de ver um homem morto pendurado em uma árvore e então começa a relatar seus traumas de infância, em *flashbacks* dos mais bem construídos e bem narrados do cinema africano.

O guineense Henri Duparc aborda a poligamia em *Bal poussière* (1989), da Costa do Marfim, considerado o pioneiro da "comédia à africana". Desse país veio também *Visages des femmes* [Rostos de mulheres] (1985), de Désiré Ecaré, o qual mistura temas feministas e empreendedorismo, mesclados com lindas cenas musicadas de personagens cativantes.

Num continente diária e historicamente marcado por brutais atos de violência, é curioso observar como grande parte dos cineastas aborda a violência nos filmes. Enquanto Hollywood transforma a violência em entretenimento e dramatiza essas cenas, nos filmes africanos quase sempre vemos atos de violência desdramatizados. Pois, para eles, o que importa quase sempre é a reação posterior a um ato violento, a forma como a comunidade reage, o governo ou o chefe em questão. Não é uma regra, mas basta assistir aos filmes mais emblemáticos do continente para em geral ter essa sensação.

FILMES ESSENCIAIS

A moça de Cartagena (1924)
África sobre o Sena (1957)
Borom sarret (1962)
Peuple en marche (1963)
Le vent des Aurès (1966)
La noire de... (1966)
Rih al Awras (1966)
Soleil Ô (1967)
Mandabi (1968)
Remparts d'argile (1970)
La passante (1972)
Femme, villa, voiture, argent (1972)
Touki Bouki (1973)
Toula ou le génie des eaux (1974)
Colheita: 3 mil anos (1975)
Xala (1975)
Kaddu Beykat (1976)
Fad'jal (1979)
Wend Kuuni [O dom de Deus] (1982)
Finye (1982)
Visages des femmes [Rostos de mulheres] (1985)
A luz (1987)
Bal poussière (1989)
Hienas (1992)
Mossane (1996)
Bye bye Africa (1999)
Rachida (2002)
Moolaadé (2004)
Bamako (2006)
Dias de glória (2006)

Egito

O país se tornou uma monarquia relativamente independente da Grã-Bretanha em 1922. Isso o fez ser um dos primeiros do continente africano que construíram estúdios cinematográficos com dinheiro nacional, como os estúdios Misr. Alguns historiadores chegam a afirmar que a produção egípcia respondeu por muitas décadas por mais da metade dos filmes de ficção realizados em todo o continente. Além disso, o cinema se transformou em orgulho nacional. Filmes populares contavam a história do próprio país com verbas e diretores egípcios. Isso fomentou ainda mais o surgimento de escolas de cinema, sendo o Egito uma das poucas nações africanas que não precisaram formar seus diretores na Europa para poder fazer cinema.

O cinema herdou a popularidade das peças teatrais no século 19 e, a partir dos anos 1920, de uma pulsante indústria fonográfica. Mesmo assim, precisou enfrentar sanções e limites impostos pela colonização europeia e, ao longo de todo o século 20, a popularidade dos filmes de Bollywood, o que também dificultou a exportação de seus filmes para os países vizinhos. A situação piorou nos anos 1990, com a Guerra do Golfo e a popularização da TV por satélite, derrubando para menos de 20 longas-metragens a produção anual no país nessa década.

Contudo, o cinema nunca deixou de ser popular, sobretudo em Alexandria. *No país de Tutankhamon* (1923) foi um dos primeiros longas egípcios, de Muhammad Bayyumi, que, com a popularidade que o filme lhe deu, fundou a produtora Amun na cidade, onde produziu dezenas de obras de ficção e documentários. O Banco Misr contratou Bayyumi para comandar a Companhia Egípcia de Cinema e Atuação a partir de 1925, quando começam a surgir filmes muito populares, como *Laïla* (1927), dirigido pelo turco Wedad Orfi, e a adaptação de uma das peças mais famosas do país, *El bahr biyidhak lesh* [*Por que ri o mar?*] (1928), de Estefan Rosti.

O teatro sempre se comunicou diretamente com o cinema no Egito – as mesmas estrelas faziam sucesso nas peças e nas telas. Com a chegada do som ao cinema, nos anos 1930, o cinema egípcio ganhou ainda mais força: cresceu a produção de musicais e comédias e a exportação melhorou, já que a música do país era bastante popular entre os vizinhos. Os dois primeiros filmes com som foram lançados no mesmo ano: *Canto do coração* (1932), de Estefan Rosti e Mario Volpi, e *Filhos da aristocracia* (1932), de Yusuf Wahbi. A fundação do Estúdio Misr, em 1935, começou a sonorização dos filmes no próprio país.

Nessa época, o Estúdio Misr mudou-se de Alexandria para o Cairo, já que a cidade se tornou o maior polo cultural egípcio a partir dos anos 1930. Suas produções conseguiram emplacar grandes bilheterias e também filmes em festivais, como o musical *Widad* (1936), apresentado em Veneza, e, dentro do país, filmes como *Salama está bem* (1937) e *Determinação* (1939), foram campeões de bilheteria por semanas seguidas. Após a Segunda Guerra Mundial, o estúdio ajudou o Egito a produzir uma média de 50 filmes por ano até os anos 1990, quando houve uma queda brusca na produção.

Quando a monarquia foi abolida e os britânicos foram expulsos do Egito após a Revolução de 1952 e a consequente implantação do regime militar, começou uma nova fase do cinema no país, com forte intervenção do Estado na produção e temáticas mais realistas. Mesmo antes da revolução já se viam filmes com forte viés nacionalista, como *Fatat men Falastin* [*Uma menina da Palestina*] (1948), de Mahmood Dhulfeqar, sobre a ocupação da região pelos britânicos, seguido de filmes nacionalistas com forte temática islâmica, como *O aparecimento do Islã* (1951), de Ibrahim Izz ad-Din, e *A vitória do Islã* (1952), de Ahmad al-Tukhi.

A partir de então, o cinema egípcio perdeu a liberdade criativa da iniciativa privada e praticamente tudo passou a ser nacionalizado pelos militares, de salas de cinema a estúdios, como o Misr. A distribuição passou a ser controlada e os filmes estrangeiros, fortemente taxados. A partir dos anos 1960 o cinema egípcio continuou crescendo com o investimento do governo em temáticas nacionalistas de forte apelo popular. No entanto, o cinema nacional perdeu grande parte do investimento estrangeiro, o que resultou em crescimento do cinema do vizinho Líbano nesse mesmo período. Aos poucos, porém, a corrupção e a falta de eficiência da produção foram minando a cinematografia egípcia gerenciada pelo Estado.

A partir dos anos 1970, o cinema foi reprivatizado, mas demorou para deslanchar e atrair investimentos estrangeiros, mesmo com um governo militar simpático ao Ocidente que agora rejeitava os propósitos socialistas. Uma obra fundamental dessa "retomada egípcia" foi *Khali Balak mn Zozo* [*Tome conta de Zozo*] (1972), de Hasan al-Imam, um melodrama popular que fez a população voltar às salas de cinema. Foi um período de raro respiro criativo do cinema egípcio, com filmes que ousaram até falar de sexo mais abertamente, como *Medo* (1972), de Said Marzouk, e *O banho* (1973), de Abu Seif.

Porém, tanto a liberdade narrativa quanto a prosperidade duraram pouco no cinema egípcio. Como mencionado anteriormente, os anos 1990 foram um baque para o país, com a Guerra do Golfo e a ascensão da TV por satélite. Quanto mais canais surgiam, pior ficava a situação do cinema, que não soube tirar proveito nem se aliar à nova tecnologia. Esse cenário só começou a mudar no final do século 20, com o início de produções bancadas por canais de TV, como *O outro* (1999), do premiado diretor Youssef Chahine, um retrato ácido do fanatismo e do mundo dos negócios no país. Chahine, aliás, é um caso notório de diretor que soube driblar bem a fortíssima censura do governo a temas de sexo, homossexualidade, drogas e críticas políticas. Em filmes como *Iskanderija.. lih?* [*Alexandria por quê?*] (1979) e *Iskanderija, Kaman oue Kaman* [*Alexandria agora e sempre*] (1989), mulheres com traços masculinos ou homens com ódio mortal, que representam claramente desejos reprimidos, foram maneiras que o diretor encontrou para falar de homossexualidade. Mas Chahine também sofreu censura em seu *O pardal* (1972), como ocorreu também com *Sombras do outro lado* (1971), de Galeb Chaath. Em comum, ambos falavam de um tema proibido no país: a derrota ou o sofrimento do Egito na Guerra dos Seis Dias contra Israel, em 1967.

As mulheres tiveram papel importante como cineastas entre os anos 1920 e 1930, mas foram banidas dessa posição até meados dos anos 1980, quando voltaram a dirigir filmes, desde que respeitassem a censura. O jejum foi quebrado com *Mar de ilusões* (1984) e *Mulheres* (1985), ambos de Nadia Hamza, além de *Perdão, lei* (1985), de Inas al-Dighidi. O preço que elas pagam, porém, é produzir filmes pobres em reflexões sociais, inclusive sobre a opressão do Estado sobre a mulher, para poder se livrar da censura. Mas não deixa de ser uma importante contribuição para o cinema nacional e um primeiro passo para, quem sabe, se instaurar um cinema livre no país.

FILMES ESSENCIAIS
No país de Tutankhamon (1923)
Laïla (1927)
Por que ri o mar? (1928)
Canto do coração (1932)
Filhos da aristocracia (1932)
Widad (1936)
Salama está bem (1937)
Determinação (1939)
Uma menina da Palestina (1948)
O aparecimento do Islã (1951)
A vitória do Islã (1952)
Sombras do outro lado (1971)
Khali Balak mn Zozo (1972)
Medo (1972)
O pardal (1972)
O banho (1973)

Continua →

Continuação →

Iskanderija.. lih? [*Alexandria por quê?*] (1979)
Mar de ilusões (1984)
Mulheres (1985)
Perdão, lei (1985)
Iskanderija Kaman oue Kaman [*Alexandria agora e sempre*] (1989)
O outro (1999)

África do Sul

Um século. Esse foi o período – de 1895 a 1994 – em que o cinema da África do Sul inexistiu no sentido de uma produção que refletisse a realidade nacional pelos olhos dos sul-africanos. Durante esse tempo, as produções do país estavam sob o sistema de segregação racial (*apartheid*) e eram feitas com o dinheiro e o olhar dos europeus, sobretudo ingleses, e de Hollywood. Claro que houve produções relevantes nesses cem anos, mas todas feitas por estrangeiros ou brancos sul-africanos que não se preocupavam em retratar a riqueza cultural e os problemas sociais do país. Foi o caso de *Construindo uma nação* (1916), um drama histórico feito pelo norte-americano Harold Shaw, e a comédia *Os deuses devem estar loucos* (1980), do sul-africano Jamie Uys, uma comédia que fez em vários países fora da África e recebeu a indicação para melhor filme estrangeiro pela Associação dos Críticos de Cinema de Los Angeles, em 1984.

O *apartheid* durou oficialmente de 1948 a 1990. Durante ele foram produzidos filmes que reforçavam o estereótipo da África fora do continente, como nas histórias de Tarzan. Alguns filmes fundamentais feitos no país nem sempre são considerados parte da história do cinema nacional após o fim do *apartheid*, como é o caso de *De Voortrekkers* [*Os pioneiros*] (1916), um épico falado em africâner, idioma de origem europeia, e produzido pelos americanos Harold Shaw e Isidore Schlesinger. Já o longa *Os deserdados* (1951) fala da vida dos negros nas grandes cidades sul-africanas, mas fora dirigido pelo húngaro Zoltan Korda. Uma vertente de historiadores do cinema africano tem tirado esses filmes da lista do país, bem como todos falados em africâner.

Havia também uma produção dirigida por brancos que pode ser considerada quase um cinema de propaganda ideológica do *apartheid*, justificando, de diversas maneiras, o regime de segregação. Em raros momentos se abria um espaço para um negro fazer parte do sistema cinematográfico, como foi o caso de Simon Metsing, que roteirizou *Bad company* [*Má companhia*] (1985), drama relativamente superficial. Aliás, essa era a regra da grande maioria dos filmes sul-africanos desde os anos

1970 – coproduções que visavam ao lucro e entretenimento, com dinheiro do Reino Unido e dos Estados Unidos, passando longe de qualquer crítica à segregação. Muitas dessas produções eram feitas em Sun City, um gigantesco *resort* em Rustemburgo, frequentado por estrangeiros brancos e ricos do país. Porém, a comunidade internacional começou a pressionar o país pelo fim da segregação, e muitos cinemas recusaram-se a exibir filmes feitos na região. Aos poucos, o cinema sul-africano entrou em colapso, pois também minguou o dinheiro estrangeiro. A partir metade da década de 1990, empresários começaram a migrar seus investimentos para produções que dialogassem com os negros, bem como abriram salas em bairros negros. O fim do *apartheid* virou uma oportunidade para as empresas se redimirem eticamente perante a nova configuração do país. Organizações de fomento ao cinema feito por negros sul-africanos e sobre eles começam a surgir, como Sacod Southern African Communications for Development (Rede de Comunicação da África do Sul pelo Desenvolvimento), Black Film Foundation (Fundação do Cinema de Negros) e Free Film Makers (Cineastas Independentes), aliadas a comissões cinematográficas de fomento localizadas na Cidade do Cabo e em Joanesburgo. Entretanto, foi a National Film and Video Foundation (NFVF – Fundação Nacional de Cinema e Vídeo) que realmente consolidou o potencial cinematográfico do país além das próprias fronteiras. Junto com a Industrial Development Corporation (IDC – Empresa de Desenvolvimento Industrial), fez mais de 20 longas-metragens nacionais e filmes internacionais que optaram pela filmagem no país e receberam milhões de dólares em investimento ou isenções de impostos, como *Hotel Ruanda* (2004), feito pelo britânico Terry George, e *Lettre d'amour zoulou* [*Carta de amor zulu*] (2004), singelo drama dirigido pelo sul-africano Ramadan Suleman.

Com o fim da censura do *apartheid*, o leque temático se ampliou. *Jump the gun* (1997), de Les Blair, entrelaça seis histórias de sul-africanos brancos vivendo e se adaptando à nova realidade do país. *Loucos* (1997), de Ramadan Suleman, mostra o assédio da polícia em bairros negros. *Forgiveness* [*Perdão*] (2004) é um belíssimo drama de Ian Gabriel sobre um policial branco que tenta fazer as pazes com seu passado ao visitar a família de uma de suas vítimas negras. Indicado ao Oscar, *Yesterday* (2004), de Darrell Roodt, também aborda o HIV, do qual a personagem central, Yesterday, é vítima, numa trama narrada em zulu e ambientada na zona rural sul-africana.

O vencedor do Oscar *Infância roubada* (2005), de Gavin Hood, sobre um órfão negro em meio à violência e à carência de recursos de seu bairro, tornou-se o filme sul-africano mais famoso do mundo, ainda que sua narrativa e estética tenham pouco da ousadia e do experimentalismo de muitos outros filmes do continente. O primeiro longa de Gavin Hood foi *A reasonable man* [*Um homem sensato*] (1999), baseado na história real de um jovem zulu que mata um bebê mas se considera inocente por ter assassinado um *tikoloshe* (espírito maligno). A trama foi propositadamente jogada para o pós-*apartheid* e teve forte apelo popular nos cinemas do continente. Faz parte de uma grande safra de filmes que discutem a situação do sul-africano na conjuntura pós-segregação, de como lidar com um país praticamente novo.

O país também se aliou à maior economia do continente, a Nigéria, em algumas coproduções, como *Coming to South Africa* (2004), de Paul Louwrens, um filme ao estilo nollywoodiano – técnica precária, produção rápida, conteúdo que se dirige aos países de destino – a respeito de dois nigerianos recém-chegados ao país que se envolvem com o tráfico de drogas. Com a forte expansão da economia sul-africana, é muito provável que o leque de produções nacionais aumente e ganhe mais projeção em festivais e, quem sabe, salas de cinema do exterior.

FILMES ESSENCIAIS
Construindo uma nação (1916)
De Voortrekkers [Os pioneiros] (1916)
Os deserdados (1951)
Os deuses devem estar loucos (1980)
Má companhia (1985)
Jump the gun (1997)
Loucos (1997)
A reasonable man [Um homem sensato] (1999)
Chegando à África do Sul (2004)
Forgiveness (2004)
Yesterday (2004)
Carta de amor zulu (2004)
Infância roubada (2005)

Cinema luso-africano

Os países africanos colonizados total ou parcialmente por Portugal – Angola, Cabo Verde, Guiné-Bissau, Moçambique, São Tomé e Príncipe e Guiné Equatorial (colônia também de Espanha e Inglaterra) – tiveram restrições à emancipação dos cinemas nacionais iguais às do restante do continente. Contudo, a luta pela independência travada nesses países, entre 1960 e 1975, foi acompanhada de perto pelos cineastas, que eram convidados por organizações como o Movimento Popular de Libertação de Angola para filmar os acontecimentos. O documentário foi, portanto, o modo narrativo preferido desses países, sobretudo Angola e Moçambique, que tiveram produções significativas a partir da independência, no final dos anos 1970. No entanto, guerras civis sangrentas interromperam as filmagens, que só começaram a ser retomadas nos anos 1990, mas na dependência quase que total de recursos de Portugal e da França, como nas belíssimas coproduções de Guiné-Bissau com países europeus *N'tturudu* (1986), de Umban U'kset, *Mortu nega* (1988), de Flora Gomes, e *Xime* (1994), de Sana Na N'Hada.

Angola enfrentou 27 anos de guerra civil, que se encerrou em 2002. Poucos filmes foram concluídos nesse período. *Comboio da Canhoca* (1989), escrito e dirigido por Orlando Fortunato de Oliveira, conseguiu ser finalizado por ser uma coprodução de Angola, Portugal, Tunísia e Marrocos. É a linda história de um faxineiro negro que se revolta contra um branco que violentou sua esposa, o que configura um estopim para discutir a agressão dos colonizadores portugueses, as diferenças de identidade e a prisão arbitrária de mais de 50 angolanos durante a guerra civil. Outra coprodução, *O herói* (2004), de Zézé Gamboa, mostra o país em escombros no pós-guerra, com cenas e personagens hiper-realistas, como o rapaz que perdeu a perna na guerra e deseja se reintegrar à sociedade, bem como a adolescente e a prostituta em busca de sinais de vida das famílias e a violência extrema contra mulheres e crianças perpetradas pelos próprios familiares. O filme também mostra a forte influência dos Estados Unidos na Angola do pós-guerra civil, em símbolos como o jogo de basquete e as chantagens feitas em dólares americanos.

Já *Na cidade vazia* (2004) é um projeto que levou 13 anos para se concretizar. Dirigido e roteirizado por Maria João Ganga com inspiração no romance *As aventuras de Ngunga*, do escritor angolano Pepetela, conta a emocionante história do órfão N'Dala, que fugiu do conflito no campo, mas enfrenta desafios ainda maiores na cidade.

Cabo Verde viu seu primeiro longa-metragem nascer das mãos do português António Faria. *Os flagelados do vento leste* (1995) é baseado no *best-seller* homônimo cabo-verdiano, mas se transformou numa produção parca que certamente não mereceria ser o primeiro filme da nação. O país enfim ganhou um belo filme na coprodução de Cabo Verde, Portugal, França, Bélgica e Brasil, *O testamento do senhor Napumoceno* (1997), de Francisco Manso, sobre os novos ricos do país e seus fetiches, com elenco de atores brasileiros de grande sucesso no país, como Zezé Motta, Nelson Xavier, Chico Díaz e Milton Gonçalves. O diretor usaria a mesma fórmula em *A ilha dos escravos* (2008), melodrama sobre escravos rebeldes liderados pela mestiça Maria, interpretada pela brasileira Vanessa Giácomo.

Moçambique foi um dos primeiros países de língua portuguesa da África que investiram fortemente no cinema após a independência, por meio da criação do

Instituto Nacional de Cinema (INC), potente mecanismo de propaganda ideológica em favor de um país independente da Europa quanto à narrativa cinematográfica, atraindo simpatizantes do Velho Continente, que ajudaram o instituto com recursos financeiros. Essa história chegou a ser contada, muito tempo depois, no documentário *Kuxa Kanema – O nascimento do cinema* (2003), da portuguesa Margarida Cardoso, criada em Moçambique. Bem antes disso, porém, o moçambicano radicado no Brasil Ruy Guerra – parceiro, na música, dos brasileiros Chico Buarque, Edu Lobo, Carlos Lyra e Milton Nascimento, entre outros – foi o responsável por um dos primeiros longas pós-independência do país, o documentário *Mueda, memória e massacre* (1979), sobre o massacre dos macondes pelos portugueses. Outra coprodução, agora com a antiga Iugoslávia e dirigida por Zdravko Velimirovic, *O tempo dos leopardos* (1985) aborda os capítulos finais da libertação do país. Já *Fronteiras de sangue* (1987), coprodução brasileiro-moçambicana dirigida por Mário Borgneth, mostra em documentário as interferências socioeconômicas da África do Sul no vizinho Moçambique durante o *apartheid*.

A primeira produção financiada totalmente por Moçambique, dirigida pelo moçambicano José Cardoso, foi *O vento sopra do norte* (1987), sobre o empenho pela libertação do Norte de Moçambique. A guerra civil estimulou, também, filmes que transitaram entre a ficção e o documentário, como *A colheita do diabo* (1988), dirigido por Licínio Azevedo e Brigitte Bagnol, o qual enfoca um grupo de veteranos da guerra que protege uma vila ameaçada por bandidos e problemas climáticos.

Em 1991, um incêndio destruiu quase todos os equipamentos do INC e o cinema moçambicano foi enterrado prematuramente. Poucos diretores continuaram na ativa. Uma das exceções é o citado brasileiro Licínio Azevedo, que reside desde 1975 em Moçambique e dirigiu tanto documentários fundamentais sobre o país – como *A guerra da água* (1996), *Mãos de barro* (2003) e *Hóspedes da noite* (2007) – quanto ficções premiadas em festivais, como *Comboio de sal e açúcar* (2016), sobre uma viagem de trem em que civis ficam acuados entre soldados e rebeldes que se escondem e os atacam.

Em coprodução Portugal-Moçambique, o português Fernando Vendrell dirigiu *O gotejar da luz* (2002), escrito pelo também português Leite de Vasconcelos, sobre as cicatrizes da relação colônia-metrópole após a independência, personalizadas por um pai produtor de algodão e seu filho. O filme se destacou pela belíssima fotografia de Mario Masini. Alguns dos livros de Mia Couto, o mais premiado escritor moçambicano, ganharam adaptação para o cinema: *Terra sonâmbula* (2007), sobre a guerra civil, protagonizado por um refugiado órfão, e *O último voo do flamingo* (2010), sobre uma ação da ONU que acaba em mortes violentas e misteriosas. Na época, o cinema moçambicano já havia renascido das cinzas do incêndio de 1991, com o surgimento do Dockanema, o festival de documentários levado anualmente em Maputo, capital moçambicana, que exibe todo ano produções internacionais e divulga filmes moçambicanos para festivais do mundo, por meio da Associação Moçambicana de Cineastas.

Já as produções mais notórias da Guiné-Bissau foram dirigidas por Flora Gomes e Sana Na N'Hada, que juntos rodaram *O regresso de Cabral* (1976) e *Anos no oça luta* (1976), dois curtas semidocumentários que inauguraram a produção do país pós-independência. O primeiro longa foi de Flora Gomes, o citado *Mortu nega* (1988), que abriu os olhos do mundo para o país ao ganhar dois prêmios de menção especial ao diretor no Festival de Cinema Veneza de 1988. Gomes dirigiu, então, *Os olhos azuis de Yonta* (1992), filme de baixo orçamento falado na língua nativa pré-colonial, sobre o novo perfil social do país com o fim do domínio português, interpretado por personagens diversos, de soldados a comerciantes e figuras políticas. O filme ganhou prêmios em seis festivais e foi o primeiro do país a entrar em Cannes. O diretor, que se formou em cinema em Cuba e recebeu tutoria por anos do cineasta e historiador Paulin Soumanou Vieyra, soube conduzir habilmente sua carreira. Gomes tornou-se o maior nome das artes cinematográficas da Guiné-Bissau, tendo recebido honrarias em vários países, como França e Tunísia.

De modo geral, os filmes luso-africanos se caracterizam por um ritmo de ação dramática lento, com imagens mais contemplativas, bem captadas, mesmo nas produções de baixo orçamento. Quase todos têm forte influência da narrativa documental e preocupam-se bastante em captar a intensa mudança socioeconômica dos países e a gradual libertação dos traços culturais e econômicos dominantes da antiga metrópole.

FILMES ESSENCIAIS
O regresso de Cabral (1976)
Anos no oça luta (1976)
Mueda, memória e massacre (1979)
O tempo dos leopardos (1985)
N'tturudu (1986)
Fronteiras de sangue (1987)
O vento sopra do norte (1987)
A colheita do diabo (1988)
Mortu nega (1988)
Comboio da Canhoca (1989)
Os olhos azuis de Yonta (1992)

Continua →

Continuação →

Xime (1994)
Os flagelados do vento leste (1995)
A guerra da água (1996)
O testamento do senhor Napumoceno (1997)
O gotejar da luz (2002)
Kuxa Kanema – O nascimento do cinema (2003)
Mãos de barro (2003)
O herói (2004)
Na cidade vazia (2004)
Terra sonâmbula (2007)
Hóspedes da noite (2007)
A ilha dos escravos (2008)
O último voo do flamingo (2010)
Comboio de sal e açúcar (2016)

14. AMÉRICAS

Argentina

A qualidade do cinema argentino sempre intrigou os brasileiros. De um lado, pela significativa participação e premiação em festivais internacionais; de outro, pela imagem construída de uma cinematografia que trabalha com criatividade e diversidade temas das mais diversas classes sociais do país. Mas os argentinos sofrem com dificuldades semelhantes às brasileiras para manter um bom número de produções e garantir bilheteria satisfatória para seus filmes. Afirmar que o cinema argentino é superior ao brasileiro não é apenas perigoso como também uma generalização precária e com poucos fundamentos quantitativos sólidos. Mas não há dúvida de que, das 35 nações americanas, a cinematografia Argentina está entre as três melhores do continente no século 20, ao lado dos Estados Unidos e do Brasil. Por isso, abrimos este capítulo com os vizinhos portenhos.

O cinema chegou de Paris à capital argentina sete meses após seu nascimento, ou seja, em julho de 1896, em grande parte graças à localização portuária de Buenos Aires. Curiosamente, o filme mais antigo de que se tem notícia do país é o documentário *Viagem do doutor Campos Salles a Buenos Aires* (1900), sobre a visita do presidente brasileiro ao país, rodado pelo francês Eugenio Py. Os primeiros filmes de ficção seriam dirigidos pelo imigrante italiano Mario Gallo, como *El fusilamiento de Dorrego* (1908), *La revolución de mayo* (1910) e *La creación del himno* (1910). Outro imigrante italiano, Federico Valle, ex-operador de câmera de Georges Méliès, fundou um laboratório de legendagem no país e passou a produzir filmes-notícia, captando imagens da primeira Copa do Mundo, em 1930, em Montevidéu, além de ser autor da primeira animação do país, *El apóstol* (1917).

A primeira grande produção argentina – e um sucesso de bilheteria – foi *Nobleza gaucha* (1915), de Humberto Cairo, sobre os conflitos dos portenhos com a população do interior. Custou 20 mil pesos e arrecadou mais de um milhão, superando os filmes estrangeiros da época. Os últimos filmes mudos de relevância no país foram *Tu cuna fue um conventillo* (1925), de Julio Irigoyen, *La borrachera del tango* (1928), de Edmo Cominetti, e *Mi alazán tostao* (1922), de Nelo Cosimi, bem como as obras de José A. Ferreyra e sua narrativa bastante popular em filmes como *El organito de la tarde* (1925) e *Perdón, viejita* (1927).

É de Ferreyra também o primeiro filme sonoro argentino, *Muñequitas porteñas* (1931), um sucesso que enterrou de vez o cinema mudo. Já em 1935, o cinema argentino saltou para 14 produções anuais e um aumento vertiginoso da bilheteria, focada em filmes populares sobre tango e futebol. Destaque para *El alma del bandoneón* (1935), de Mario Soffici, cuja estreia badalada ajudou a transformar o Cine Monumental na "catedral" do cinema argentino.

Carlos Gardel também fez cinema, mas quase sempre filmes estrangeiros. Uma das poucas exceções foi *Flor de durazno* (1917), de Francisco Defilippis Novoa. Mais importante que Gardel para o cinema argentino foi a cantora-atriz Libertad Lamarque, sucesso internacional em filmes como *Ajuda-me a viver* (1936) e *Amor maternal* (1938), ambos de J. A Ferreyra. Ainda nessa década, Mario Soffici fez *Prisioneiros da terra* (1939) – um drama forte, considerado um dos melhores filmes argentinos de todos os tempos.

Enquanto o mundo mergulhava na Segunda Guerra Mundial, o cinema argentino prosperava com filmes épicos. *La guerra gaucha* (1942), de Lucas Demare, tornou-se a maior bilheteria do país, fruto de pesquisa e reconstrução históricas sobre forças ao Norte do país que lutaram pela independência contra a Coroa espanhola. À época, a indústria estava tão consolidada que atraía muitos falantes de língua hispânica, sobretudo espanhóis. Em 1945, *Allá en el setenta y tantos*, de Francisco Múgica, sobre a primeira médica mulher do país, e *A cavalgada do circo*, com a musa Libertad Lamarque, atraíram técnicos, diretores de fotografia, câmeras e montadores de diversos países. A década seria próspera e, em muitos momentos, colocou o cinema argentino como campeão disparado de bilheteria dentro do país. Isso despertou o interesse das produtoras em fazer filmes com temáticas mais universais a fim de conquistar o mercado internacional – o que não ocorreu. Uma exceção foi a produtora Argentina Sono Film, que conseguiu emplacar o primeiro filme nacional indicado ao Oscar, o drama *Deus lhe pague* (1948), de Luis César Amadori, que não conseguiu entrar na lista da Academia.

Com a forte imigração italiana, foi natural a influência do Neorrealismo italiano no cinema argentino nos anos 1950, cujo primeiro grande expoente foi *Surcos de sangre* (1950), de Hugo del Carril, drama sobre uma família que tenta recuperar suas posses. Adaptações literárias também perderam o tom ingênuo e comercial e ganharam mais realismo, como *Días de odio* (1954), de Leopoldo Torre Nilsson – adaptação de um conto de Jorge Luis Borges sobre uma filha que busca vingança contra a morte do pai. Mas a produção argentina perdeu fôlego nos anos

1950, com a falência de diversas produtoras pela falta de negativos, ainda que a Segunda Guerra tivesse terminado havia tempos. Com o país em ebulição na era peronista, estreia *Lo que le pasó a Reynoso* (1955), primeiro filme argentino em cores, de Leopoldo Torres Ríos, um dos mais importantes nomes da história do cinema argentino, como veremos adiante.

Com a queda do regime militar peronista, em 1955, vários artistas voltaram do exílio e, aos poucos, tentaram revitalizar o cinema nacional. Mas muitos filmes tiveram a estreia postergada porque o clima hostil era tão grande no país que a simples aparição de uma estrela dos tempos do peronismo poderia causar uma convulsão nas salas de cinema. No ano de 1956, nenhum filme foi rodado no país, mas foi lançado *Después del silencio*, de Lucas Demare, inspirado na história real de um operador gráfico assassinado, bem como do desaparecimento de estudantes e sequestro de um médico no regime peronista. O filme deu início a uma nova onda de obras contestadoras e polêmicas, como *La casa del ángel* (1957), de Leopoldo Torre Nilsson, que versava sobre a hipocrisia da classe dominante argentina, personificada no despertar sexual de uma garota. A película teve boa repercussão no Festival de Cannes.

O ano de 1957 foi marcado por diversas medidas do novo governo de fomento à produção nacional, como a criação do Instituto Nacional de Cinematografía, que mais tarde se tornaria Instituto Nacional de Cinema e Artes Audiovisuais (Incaa). Foi um ano fundamental para o futuro do cinema argentino, pois foram criados taxas para a produção estrangeira, reservas de mercado no circuito exibidor, fundos de fomento e centros experimentais para novos artistas. As favelas da grande Buenos Aires foram tema de filme pela primeira vez nas mãos do diretor Lucas Demare, com *Detrás de un largo muro* (1958). Mas nesse ano, com a economia em crise e o dólar nas alturas, o custo do negativo subiu vertiginosamente e o cinema argentino entrou em crise de produção, com sobretaxa de até 50% de equipamentos vindos de fora. Para piorar, no início dos anos 1960 a Argentina já tinha três canais de TV com relativo sucesso de audiência.

Mas, ao mesmo tempo, uma nova geração, frequentadora de cineclubes, começou a quebrar o monopólio dos diretores tradicionais do país e apresentou novas propostas estéticas e narrativas, agora com a bênção de um estado democrático e forte influência da *Nouvelle Vague*. Entre eles esteve Simón Feldman e seu *El negoción* (1959), sátira sobre a corrupção num "pretenso" país imaginário dominado pelo regime ditatorial. O novato David José Kohon ganhou repercussão de crítica e de público com *Tres veces Ana* (1961) e *Prisioneros de una noche* (1962). Já René Múgica fez uma belíssima adaptação de um texto de Jorge Luis Borges em *Hombre de la esquina rosada* (1962). No mesmo ano surgiu uma obra-prima do cinema argentino, *Los jóvenes viejos* (1962), de Rodolfo Kuhn. Com forte experimentação de linguagem, arrebatou diversos festivais internacionais. Usufruindo de bons ares de liberdade narrativa, surgiu também um filme absolutamente erótico, *A cigarra não é um bicho* (1963), de Daniel Tinayre, um estrondo de bilheteria.

Mas o retorno do regime militar e uma onda conservadora avassaladora tomaram conta do cinema argentino na segunda metade da década. Filmes estrangeiros foram cortados e alguns nacionais quase sumiram das salas de cinema. O diretor Fernando Solanas dirigiu clandestinamente o documentário *La hora de los hornos* (1968), dividido em três partes e com mais de quatro horas de duração, denunciando tanto o neocolonialismo quanto o governo golpista de um general que tomara de assalto a Casa Rosada.

Em paralelo, outros diretores sobreviveram com temas mais amenos, como é o caso de David José Kohon e seu *Breve cielo* (1969), sobre a iniciação sexual numa atmosfera portenha harmoniosa. No ano anterior, Leopoldo Torre Nilsson lançara moda com seu filme histórico *Martín Fierro* (1968), um grande sucesso de bilheteria.

Na década seguinte, o diretor Sergio Renán emplacou seu *La tregua* (1974) na lista de candidatos ao Oscar de filme estrangeiro. Mais importante do que este, porém, foi *La maffia* (1972), belo trabalho de Torre Nilsson sobre as disputas de poder entre famílias rivais na cidade de Rosário, conhecida como a Chicago argentina. Aliás, o cinema argentino sempre foi muito concentrado na Grande Buenos Aires, então é fundamental apontar os bons filmes feitos fora dessa região. É também o caso de *La Patagonia rebelde* (1974), de Héctor Olivera. Inspirada em fatos reais ocorridos no Sul do país, a película narra uma greve de operários, apoiada pela população e por índios, que foi brutalmente reprimida por donos de terras e pelo exército argentino. O filme foi boicotado, depois proibido, mas acabou vencendo o Urso de Prata no Festival de Berlim e, então, exibido durante quatro meses em salas lotadas na Argentina.

Um novo golpe militar aconteceu no país em 1976 e, com ele, se esvaiu a liberdade narrativa e estética no cinema. Pouquíssimos filmes saíram ilesos de cortes, e muitos nem sequer deixaram as páginas dos roteiros. Vale destacar *El fantástico mundo de la María Montiel* (1978), de Jorge Zuhair Jury, um lindo drama sobre as fantasias de uma garota; e *La parte del león* (1978), de Adolfo Aristarain, um *thriller* policial sobre mensagens codificadas, rancores e crueldade humana no cotidiano. Grandes sucessos de bilheteria surgiram no início da década seguinte, como *Tempo de revanche* (1981), de Aristarain. O filme fala sobre a corrupção em grandes empresas com certa dose de crítica social, como na cena em que o protagonista (Federico Luppi) corta a própria língua para não delatar os colegas.

A Guerra das Malvinas estava acontecendo naquele momento, mas não rendeu nenhuma grande obra cinematográfica. O diretor Fernando Ayala achou que seria duramente criticado com sua comédia *Plata dulce* (1982). Estreando um mês antes da rendição argentina, o filme, que continha boa dose de crítica social, foi um sucesso de crítica e muito bem recebido pelo público. Quando a década chegou à metade e sentia-se cheiro de democracia, muitos dos filmes que até então haviam sido engavetados começaram a ser levados a cabo a partir de 1984. Destaque para *A história oficial* (1985), de Luis Puenzo. Ambientado em 1983, no final do regime militar, o filme mostra uma professora obstinada em descobrir quem é a mãe de sua filha adotiva. A obra arrebatou diversos prêmios e deu o primeiro Oscar de melhor filme estrangeiro para a Argentina. *Adiós, Roberto* (1985), de Enrique Dawi, aborda a homossexualidade masculina pela primeira vez com franqueza no cinema do país. Miguel Pereira dirigiu *La deuda interna* (1988), vencedor do Festival de Berlim, sobre um jovem que não conhecia o mar e acaba morrendo nas Malvinas num navio de guerra.

Os anos 1990 do presidente Carlos Menem foram marcados por hiperinflação e pela brusca diminuição da produção de filmes. Ainda assim, esta não foi interrompida de vez – como aconteceu com o Brasil –, o que permitiu à Argentina, ainda que produzindo menos, ganhar um fôlego surpreendente em festivais internacionais na década seguinte. Naquela década, o cinema argentino se manteve sólido graças, também, a contribuições empresariais e à participação das redes de televisão. O cinema virou um bom negócio, algo impensável na mesma década no país vizinho, o Brasil. Desse período, o destaque vai para *Últimas imágenes del naufragio* (1989), de Eliseo Subiela. A película conta a história de um vendedor de seguros que sonha em escrever um romance até que conhece Estela, jovem prestes a cometer suicídio que lhe serve de inspiração. Vale ainda mencionar *Um lugar no mundo* (1992), de Adolfo Aristarain, sobre as condições permanentes de subdesenvolvimento nestes cantos do mundo, que contou com elenco estelar (Federico Luppi, Cecilia Roth, Leonor Benedetto etc.). Luis Puenzo voltou a filmar no país com *A peste* (1992), bela adaptação do romance de Albert Camus que, ainda que tenha sido mal recebida pela crítica, contou com elenco internacional (Raul Julia, Robert Duvall, William Hurt). O diretor fez escola dentro da família. Sua filha, Lucía Puenzo, dirigiu *XXY* (2007), lindíssima trama sobre uma adolescente intersexo que precisa lidar com os dilemas psicológicos e sociais de sua condição.

Aos poucos, começou a surgir uma nova geração de cineastas, formados em excelentes escolas de cinema do país, que compuseram aquilo que alguns chamam de Novo Cinema argentino. Este foi impulsionado pela promulgação de uma lei, em 1994, que transformou o Instituto Nacional do Cinema (INC) em Instituto Nacional de Cinema e Artes Audiovisuais (Incaa) e potencializou o poder da agência governamental – e, em consequência, do próprio cinema. Faculdades de Cinema em Buenos Aires tinham mais de 3 mil alunos matriculados, um recorde em toda a

América Latina. Em paralelo, ganharam força festivais como o Festival Internacional de Cinema de Mar del Plata e o Buenos Aires Festival Internacional de Cinema Independente (Bafici).

Aproveitando a paridade do peso com o dólar no governo Menem, tanto escolas quanto produtoras compraram uma quantidade imensa de equipamentos digitais. Com novos recursos oriundos de taxas vindas da televisão e de outros meios eletrônicos, a produção cinematográfica argentina quase triplicou em questão de poucos anos, contando também com investimentos de produtoras estrangeiras – sobretudo europeias – em coproduções. Com tudo isso, a quantidade de ingressos para filmes nacionais subiu de 2% em 1994 para 12% no ano seguinte. E, em 1997, 40% dos filmes mais vistos eram nacionais. A quantidade de novos diretores que estrearam seus primeiros filmes no país chegou a atingir 50% de todas as estreias nacionais no início do século 21 – índice espantoso, sobretudo diante das constantes crises econômicas internas.

Mas foram justamente tais crises econômicas que serviram de inspiração para belíssimos filmes do Novo Cinema argentino. O diretor Raúl Perrone, por exemplo, explorou a classe média esmagada do país na trilogia *Labios de churrasco* (1994), *Graciaadió* (1997) e *5 pal peso* (1998). Fortemente influenciados pelo Neorrealismo italiano, outros diretores exploraram esse cansaço com o próprio

Em *A menina santa* (2004), Lucrecia Martel discute a culpa católica e o despertar do desejo na adolescência com personagens femininas marcantes

país – caso de Lucrecia Martel, uma das poucas diretoras que costumam filmar fora da Grande Buenos Aires, indo para o Norte esquecido e isolado. São dela o premiado *O pântano* (2001), sobre duas mulheres e o peso do tempo morto sobre suas famílias; e o belíssimo *A menina santa* (2004), sobre o despertar do desejo e da culpa numa adolescente que se apaixona por um médico mais velho num congresso que está acontecendo no hotel de sua mãe.

Também com forte teor realista e crítico é a filmografia de Pablo Trapero desde seu primeiro longa, *Mundo grúa* (1999), sobre a dura reconstrução da vida de um homem de meia-idade após perder o emprego. A película revelou um grande ator, Luis Margani. Já *Do outro lado da lei* (2002) narra a história de um chaveiro que participa de um assalto, é obrigado a fugir de Buenos Aires e acaba se juntando à corrupta força policial do país, enquanto *Leonera* (2008) revelou a excelente Martina Gusman como uma prisioneira que tenta criar o filho no cárcere.

Já o diretor argentino mais premiado do país, Juan José Campanella, trabalhou constantemente com Ricardo Darín. Destaque para *O filho da noiva* (2001), sobre a crise de meia-idade de um homem e sua relação com os pais e a ex-mulher; e *O segredo dos seus olhos* (2009), que deu ao país mais um Oscar de melhor filme estrangeiro. Contando a história de um oficial de justiça aposentado que decide escrever um livro inspirado num crime real, o filme tem um dos planos-sequência tecnicamente mais bem-feitos do cinema do início do século 21, na cena do jogo de futebol que termina numa sufocante perseguição.

Darín é uma das estrelas latino-americanas de maior renome no mundo. Protagonizou *Relatos selvagens* (2014), de Damián Szifron, vencedor de quase 50 prêmios. A película apresenta seis histórias, aparentemente independentes, mas ligadas pela forma da violência que explode no cotidiano comum.

Menos ligado a questões contemporâneas, mas também grande expoente da nova geração é Marcelo Piñeyro, que ao lado da roteirista Aída Bortnik conseguiu emplacar histórias típicas argentinas que tiveram grande alcance de público – caso de *Música feroz* (1993), inspirado na vida de Tanguito, um ícone musical do país. Seu *Plata quemada* (2000) é um envolvente drama sobre um trio que assalta um banco, na Buenos Aires de 1965, e foge para o Uruguai, desfazendo os laços entre si. A ficção seguinte, *Kamchatka* (2002), estrelada por Darín e pela musa de Almodóvar, a talentosíssima Cecilia Roth, é uma obra que se desenlaça pelo olhar de um garoto de 10 anos diante do golpe militar argentino e das mudanças que ele percebe – e não entende – ao seu redor.

Considerado um diretor de comédias sofisticadas ao estilo de Woody Allen, o argentino Daniel Burman trabalhou com sarcasmo e diálogos precisos à crise que assolou o país em seus filmes, entrelaçados também por reflexões sobre a identidade judaica e os relacionamentos familiares. Destaque para *Esperando o messias*

(2000), *O abraço partido* (2004) e *As leis de família* (2006). Com uma câmera ágil, que se move à procura de detalhes, quase como num documentário jornalístico, Burman vai tecendo uma Buenos Aires jovem e triste, porém sem perder o charme e a poesia.

E apesar de as crises financeiras não darem trégua no século 21, a Argentina parece repetir o que muitos outros países, como o Irã e nações do Leste Europeu, vêm fazendo por décadas: usar o cinema como ferramenta para discutir o caráter e o destino de toda uma nação.

FILMES ESSENCIAIS
Viagem do Doutor Campos Salles a Buenos Aires (1900)
El fusilamiento de Dorrego (1908)
La revolución de mayo (1910)
La creación del himno (1910)
Nobleza gaucha (1915)
El apóstol (1917)
Flor de durazno (1917)
Mi alazán tostao (1922)
Tu cuna fue un conventillo (1925)
El organito de la tarde (1925)
Perdón, viejita (1927)
La borrachera del tango (1928)
Muñequitas porteñas (1931)
El alma del bandoneón (1935)
Ajuda-me a viver (1936)
Amor maternal (1938)
Prisioneiros da terra (1939)
La guerra gaucha (1942)
Allá en el setenta y tantos (1945)
A cavalgada do circo (1945)
Deus lhe pague (1948)
Surcos de sangre (1950)
Días de odio (1954)

Continua →

Continuação →

Lo que le pasó a Reynoso (1955)
Después del silencio (1956)
La casa del ángel (1957)
Detrás de un largo muro (1958)
El negoción (1959)
Tres veces Ana (1961)
Prisioneros de una noche (1962)
Hombre de la esquina rosada (1962)
Los jóvenes viejos (1962)
A cigarra não é um bicho (1963)
La hora de los hornos (1968)
Martín Fierro (1968)
Breve cielo (1969)
La maffia (1972)
La tregua (1974)
La Patagonia rebelde (1974)
El fantástico mundo de la María Montiel (1978)
La parte del león (1978)
Tempo de revanche (1981)
Plata dulce (1982)
A história oficial (1985)
Adiós, Roberto (1985)
La deuda interna (1988)
Últimas imágenes del naufragio (1989)
Um lugar no mundo (1992)
A peste (1992)
Música feroz (1993)
Labios de churrasco (1994)
Graciaadió (1997)
5 pal peso (1998)
Mundo grúa (1999)
Plata quemada (2000)
Esperando o messias (2000)

Continua →

Continuação →

O pântano (2001)
O filho da noiva (2001)
Do outro lado da lei (2002)
Kamchatka (2002)
A menina santa (2004)
O abraço partido (2004)
As leis de família (2006)
XXY (2007)
Leonera (2008)
O segredo dos seus olhos (2009)
Relatos selvagens (2014)

México

Graças à proximidade do país com os Estados Unidos, o cinetoscópio chegou pouco após sua invenção por Thomas Edison. Mas, assim como o aparelho não foi o marco do cinema no mundo, tampouco o foi no México. Já o cinematógrafo desembarcou no país graças a Claude Ferdinand von Bernard, que trabalhava com os irmãos Lumière e, já em 1896, iniciou a cinematografia local, com tomadas documentais em cidades como Guadalajara. O francês Gabriel Veyre foi o autor da primeira ficção rodada no país, *Duelo a pistola en el bosque de Chapultepec* (1896), de apenas um minuto, que chocou os espectadores por fugir do mero registro documental e ficcionar a batalha. A partir de então, aspirantes a cineastas fizeram documentários e obras de ficção sobre as grandes paixões nacionais, como touradas, festas populares e religiosas, brigas de galo etc. Boa parte das películas era distribuída pela francesa Pathé, que ainda dominava o cinema nas Américas do Norte e Central. Aos poucos, algumas companhias locais começaram a ser inauguradas, documentando obras do governo, como ferrovias, e festas do centenário da independência. Nos anos 1910, as ebulições políticas, como a renúncia do general Porfirio Díaz, compuseram um rico material para registros e pequenos documentários locais, como é o caso de *Revolución orozquista* (1912), dos irmãos Alva (Salvador, Guillermo, Eduardo e Carlos). Um regime político violento, nesse início de século, ofuscou o florescimento do cinema de ficção, sobretudo pela sanção de uma série de medidas de censura, baixadas em 1913.

Com uma nova constituição aprovada em 1917, o cinema mexicano de ficção começou a prosperar, mas enfrentou timidamente a concorrência estrangeira fortíssima com melodramas inspirados nas produções francesas e italianas. Filmes patrióticos que lutavam contra os estereótipos trabalhados por Hollywood sobre os mexicanos passaram a surgir, como *1810 o Los libertadores de México* (1916), de Manuel Cirerol Sansores. Mas a briga pelo primeiro longa de ficção foi travada com outro filme, o romance *La luz: tríptico de la vida moderna*, de Manuel de la Bandera, que estreou em 1917.

A primeira tentativa de aumentar a produção cinematográfica em escala veio com a criação da Azteca Film, em 1917, que no mesmo ano lançou *La tigresa*, com a primeira diretora do país, Mimí Derba. A produtora não durou um ano, mas abriu portas para outras iniciativas, como a do distribuidor Germán Camus, que lançou os filmes *Santa* e *Caridad* em 1918, ambos dirigidos por Luis Peredo. No ano seguinte, foi lançada uma superprodução: *O automóvel cinza* (1919), de Enrique Rosas, drama policial baseado em casos reais de assaltos ocorridos no país alguns anos antes. A tendência do cinema mexicano para o realismo documental fica claro sobretudo nesse filme, uma ficção que utilizou de imagens reais dos locais dos assaltos, embaralhando muito cedo a então fronteira entre a ficção e o documentário.

Já o cinema de propaganda ideológica também foi abraçado pelos mexicanos bem cedo. O presidente Venustiano Carranza convocou os cineastas Fernando Orozco y Berra e Juan de Homs para dirigir, respectivamente, *El precio de la gloria* (1919) e *Honor militar* (1920) como ferramentas para estimular os homens ao alistamento militar. Nessa época, porém, os estúdios de Hollywood se consolidaram, tiraram os franceses do domínio de bilheteria doméstica e iniciaram o *studio system*. O México foi um dos primeiros países a sentir a presença de Hollywood: sua produção nacional caiu sobremaneira. Alguns anos mais tarde, o cinema sonoro surgiu e Guillermo Calles fez *Dios y ley* (1930) – que, embora filmado nos Estados Unidos, é considerado por alguns estudiosos o primeiro filme sonoro doméstico, pois foi dirigido por um mexicano. Outros consideram *Santa* (1932), de Antonio Moreno, o pioneiro, pois foi rodado no México e com acabamento de som melhor. O filme causou controvérsia ao falar de uma mulher que se torna prostituta depois que o soldado que ela amava morre.

O cenário do cinema mexicano só mudou a partir do final da década de 1930, quando 40 longas foram lançados num só ano, com comédias alternando as bilheterias com melodramas. Destaque para *Madre querida* (1935), de Juan Orol, um drama açucarado, mas tão bem-sucedido que o formato inspirou a narrativa televisiva décadas depois. Outro exemplo foi *Allá en el Rancho Grande* (1936), de Fernando de Fuentes, comédia melodramática cujas estrelas, Tito Guízar e Esther Fernández, consolidaram um estilo de atuação que ficou notório da televisão mexicana posteriormente.

A primeira fase áurea do cinema mexicano coincidiu com a do cinema brasileiro, na década de 1940, em parte pela retração do cinema hollywoodiano no período da guerra. Atores e atrizes das maiores bilheterias do cinema mexicano se tornaram estrelas também fora do país, fazendo sucesso em outras nações de língua hispânica. Além disso, acordos comerciais com os Estados Unidos aprimoraram o maquinário e injetaram dinheiro em produções nacionais. A RKO investiu na construção dos Estudios Churubusco, do empresário de rádio Emilio Azcárraga. No mesmo período, o governo mexicano começou a exigir a exibição de um filme nacional em cada sala instalada no país por ano. Em 1946, foi entregue pela primeira vez o Prêmio Ariel, da Academia Mexicana de Ciências e Artes Cinematográficas, que se consolidou como o maior prêmio dado no cinema mexicano. A partir do final dos anos 1940, diversos estúdios cinematográficos surgiram no país, como México Filmes e Tepeyac.

Mas logo o cinema norte-americano voltou a dominar o mundo, ávido por compensar as perdas financeiras internas advindas da quebra do oligopólio doméstico. Na época, o clima belicista e nacionalista da Segunda Guerra Mundial contaminou o cinema mexicano. Emilio Fernández dirigiu *Flor silvestre* (1943), épico sobre um jovem militar que luta por justiça ao lado da mãe, interpretada por Dolores del Río – uma das primeiras estrelas mexicanas internacionais. Quando a guerra terminou, o Neorrealismo italiano passou a influenciar o cinema mexicano, mas num tom de narrativas populares – como em *Nosotros los pobres* (1948) e *Ustedes los ricos* (1948), que retratavam bairros humildes, solidariedade e honestidade em contraposição à hipocrisia e ao egoísmo dos ricos.

Personagens femininas sensuais, humildes e batalhadoras foram construídas por Alberto Gout em obras como *Lágrimas de mulher* (1946), sobre uma dançarina de cabaré acusada de trazer azar a quem se aproxima dela. Temas familiares foram bem explorados para grandes plateias em filmes como *Cuando los hijos se van* (1941) e *Cuando los padres se quedan solos* (1949), ambos de Juan Bustillo Oro. O cinema mexicano também conquistou prêmios internacionais. *A pérola* (1947), por exemplo, de Emilio Fernández, ganhou o Globo de Ouro de melhor fotografia. A película conta a história de um casal que descobre uma pérola no fundo do mar, mas ao ser assediado pela posse da joia acaba matando um homem em legítima defesa, tendo de fugir da vila onde mora e abandonar o sonho de dar ao filho a educação que nunca teve.

O México foi o país que abrigou a segunda fase da cinematografia do espanhol Luis Buñuel, que estreou por lá com *Gran Casino* (1947), drama musical com os astros Jorge Negrete e Libertad Lamarque que foi um desastre nas bilheterias. Porém, com *Os esquecidos* (1950), Buñuel ganhou elogios da crítica e muitos prêmios. Extremamente influenciada pelo Neorrealismo italiano, a película conta a história de jovens delinquentes das favelas da Cidade do México e a jornada de destruição moral de Pedro, corrompido pelo ambiente em que vive. Vencedor do prêmio de melhor direção em Cannes e de todas as grandes categorias do Prêmio Ariel, o filme escancarou de forma crua e impiedosa as desigualdades sociais do país. O diretor nunca mais teve tamanho impacto no cinema mexicano, ainda que outras obras mereçam destaque, como *A ilusão viaja de bonde* (1954) e *O anjo exterminador* (1962) – este último um retorno ao Surrealismo, além de uma magnífica reflexão sobre as máscaras das classes mais altas.

O milagre econômico mexicano, ocorrido entre os anos 1950 e 1970, não se refletiu nos cinemas, pois à época a televisão passou a crescer sobremaneira e as novas tecnologias cinematográficas (cor e novas salas de projeção) foram timidamente incorporadas no país, fazendo que a qualidade do cinema caísse de forma considerável – até o Prêmio Ariel foi interrompido no final dos anos 1950. Um dos grandes mercados para os filmes mexicanos, Cuba, se fechou com a Revolução de 1959. Ao mesmo tempo, influenciada pela *Nouvelle Vague*, a Universidade Nacional Autônoma do México passou a abrigar um importante cineclube e uma filmoteca, além de um centro de estudos cinematográficos.

Enquanto o cinema das grandes produtoras focava na rebeldia da juventude por meio de filmes musicados, como *La locura del rock'n roll* (1957) e *Twist, locura de juventud* (1962), obras independentes, documentários e ficções chamavam a atenção no cinema mexicano. Foi o caso de *Raíces* (1954), de Benito Alazraki, um dos melhores filmes mexicanos de todos os tempos. Vencedor de Cannes, contava quatro histórias independentes, baseadas na obra de Francisco Rojas González, sobre a realidade dos povos indígenas do país.

Nos anos 1960, diversos cineastas se uniram em grupos de produção independente e alguns filmes geram resultados expressivos, em grande parte mergulhando nos imensos subúrbios das maiores cidades do país e na marginalidade dos povos indígenas. O diretor Alberto Bojórquez dirigiu *Los meses y los días* (1973), que teve relativo sucesso de bilheteria, mesmo com uma abordagem mais artesanal sobre os conflitos de uma garota. Aliás, nos anos 1970 o Prêmio Ariel foi retomado e o Estado mexicano fez significativas reorganizações do setor, investindo em coproduções nacionais e internacionais. Em paralelo, um grupo de diretores e produtores fundaram, em 1975, a Frente Nacional de Cineastas, cujo objetivo era justamente se afastar das amarras do governo e atualizar o cinema nacional em termos artísticos e temáticos – o que, no caso mexicano, não isolou essas produções, tendo despertado a atenção da classe média e de festivais internacionais.

Entre os diretores mais importantes dessa nova onda do cinema mexicano estão Arturo Ripstein, Felipe Cazals, Jaime Humberto Hermosillo e Jorge Fons. Cazals, por exemplo, realizou um mergulho hiper-realista nas tragédias sociais mexicanas na trilogia *Canoa* (1976), *El apando* (1976) e *Las Poquianchis* (1976). Já Hermosillo dirigiu um dos filmes homoeróticos mais provocativos do país, *El cumpleaños del perro* (1975), e, ainda falando de desejos, lançou *La pasión según Berenice* (1976). Ripstein, por sua vez, ficou marcado como o diretor dessa geração que trouxe os ângulos mais interessantes sobre os dramas familiares, com destaque para os filmes O castelo da pureza (1973) e Santo ofício (1974).

A partir de 1976, com o governo do presidente José López Portillo, o cinema sentiu o drama da economia mexicana – aumento da inflação, endividamento e um modelo neoliberal que se estendeu por duas décadas. Além disso, um desastroso incêndio atingiu a Cineteca Nacional em 1982, matando 36 pessoas e destruindo um acervo inestimável de filmes. A partir de então, o Fundo de Fomento à Qualidade Cinematográfica (Foncine) passou a financiar coproduções que refletiram significativamente no perfil do cinema mexicano.

Considerado um gênero cinematográfico típico mexicano, as *ficheras* ganharam força nos anos 1980. Seus filmes são, basicamente, uma mistura de comédias eróticas com o chamado *cine de rumberas* dos anos 1940, com bailarinas e ritmos musicais africanos e caribenhos. A primeira película de sucesso foi *Bellas de noche* (1975), de Miguel M. Delgado, seguida por *Las del talón* (1978) e *El sexo de los pobres* (1983), ambas de Alejandro Galindo. Nesta década, também, a Televicine, braço cinematográfico da gigante Televisa, iniciou sua produção de longas, mas não teve a longevidade da Globo Filmes brasileira. Fez poucos, mas significativos sucessos de bilheteria, como *El chanfle* (1979), estrelado por Roberto Gómez Bolaños, o Chaves. Fez mais sucesso, porém, com as comédias dramáticas *El Milusos 1* (1981) e *El Milusos 2* (1984), sobre a vida de um camponês, primeiramente na Cidade do México e depois nos Estados Unidos.

A partir dos anos 1990, era visível a preferência de uma nova geração de cineastas por dramas comerciais com temática de fácil entendimento para públicos internacionais. Ao mesmo tempo, muitos diretores e atores receberam convites de Hollywood, onde passaram longas temporadas. Foi o que aconteceu com Alfonso Cuarón, Guillermo del Toro, os diretores de fotografia Carlos Markovich e Xavier Pérez Grobet e a atriz Salma Hayek. O diretor Nicolás Echevarría fez um belíssimo – e merecidamente reconhecido em festivais – drama histórico, *Cabeça de vaca* (1990), sobre os sobreviventes da expedição espanhola de 1528 para a Flórida e sua chegada ao México. Mas se trata de uma das poucas bem-sucedidas exceções do cinema mexicano dessa década – ao lado de *A mulher de Benjamín* (1991), de Carlos Carrera – já que o cinema mexicano passou a maior parte da década exportando talentos para Hollywood em vez de fortalecer sua indústria. A comédia *Sólo con tu pareja* (1991), que abordou a aids com um viés sério, mas erótico, foi o bilhete de entrada de Alfonso Cuarón para Hollywood. O mesmo ocorreu, pouco tempo depois, com Guillermo del Toro e o sucesso de seu *Cronos* (1993), reconhecido na Semana da Crítica do Festival de Cannes ao misturar a tradição de vampiros com romance gótico.

A vida política mexicana passou por uma profunda mudança na virada para o século 21, com o fim da hegemonia do Partido Revolucionário Institucional (PRI), no poder desde 1929. Mas, antes disso, a crise econômica abalou o cinema e houve projetos cancelados, produtoras fechando e diminuição drástica do número de lançamentos. Porém, em paralelo, os cineastas se mobilizaram em prol de uma renovação na legislação que resgatasse o cinema mexicano do naufrágio. Assim, o Fundo para a Produção Cinematográfica de Qualidade (Foprocine) foi criado com quase 150 milhões de pesos em dinheiro do governo. A atriz María Rojo, congressista eleita, auxiliou a aprovação de outras leis que impulsionaram a distribuição e exibição doméstica, com encargos sobre publicidade e locação de vídeos. Mas as brechas nas leis aprovadas sofreram enormes críticas, bem como a ineficiência na capitalização de recursos. Para piorar, o oligopólio dos grandes estúdios norte-

Em *E sua mãe também* (2001), Alfonso Cuarón se tornou o campeão de bilheteria do cinema mexicano com um road movie sobre família, desejo, sexo e amizade

-americanos aumentou expressivamente na distribuição e na partilha das janelas de exibição de filmes no país, acentuado pela dissolução da distribuidora governamental Pelmex e da distribuidora Cotsa. Até mesmo a Videovisa sofreu quando os estúdios estrangeiros decidiram distribuir seus filmes por conta própria no país. Em consequência, só no ano de 1995, 90% de todos os espectadores que foram aos cinemas no México assistiram a filmes americanos.

Na contramão da decadência da produção nacional surgiram obras cujo impacto cultural foi tão grande no país que, paradoxalmente, levaram seus diretores a aceitar tentadores convites para filmar fora, especificamente em Hollywood. Em 2000, Alejandro González Iñarritu lançou *Amores brutos*, que se tornou um fenômeno de prêmios e bilheterias ao redor do mundo. Extremamente violento e cheio de críticas sociais – sobretudo ao poder do PRI durante 70 anos no país –, o filme trabalha com uma montagem fragmentada e uma fotografia que alçaram ao estrelato internacional todo o seu elenco, com destaque para Gael García Bernal. O ator, aliás, estrelou outro fenômeno do cinema mexicano, *E sua mãe também* (2001), de Alfonso Cuarón, que se tornou o campeão de bilheterias da história do cinema mexicano com esse *road movie* sobre família, sexo, desejo e amizade. O diretor abalou as estruturas convencionais dos estúdios de Hollywood e, por conseguinte, do próprio Oscar, ao comandar a belíssima produção *Roma* (2018), paga pela Netflix. Isso porque a premiação norte-americana não pôde evitar, desta vez, a premiação de uma obra feita por uma plataforma de *streaming*, ou seja, liberada para o público sem, necessariamente, correr semanas nos cinemas e em festivais. Ambientado nos anos 1970 na Cidade do México e filmado em preto e branco, o filme acompanha a história da empregada doméstica Cleo (Yalitza Aparicio) e sua invisibilidade social dentro da casa dos patrões, aliada a seu humanismo abnegado diante das crianças da família. Vencedor do Oscar de filme estrangeiro, fotografia e direção, foi o maior sucesso da Netflix na Academia até então.

Para completar a tríade, é preciso falar de Guillermo del Toro e de seu estupendo *O labirinto do fauno* (2006), drama fantasioso de coprodução Espanha-México ambientado em 1944, com personagens que remetem ao surrealismo e ao cinema fantástico – uma obra-prima escapista vencedora de mais de uma centena de prêmios que, junto com os outros dois filmes, levou seus diretores rumo a Hollywood.

No século 21, o México tem um cenário semelhante ao Brasil e à Argentina na imperiosa necessidade de fortalecer os esforços para manter viva a cinematografia nacional, enfrentando uma dominação pesada do cinema hollywoodiano nas salas de exibição e a fuga de talentos nacionais após um ou dois grandes sucessos de bilheteria. Histórias e talentos não faltam. E os problemas já são conhecidos há décadas. A força do cinema latino-americano no mundo parece depender dos próximos passos desses três grandes países no caminho de preservá-lo e fortalecê-lo.

FILMES ESSENCIAIS

Duelo a pistola en el bosque de Chapultepec (1896)

Revolución orozquista (1912)

1810 o Los libertadores de México (1916)

La luz: tríptico de la vida moderna (1917)

La tigresa (1917)

Santa (1918)

Caridad (1918)

O automóvel cinza (1919)

El precio de la gloria (1919)

Honor militar (1920)

Dios y ley (1930)

Santa (1932)

Madre querida (1935)

Allá en el Rancho Grande (1936)

Cuando los hijos se van (1941)

Flor silvestre (1943)

Humo en los ojos (1946)

A pérola (1947)

Gran Casino (1947)

Ustedes los ricos (1948)

Nosotros los pobres (1948)

Cuando los padres se quedan solos (1949)

Os esquecidos (1950)

A ilusão viaja de bonde (1954)

Raíces (1954)

La locura del rock'n roll (1957)

O anjo exterminador (1962)

Twist, locura de juventud (1962)

O castelo da pureza (1973)

Los meses y los días (1973)

Santo ofício (1974)

Continua →

Continuação →

El cumpleaños del perro (1975)
Bellas de noche (1975)
La pasión según Berenice (1976)
Canoa (1976)
El apando (1976)
Las Poquianchis (1976)
Las del talón (1978)
El chanfle (1979)
El Milusos 1 (1981)
El sexo de los pobres (1983)
El Milusos 2 (1984)
Cabeça de vaca (1990)
A mulher de Benjamín (1991)
Sólo con tu pareja (1991)
Cronos (1993)
Amores brutos (2000)
E sua mãe também (2001)
O labirinto do fauno (2006)
Roma (2018)

Canadá

Embora tenha economia e desenvolvimento social mais avançados do que México, Brasil e Argentina, o Canadá sofreu ainda mais com a penetração de Hollywood em suas salas ao longo do século 20, sobretudo por compartilhar o mesmo idioma com os Estados Unidos. Ainda assim, a história do cinema canadense é pontuada por filmes e diretores importantes em âmbito internacional e pela constante batalha para manter a produção interna culturalmente ativa.

Os primeiros filmes canadenses foram feitos em 1898 pelo inglês James Freer, à época agricultor – é o caso de *Ten years in Manitoba*, curta documental considerado o primeiro filme canadense da história. A partir daí, salas começaram a ser fundadas em Montreal e curtas de ficção, produzidos em maior volume, sobretudo aqueles que descreviam a idílica vida no Canadá para incentivar a imigração de britânicos.

No entanto, a partir dos anos 1910 começou uma tendência que se estende até hoje no Canadá e ofusca enormemente o cinema doméstico: o uso do país como locação para as produções norte-americanas. Na ocasião, estas ainda não vinham de Hollywood (que nem existia), mas da companhia de Thomas Edison situada na Costa Leste. Ao longo das décadas, essa tendência irritou até mesmo o governo norte-americano, que acusava os estúdios de fugir do pagamento de taxas e impostos ao filmar no vizinho do norte, que oferecia uma série de benefícios fiscais.

Na cidade de Halifax foi filmado o primeiro longa de ficção canadense, *Evangeline* (1914), baseado no poema épico de Henry Wadsworth Longfellow. A película foi um sucesso de bilheteria e de crítica. Nessa mesma década, quase todas as províncias do país instauraram leis de censura e controle de conteúdo dos filmes, comportamento típico da colonização inglesa no mundo. Em 1918, o país fundou o Canadian Government Motion Picture Bureau, cujo objetivo inicial era estimular a produção de filmes locais. Isso nunca aconteceu e a empresa acabou virando uma das maiores em pós-produção de filmes do mundo. A exceção – ou seja, um filme produzido e pós-produzido pelo instituto – foi o documentário *The royal visit* (1939), de Frank Badgley, produção governamental sobre a visita do Rei George VI.

Após a Primeira Guerra Mundial, o cinema canadense sofreu uma leve aceleração. À época, estrearam produções como *Back to God's country* (1919), com a primeira estrela do cinema canadense, Nell Shipman, cuja atuação – e uma pequena cena de nu – ajudou a transformar o filme num relativo sucesso internacional. Por conta do sucesso, o marido dela, Ernest Shipman, abriu pequenas produtoras em diversas cidades do Canadá, lançando outros filmes – como *Cameron of the Royal Mounted* (1921) e *The rapids* (1922) –, mas nenhum deles repetiu o sucesso do primeiro, o que pôs fim ao primeiro pequeno *boom* de produção nacional.

O cinema canadense permaneceu, então, num terrível silêncio, com raríssimas exceções, como a produção *Carry on, sergeant!* (1928), de Bruce Bairnsfather, sobre um grupo de trabalhadores que decide lutar na Primeira Guerra. Porém, o filme mostrou-se um tremendo fracasso, pois foi lançado mudo no exato momento em que o som chegava dos Estados Unidos.

Estagnada, a produção canadense praticamente desapareceu nos anos 1930 e o país virou uma grande locação para os filmes de Hollywood. Enquanto os europeus se moviam na direção de proteger o mercado exibidor contra a "invasão" hollywoodiana, o governo canadense não se mexeu naquele momento. Historiadores do cinema canadense brincam dizendo que a situação era tão grave que, se na época houvesse qualquer história que valesse ser filmada sobre ou no Canadá, certamente uma empresa dos Estados Unidos iria ao país concretizá-la. Nenhum outro grande país do continente americano ficou tanto tempo sem algum filme de relevância artística ou comercial. No Canadá, o único com alguma expressividade foi a aventura *Piloto das selvas* (1947) – que, ainda assim, era uma imitação do longa hollywoodiano *Corsários das nuvens* (1942), de Michael Curtiz.

Alguns anos antes, com o auxílio do lendário documentarista escocês John Grierson, foi criado o National Film Board of Canada, para auxiliar a coordenação da produção de filmes, mas com o advento da Segunda Guerra Mundial o NFB se transformou num imenso estúdio cinematográfico, inicialmente para filmes de propaganda e também produções norte-americanas rodadas no país. Com o fim do conflito, houve pressão da classe artística para que se criassem mecanismos que forçassem os estúdios de Hollywood a reinvestir parte dos ganhos de bilheteria em produções locais. No entanto, houve a intervenção da Motion Picture Association of America (MPAA), associação criada décadas atrás e responsável por fazer *lobby* nos congressos nacionais de todos os países livres a favor dos interesses dos estúdios de Hollywood. A associação conseguiu aprovar outra proposta com o governo canadense: que parte dos ganhos de bilheteria fosse revertida em filmagens no país para filmes de Hollywood, desde que, sempre que possível, mostrassem paisagens e referências favoráveis ao Canadá para estimular o turismo no local. O país aprovou a proposta e o fluxo de dólares canadenses continuou a seguir livremente para Los Angeles, o que interrompeu, ao menos momentaneamente, um investimento milionário em estúdios cinematográficos em Vancouver. E o tiro saiu pela culatra: dados do governo canadense apontavam que o turismo de norte-americanos no Canadá diminuiu na primeira meia década do acordo, ao passo que o fluxo de filmes canadenses para os Estados Unidos praticamente não existiu na mesma época.

Felizmente para os canadenses, a economia do país começou a crescer expressivamente nos anos 1950, incentivando a produção cinematográfica em diversos pontos do país. O diretor Sidney J. Furie produziu duas obras que tiveram relativo impacto internacional: *A dangerous age* (1957), sobre desejo, amor e sexo na adolescência, e *A cool sound from hell* (1959), que também abordava amores conflituosos, drogas etc. Mas o desprezo com o qual o filme foi recebido internamente fez Furie abandonar seu projeto de filmar no Canadá e emigrar para a Inglaterra.

Foi apenas em 1961 que o primeiro filme canadense ganhou distribuição nos Estados Unidos: *A máscara maldita*, de Julian Roffman, que utilizou a tecnologia 3D e teve relativo sucesso de bilheteria. Já *Amanita pestilens* (1963), de René Bonnière, tornou-se o primeiro filme canadense em cores e, também, filmado simultaneamente em francês e inglês, os dois idiomas oficiais do país. Nessa década, o diretor de Toronto Don Owen foi aplaudido pela crítica e em festivais com seu *Nobody waved goodbye* (1964), sobre um adolescente que se rebela contra a autoridade dos pais.

O cinema falado em francês, da província de Quebec, foi o acontecimento mais importante do Canadá a partir dos anos 1960, com o surgimento de diretores que finalmente prometeram a continuidade da produção cinematográfica no país.

Dois filmes se destacam pela excelente receptividade em Quebec: *Le chat dans le sac* (1964), de Gilles Groulx, sobre a virada de um jornalista contra as regras da sociedade em que vive, e *La vie heureuse de Léopold Z.* (1965), de Gilles Carle, sobre a aventura de um trabalhador que precisa comprar os presentes de Natal sem deixar de limpar a neve das ruas da cidade.

O cinema falado em francês ganhou muito mais notoriedade do que aquele produzido nas províncias de língua inglesa por especial influência do cinema mais autoral que vinha dos diretores da *Nouvelle Vague*. Mas foi também nos anos 1960 que surgiu um dos primeiros diretores canadenses de notoriedade internacional com filmes em inglês: David Cronenberg, que dirigiu dois curtas experimentais futuristas, *Transfer* (1966) e *From the drain* (1967), na Universidade de Toronto. Nesse mesmo ano, nasceu a Canadian Film Development Corporation – que depois se transformaria em Telefilm Canada –, que passou a contar com um fundo de 10 milhões de dólares canadenses para dar início a um projeto de industrialização do cinema no país. Mas, assim como diversos países do mundo dominados por indústrias como Hollywood ou Bollywood, a empresa se preocupou apenas com a produção, deixando de lado a distribuição e a exibição, o que não ajudou a decolar a indústria cinematográfica canadense. Ainda assim, obras importantes saíram desse investimento, como o docudrama *Goin' down the road* (1970), de Donald Shebib, sobre dois amigos que abandonam a zona rural para ganhar a vida em Toronto, mas se arrependem profundamente. É também dessa época também um dos maiores filmes canadenses de todos os tempos, *Mon oncle Antoine* (1971), de Claude Jutra – uma narrativa intimista e absolutamente sedutora da vida de um adolescente órfão que trabalha no armazém do tio, espiando as clientes e se apaixonando por uma garota que vai ajudá-los num enterro. Trata-se de um dos filmes canadenses mais assistidos, que aproveitou, como poucos, a paisagem e a cultura locais. A história do diretor, porém, é trágica: após esse enorme sucesso, Jutra não emplacou nenhuma outra produção, recebeu o diagnóstico de Alzheimer, desapareceu de casa e seu corpo foi encontrado congelado num rio em 1987. Duas décadas depois de sua morte, um jornalista escreveu um livro dizendo que o diretor abusava sexualmente de menores de idade.

Com a chegada dos anos 1970, a produção de filmes canadenses cresceu exponencialmente, iniciando com obras como *The rowdyman* (1972), de Peter Carter, e o primeiro longa dirigido por uma canadense, *Madeleine is...* (1971), de Sylvia Spring. A grande virada, porém, começou a partir de 1974, quando o governo implementou uma lei que permitia deduzir 100% do imposto devido a produções de longas canadenses. A partir de então, teve início uma era de incentivos fiscais para o cinema do país, que obrigava que a equipe fosse dois terços canadense e que 75% da produção e pós-produção fossem feitas no país. A iniciativa, porém, não chegou sem vaias. O crítico Robert Fulford, oculto por um pseudônimo, assistiu ao novo filme de David Cronenberg, a ficção científica de terror *Calafrios* (1975), e escreveu uma imensa resenha na qual chamava todos os canadenses a ver quão ruim era a obra – afinal, ela havia sido feita com o dinheiro do contribuinte-leitor daquela resenha. O texto gerou um debate intenso sobre o uso de dinheiro público para financiar filmes. Curiosamente, porém, foi em parte o financiamento público que culminou em filmes de grande sucesso de público e em festivais. Esse foi o caso de *Lembranças de minha infância* (1975), de Ján Kadár, que conta a saga de um judeu, na Montreal dos anos 1920, dividido entre o pai que se recusa a trabalhar e o avô contador de histórias. E também a adaptação do romance de Mordecai Richler, *O grande vigarista* (1974), comédia dramática indicada ao Oscar que arrebatou as plateias.

Ainda que o sonho da autossustentabilidade não tenha nascido da era de deduções fiscais, produtores experientes como Garth H. Drabinsky e Robert Lantos despontaram nesse momento. O próprio David Cronenberg disse que foi graças ao financiamento público que ele foi capaz de fazer seus próximos filmes, como *Enraivecida na fúria do sexo* (1977), *Escuderia do poder* (1979) e *Os filhos do medo* (1979), embora reconhecesse as falhas no sistema de financiamento canadense.

Com *Scanners: sua mente pode destruir* (1981), Cronenberg atingiu o *status* de diretor de filmes *cult*. Esse *thriller* de horror e ficção científica conta a história de dois irmãos nascidos de uma experiência em laboratório capazes de ler e explodir mentes. O filme faturou US$ 15 milhões nas bilheterias e chamou a atenção de Hollywood para Cronenberg – que se mostrou um diretor cujo talento dispensaria até qualquer necessidade de financiamento público. Antes de se render a tramas mais comerciais e menos autorais em Hollywood, ele aterrorizou as salas de cinema com seu estilo de narrar histórias de pessoas contaminadas em experimentos que se transformam em seres horrendos. Sempre filmando em ambientes fechados e com trilha musical impecável, Cronenberg arrepiou o público em obras como *A mosca* (1986). Antes, porém, explorou como ninguém o novo invento tecnológico, o vídeo, no filme *Videodrome – A síndrome do vídeo* (1983), sobre um sinal de TV que causava alterações no corpo e na mente das pessoas. Tudo sempre temperado com boas doses de erotismo e violência, ingredientes sedutores do cinema há décadas.

Ainda que bastante criticado por políticos e por parte da população, o fato é que o financiamento público por meio da dedução fiscal permitiu que o cinema canadense ganhasse fôlego para manter produções relevantes com muito mais frequência a partir de então. Não fosse o surgimento de talentosos produtores e equipes técnicas nessa época, não haveria condições para que o país fizesse suas melhores obras até hoje, como o belíssimo drama familiar *Les bons débarras* (1980), de Francis Mankiewicz, a narrativa histórica de *Les Plouffe* (1981), de Gilles Carle, e o premiado romance biográfico *A raposa cinzenta* (1982), de Phillip Borsos.

Para se ter ideia da importância dos incentivos fiscais, em 1974 foram produzidos três filmes no país. Cinco anos depois, esse número subiu para 77, ainda que parte dessas produções não tenha ganhado distribuição e sua qualidade não chegasse perto da dos filmes anteriormente citados.

A esmagadora maioria desses filmes era de língua inglesa, pois assim tinham mais chance de entrar no mercado norte-americano. Isso fez que a produção em Quebec caísse consideravelmente no período, mesmo com diretores já notórios como Gilles Carle, Denys Arcand e Claude Jutra. Para reagir a isso, em 1982 a província de Quebec criou uma série de regulações e taxações para o mercado distribuidor e exibidor em prol do desenvolvimento da produção de língua francesa. Mas Jack Valenti, o então presidente da MPAA – que, como vimos, representa os interesses dos estúdios de Hollywood fora dos Estados Unidos –, entrou em ação e conseguiu um acordo com o governo liberal canadense que ganhou o poder na província em 1985, revertendo a legislação a favor de um fortalecimento ainda maior de Hollywood em Quebec.

Com o cinema canadense de volta à produção mínima e com pouca representatividade nas salas de exibição, a agora Telefilm Canada angariou um fundo de 35 milhões de dólares canadenses para programas televisivos e filmes. O fundo subiu para 60 milhões nos anos 1990, objetivando facilitar a distribuição internacional dos filmes do país. Em paralelo, algumas escolas de cinema e cooperativas começaram a trabalhar com uma nova geração de cineastas dispostos a chacoalhar a dormente indústria cinematográfica do país. E funcionou.

O primeiro sucesso veio de Ontário: a comédia dramática *I've heard the mermaids singing* (1987), de Patricia Rozema, ganhador do prêmio da juventude do Festival de Cannes. Também de Ontario veio a atriz Sandra Oh, que antes de migrar para Hollywood trabalhou com Mina Shum no singelo *Double happiness* (1994), história sobre os dilemas de uma sino-canadense e sua família tradicional. O estado revelou também o diretor Bruce Sweeney. Revezando suas produções entre Ontario e Vancouver, ele fez filmes sobre as complicadas relações de casais, como *Live bait* (1995) e *Dirty* (1998). Filmes despretensiosos como esses, feitos para atrair o público em salas multiplex, ajudaram a descentralizar o cinema canadense. Oriundo da cidade de Calgary, o diretor Gary Burns fez sucesso com comédias como *The suburbanators* (1997) e *Kitchen party* (1997). Da província de Manitoba surgiu o diretor Guy Maddin, que ganhou reputação internacional com seu estilo irônico de narrar, bem apreciado em *Cuidadoso* (1992). O cinema despontou talentos até da longínqua e gelada província de Terra Nova e Labrador, a extremo leste do país. William D. MacGillivray mostrou sua competência narrativa em *Stations* (1983), sobre um jornalista de alto escalão cuja carreira é comprometida quando um documentário que ele está fazendo sobre erros humanos acaba com o suicídio de um antigo amigo. Afastado da redação, começa a entrevistar canadenses nas paradas de trem ao longo do país, mas essa jornada o leva a uma vida completamente diferente.

Quebec voltou ao cenário cinematográfico com força internacional graças ao diretor Denys Arcand e seu *O declínio do império americano* (1986), vencedor do Prêmio Fipresci do Festival de Cannes. No filme, quatro professores universitários preparam o jantar enquanto quatro mulheres, colegas ou cônjuges deles, fazem ginástica numa academia. O tema comum das conversas é o sexo. Mais tarde, todos se encontram para desfrutar do jantar, até que são remexidas feridas dos participantes e alguns segredos são revelados. É impossível simpatizar com esses personagens, mas é igualmente difícil esquecê-los, com seus pequenos problemas, a adoração por sexo, a busca fútil de felicidade, o medo da aids. E tudo isso, junto, explica o título do filme. Arcand se mostrou uma espécie de *voyeur* da hipocrisia da civilização contemporânea. Foi tão bem recebido dentro e fora do Canadá que resolveu fazer uma trilogia, composta também pelos filmes *As invasões bárbaras* (2003), vencedor do Oscar de melhor filme estrangeiro, e *A era da inocência* (2007). Todos os filmes do diretor falam da nova organização familiar do Ocidente, com uma boa dose de crítica às instituições governamentais canadenses e ao próprio funcionamento da mídia. Arcand também dirigiu uma estupenda fábula cheia de ironia, *Jesus de Montreal* (1989), sobre um ator que encena Cristo numa peça e é tomado pela figura do messias no seu dia a dia. O filme foi um escândalo para a Igreja, sobretudo porque mescla fé com ácidas críticas à classe média contemporânea.

No outro extremo do país, no gelado noroeste canadense, o diretor Zacharias Kunuk entrou para a história com *Atanarjuat: o corredor* (2001), primeiro filme dirigido por um inuíte (povo indígena esquimó do Norte) e falado na língua inuktitut. Levou a Camera d'Or do Festival de Cannes e outros prêmios com a lenda de um espírito maligno que causa discórdia na comunidade e um guerreiro que tenta combatê-lo.

Entretanto, embora filmes e diretores tenham surgido nos diversos cantos do país, Toronto teve a maior concentração de produções, o que alguns críticos canadenses denominaram, nos anos 1980, Toronto *New Wave*, a nova onda do cinema canadense. Além de Patricia Rozema, de lá vieram Bruce McDonald, Peter Mettler, Jeremy Podeswa, Don McKellar e Sarah Polley. Esta última, também atriz, fez filmes tocantes, como *Longe dela* (2006), que conta a história de um casal que lida com o Alzheimer e com afetos inesperados fora da relação. Além do estrelato desses diretores, o Festival Internacional de Cinema de Toronto se tornou um dos mais importantes do Ocidente.

Ao lado de David Cronenberg, o cineasta canadense de maior repercussão mundial em filmes de língua inglesa é Atom Egoyan, cujas origens são armênias. Embora os dois diretores tenham estilos bem diferentes, ambos continuam atrelando seus filmes – agora com Hollywood por trás – a coproduções com o Canadá. Egoyan ganhou notoriedade internacional com os dramas *Next of kin* (1984) e *Family viewing* (1987), este último vencedor do Festival de Toronto; ambos abordaram questões de identidade étnica, alienação burguesa, perdas e morte. A tecnologia é sempre um elemento colocado em crise e criticado em quase todos os primeiros filmes de Egoyan e Cronenberg, pois os diretores foram influenciados pelas teorias do canadense Marshall McLuhan, que abordou criticamente o avanço tecnológico.

O país chegou no século 21 com um cenário cinematográfico muito mais sólido do que antes da ajuda dos então criticados fundos governamentais e leis de dedução fiscal para apoio do audiovisual dos anos 1970. A produção se tornou contínua, atendendo tanto demandas comerciais quanto autorais, ganhando visibilidade em festivais internacionais. Mas enquanto o cinema falado em francês, sobretudo de Quebec, continua sendo bem vendido nas salas do país, os filmes canadenses falados em inglês, por maior que sejam em número de produções, ainda são preteridos nas bilheterias. A razão? Hollywood continua tendo a preferência dos vizinhos do Norte.

FILMES ESSENCIAIS
Ten years in Manitoba (1898)
Evangeline (1914)
Back to God's country (1919)
Cameron of the Royal Mounted (1921)
The rapids (1922)
Carry on, sergeant! (1928)
The royal visit (1939)
Piloto das selvas (1947)
A dangerous age (1957)
A cool sound from hell (1959)
A máscara maldita (1961)
Amanita pestilens (1963)
Nobody waved goodbye (1964)
Le chat dans le sac (1964)
La vie heureuse de Léopold Z. (1965)
Transfer (1966)

Continua →

Continuação →

From the drain (1967)
Goin' down the road (1970)
Mon oncle Antoine (1971)
Madeleine is... (1971)
The rowdyman (1972)
O grande vigarista (1974)
Calafrios (1975)
Lembranças de minha infância (1975)
Enraivecida na fúria do sexo (1977)
Escuderia do poder (1979)
Os filhos do medo (1979)
Les bons débarras (1980)
Scanners: sua mente pode destruir (1981)
Les Plouffe (1981)
A raposa cinzenta (1982)
Videodrome – A síndrome do vídeo (1983)
Stations (1983)
Next of kin (1984)
O declínio do império americano (1986)
A mosca (1986)
I've heard the mermaids singing (1987)
Family viewing (1987)
Jesus de Montreal (1989)
Cuidadoso (1992)
Double happiness (1994)
Live bait (1995)
The suburbanators (1997)
Kitchen party (1997)
Dirty (1998)
Atanarjuat: o corredor (2001)
As invasões bárbaras (2003)
Longe dela (2006)
A era da inocência (2007)

Latinidades: o cinema inventivo de Bolívia, Chile, Colômbia, Cuba, Paraguai, Peru, Uruguai e Venezuela

Ser um país populoso e vasto territorialmente não garantiu aos países vistos até aqui neste capítulo uma indústria cinematográfica com força suficiente para enfrentar Hollywood nas bilheterias. Que dirá dos demais países da América Latina e de Cuba, que sofreram revezes econômicos maiores ou tiveram políticos que em praticamente nenhum momento privilegiaram o cinema do próprio país, como foi o caso específico do modelo neoliberal chileno. Ainda assim, essas nações produziram, isoladamente e de modo esporádico, alguns filmes memoráveis na história do cinema.

O cinema hollywoodiano não foi um problema para Cuba em grande parte do século 20, devido à Revolução de 1959. Mas as sanções econômicas impostas pelos Estados Unidos dificultaram a consolidação de uma indústria cinematográfica no país. Esporadicamente a União Soviética ajudava nesse setor, e o intercâmbio de diretores e experiências com o cinema de propaganda gerou obras relevantes, como *Eu sou Cuba* (1964), dirigido pelo georgiano Mikhail Kalatozov, estupendo drama histórico, riquíssimo em imagens, acompanhando quatro histórias sobre as condições opressivas da vida cubana antes da revolução e o futuro prometido com a chegada de Fidel Castro ao poder.

Cuba também abrigou uma influente escola de cinema, o Icaic (Instituto Cubano de Arte e Indústria Cinematográfica). Um dos cineastas professores do instituto foi Santiago Álvarez, que dirigiu o curta *Now!* (1965), com certa dose de provocação ideológica aos Estados Unidos, pois o filme fala dos protestos dos negros e da violência da polícia americana contra a comunidade. Mas o grande mérito do diretor foi antecipar, em algumas décadas, o ritmo de montagem dos videoclipes da MTV, com planos ágeis e trilha musical envolvente e contínua.

Do mesmo instituto, o longa-metragem *Memórias do subdesenvolvimento* (1968), de Tomás Gutiérrez Alea, é uma ficção pró-Revolução Cubana e talvez o maior filme de todos os tempos feito na ilha. A obra centra-se num homem abandonado pela mulher e em conflito com a própria vida, em meio a uma possível ameaça de invasão da ilha. Baseado no romance homônimo de Edmund Desnoes, passa-se entre a malsucedida invasão da Baía dos Porcos pelos Estados Unidos, em 1961, e a Crise dos Mísseis, no ano seguinte. Transitando o tempo inteiro entre a linguagem documental e a ficção, o filme inspirou diversos cineastas latino-americanos. O diretor usou imagens reais da Revolução Cubana para ilustrar a ficção e foi bastante influenciado pelo Neorrealismo italiano. Sergio, o protagonista, vagueia pelos próprios pensamentos, passa o dia olhando a cidade de binóculos, refletindo sobre a falta de cultura das massas cubanas e, também, a influência negativa da Igreja antes da revolução. Assistimos ao filme misturando as divagações de Sergio a respeito de multidões que vivem a vida na ilha antes da revolução.

Do mesmo ano, *Lucía*, de Humberto Solás, é um belíssimo drama que traça a vida de três Lucías – uma vive durante a guerra de independência contra a Espanha, outra na ilha de Cuba, nos anos 1930, e a terceira na década de 1960. O filme chamou a atenção pelo cuidado com a reconstrução histórica das cenas e dos costumes do país.

O cinema da ilha perdeu força perto do século 21, mas ainda produziu obras memoráveis. Em coprodução com o México, os cubanos Tomás Gutiérrez Alea e Juan Carlos Tabío fizeram *Morango e chocolate* (1993), indicado ao Oscar, sobre dois homens completamente opostos – um *gay*, outro hétero; um comunista, outro individualista – que se apaixonam. Ernesto Daranas dirigiu o drama *Numa escola de Havana* (2014), sobre Chala, uma jovem problemática que é ajudada por uma professora idosa, Carmela, mas ambas passam a sofrer perseguição na escola.

O Chile passou a primeira parte do século 20 sem dar muita importância ao cinema. Em 1968, Raúl Ruiz filmou *Três tristes tigres*, em que dois homens discutem utopias regados a muito álcool. Seu estilo intimista, com um roteiro bem amarrado, chamou a atenção internacional e Ruiz logo abandonou o país para trabalhar na França.

Já Miguel Littín rodou *El chacal de Nahueltoro* (1969), drama inspirado na história real de um assassino e suas reflexões na prisão, num retrato raro, com força de documentário, da classe baixa do país. Quando venceu as eleições presidenciais em 1970, Salvador Allende criou um órgão federal de cinema, a Chile Filmes, pela qual Miguel Littín filmou *A terra prometida* (1973), épico histórico socialista que reconta o esforço do proletariado chileno nos anos 1920 e 1930. Porém, o filme não estreou no próprio país: com a deposição de Allende pelo golpe militar liderado pelo general Augusto Pinochet, Littín decidiu terminar sua obra no México.

Só quando a ditadura de Pinochet caiu o Chile voltou a ter produções relevantes, ainda que esparsas. E os fatos que levariam ao golpe militar inspiraram o diretor chileno Andrés Wood a realizar *Machuca* (2004) da perspectiva de dois garotos, um muito rico e outro humilde, cujos destinos se cruzam. O diretor faria também *Violeta foi para o céu* (2011), saborosíssimo drama biográfico sobre a compositora e cantora folclórica chilena Violeta Parra, com suas memórias, músicas e imagens que se distanciam dos cartões-postais turísticos do país. A também chilena Alicia Scherson dirigiu o delicado romance *Play* (2005), sobre a incessante busca de um amor que nunca chega na vida de um casal.

Sebastián Silva arrebatou diversos prêmios internacionais com a comédia de humor negro *A criada* (2009), interpretada por Catalina Saavedra, na pele da empregada que tenta manter o emprego na casa em que trabalha há 23 anos. Antes de partir para produções fora do país, Silva faria também *Gatos viejos* (2010), sobre a idosa que esconde a perda da memória para que a filha não a interne num asilo.

Também antes de abraçar Hollywood, outro chileno se debruçou sobre a ditadura em seu país. Pablo Larraín rodou *Post mortem* (2010), ambientado no Chile de 1973, nos últimos dias da presidência de Salvador Allende, quando um empregado dos registros do necrotério se apaixona por uma dançarina que desaparece misteriosamente. O golpe vira boca de cena em outro filme do diretor, *No* (2012), indicado ao Oscar de melhor filme estrangeiro e estrelado pelo mexicano Gael García Bernal, sobre um publicitário que monta uma campanha para derrubar a campanha do Sim de 1988, que garantiria mais oito anos de governo a Pinochet.

Outro membro do melhor cinema chileno é Sebastián Lelio, cujo *Uma mulher fantástica* (2017) foi indicado ao Oscar de melhor filme estrangeiro com a história de Marina, mulher transgênero que trabalha como garçonete e, ao perder o namorado, precisa enfrentar o preconceito de sua família. A personagem torna-se gigante na atuação de Daniela Vega, cantora lírica transgênero chilena.

O chileno Alejandro Jodorowsky tornou-se referência com filmes cuja construção das imagens remetem ao surrealismo e ao cinema fantástico, mas com uma dose maior de violência, misturando provocações religiosas e misticismo. Em *Santa sangre* (1989), um ex-artista de circo foge do hospício e reencontra a mãe, líder de uma seita religiosa, que o força a cometer assassinatos grotescos. Seu estilo surrealista fantástico aprimorou-se até chegar a duas de suas melhores obras: *A dança da realidade* (2013), ambientada numa cidadezinha chilena, onde o filho de um pai comunista rigoroso e sua fraca mãe tenta ser aceito em meio a um ambiente que não entende suas origens judaico-ucranianas; e *Poesia sem fim* (2016), espécie de autobiografia do diretor, de quando se torna poeta e se liberta de todas as amarras e hipocrisias sociais. É, sem dúvida, seu filme mais fantasioso e surreal, repleto de imagens oníricas que inundam a tela.

Na Colômbia, a primeira lei que efetivamente apoiou o cinema nacional apareceu apenas no ano de 2003 e logo resultou em expressivo aumento da produção. Oscar Ruiz Navia terá repercussão internacional com o seu *El vuelco del cangrejo* (2009), com uma das fotografias mais belas do cinema latino-americano do início do século 21, retratando a vida de comunidades negras na costa do Pacífico por meio da saga de um homem que tenta fugir do país.

No mesmo ano, Ciro Guerra roteirizou e dirigiu *As viagens do vento* (2009), sobre a saga de um músico que viaja uma imensa distância para devolver o acordeom a seu mestre, numa fábula encantadora. O diretor arrebatou diversos prêmios internacionais com *O abraço da serpente* (2015), sobre a relação do xamã amazônico Karamakate com o último sobrevivente de seu povo, que se juntam a dois cientistas em busca de uma planta sagrada da floresta, cuja saga dura mais de 40 anos. O filme é, infelizmente, um dos raros exemplos de eficiente exploração criativa das ricas histórias dos povos amazônicos no cinema latino-americano.

De Medellín, o diretor Carlos César Arbeláez nos deu *As cores da montanha* (2010), bom exemplo de atuações infantis tocantes, na história de um garoto que quer se tornar um grande goleiro, mas, quando ganha uma bola nova do pai, ela cai num campo minado. Como pano de fundo dessa trama, o cineasta apresentou os dramas e o retrato do subúrbio das grandes cidades colombianas.

Do Uruguai, a dupla de diretores Pablo Stoll e Juan Pablo Rebella fez *Whisky* (2004), encantadora história do comerciante Jacobo, que, diante do aparecimento repentino de seu irmão, tenta mostrar que sua vida não foi em vão, fingindo que sua empregada fiel, Marta, é sua mulher. Trata-se não só de uma das melhores revelações do cinema latino-americano daquela década como também de um passeio por recantos inesquecíveis de Montevidéu.

O uruguaio César Charlone, conhecido por trabalhar em quase todos os filmes de Fernando Meirelles, juntou-se ao conterrâneo Enrique Fernández na direção de *O banheiro do papa* (2007), comédia ambientada na cidade uruguaia de Melo, que faria parte do roteiro de visitas do papa João Paulo II. Seus habitantes veem no evento a oportunidade de mudar de vida economicamente, e um contrabandista tenta fazer dinheiro criando um banheiro para Sua Santidade.

O cineasta Álvaro Brechner ganhou para o Uruguai prêmios importantes em festivais europeus e latino-americanos com *Uma noite de 12 anos* (2018), drama policial sobre os tupamaros, grupo guerrilheiro uruguaio que lutava contra a ditadura militar no país. Presos, três deles ficam em solitária de 12 anos, impossibilitados até de se comunicar. O filme revela os meios que eles criaram para sobreviver à tortura e à passagem dos anos, sem nenhuma expectativa de ver a vida lá fora novamente.

Representante internacional do cinema do Peru, Claudia Llosa levou o Leão de Ouro do Festival de Berlim com *A teta assustada* (2009), inspirado em história do folclore peruano sobre Fausta, que sofre de uma doença rara contraída durante amamentação dada por quem sofreu abuso durante ou depois da gravidez. Segundo a lenda, os filhos contraem a doença e perdem a alma. Quando sua mãe morre, Fausta toma medidas drásticas para se livrar da maldição, mas tem de esconder um grande segredo: a presença de uma batata em sua vagina para se proteger de um possível estuprador.

Salvador de Solar, ator e diretor de Lima, realizou *A passageira* (2015), sobre um militar que fez parte de um grupo de caça de subversivos, mas agora dirige um táxi. Ao se encontrar com Celina, mulher humilde da periferia, um acontecimento de seu passado vem à tona e os destinos deles se cruzam. Acostumados a não ver o próprio cinema nas telas, os peruanos aplaudiram a produção, que obteve boa bilheteria no país.

Expoente do novo cinema peruano, Rosario García-Montero arrebatou corações com a atuação de Fátima Buntinx, que vive Cayetana em *Las malas intenciones* (2011), sobre uma garota de 8 anos com personalidade assustadora que decide não mais viver no dia em que nascer o filho que sua mãe carrega, o qual é de outro homem que não seu pai.

Rodrigo Bellot é um dos expoentes que alçaram o cinema da Bolívia às telas do mundo. Seu filme *Dependência sexual* (2003) venceu o Festival Internacional de Cinema de Locarno com a história de cinco jovens que tentam aceitar a própria identidade sexual. O diretor traz na obra atores amadores que contribuíram com sua história ao longo da filmagem. A diretora Julia Vargas Weise mostra paisagens urbanas e rurais curiosas da Bolívia em *Carga sellada* (2015), sobre policiais que cruzam o país num velho trem para despejar um produto altamente tóxico. Outra boliviana, a diretora Violeta Ayala, descendente dos indígenas quíchuas, traçou um interessante retrato da relação de seu país com a cocaína no documentário *Cocaine prison* (2017).

Na Venezuela, o ex-ditador Hugo Chávez até tentou implementar uma indústria cinematográfica para espantar o cinema de Hollywood, mas não conseguiu. No entanto, foram os filmes de cunho autoral que marcaram presença do país nos festivais internacionais. Mariana Rondón emocionou as plateias europeias e latino-americanas com *Pelo malo* (2013), sobre a obsessão de um garoto de 9 anos em alisar os cabelos para ficar "bonito" na foto do colégio, mas sua mãe começa a temer ataques homofóbicos contra ele. Samuel Lange Zambrano é um achado no papel do garoto.

Mais conhecido internacionalmente é o diretor venezuelano Lorenzo Vigas, cujo filme *De longe te observo* (2015) venceu o Leão de Ouro em Veneza com a história de Armando, que aos 50 anos gosta de caminhar por Caracas em busca de garotos jovens. Ao oferecer dinheiro para Élder, de 17 anos e líder de uma gangue, é agredido por ele, mas ambos nutrem uma estranha relação, de um lado pela necessidade de dinheiro do garoto, de outro pela solidão sexual de Armando. O filme ganha força nos silêncios e nas trocas de olhares. Passou praticamente despercebido pelo público venezuelano, mas se tornou um dos melhores expoentes do novo cinema do país.

No ano da morte de Hugo Chávez, o país estreou *O Libertador* (2013), de Alberto Arvelo, coprodução Venezuela-Espanha sobre a luta de Simón Bolívar contra o império espanhol. O filme teve uma produção caprichada, é bem fotografado, mas não arrebatou corações à altura do mito bolivariano.

O Paraguai ganhou o Prêmio da Plateia no Festival Internacional de Cinema de Miami com o *thriller* policial *7 caixas* (2012), de Juan Carlos Maneglia e Tana

Schémbori, sobre Victor, porteiro de um mercado paupérrimo de Assunção que quer comprar um celular, mas, para isso, põe sua vida em risco ao entregar sete caixas para ganhar 100 dólares. O garoto Celso Franco, que interpreta Victor, remete aos personagens de Kiarostami, que precisam enfrentar sozinhos um desafio imenso sem que ninguém ao redor dê a devida importância.

A diretora Paz Encina levou o prêmio Fipresci do Festival de Cannes com o drama *Hamaca paraguaya* (2006), em coprodução Paraguai-França-Holanda-Áustria-Alemanha-Argentina. Ambientado em 1935, numa paisagem isolada de selva, o filme conta um único dia da vida de um fazendeiro e sua mulher à espera do retorno do filho, enviado para a Guerra do Chaco (1932-1935), disputa territorial entre Paraguai e Bolívia em que esta perdeu parte de seu território. O pano de fundo da guerra e da espera do filho simboliza a esperança dos paraguaios de uma vida melhor.

Em outro espectro narrativo, o paraguaio Marcelo Martinessi dirigiu *As herdeiras* (2018), sobre duas mulheres de 30 anos herdeiras de famílias ricas em Assunção que vivem de gastar a fortuna, até uma delas ser presa por causa das dívidas, enquanto a outra recomeça a vida como motorista de senhoras ricas. Cativante, o filme é um verdadeiro retrato do potencial narrativo que floresce no cinema paraguaio.

De modo geral, o cinema desses países latino-americanos certamente não conquistou uma história sólida e contínua ao longo de quase todo o século 20, como tiveram os Estados Unidos, Brasil, México, Argentina e Canadá. Contudo, esses filmes aqui citados são apenas alguns poucos exemplos do imenso potencial dessas nações de território pequeno na arte cinematográfica.

FILMES ESSENCIAIS
Eu sou Cuba (1964)
Now! (1965)
Memórias do subdesenvolvimento (1968)
Três tristes tigres (1968)
Lucía (1968)
El chacal de Nahueltoro (1969)
A terra prometida (1973)
Santa sangre (1989)
Morango e chocolate (1993)
Dependência sexual (2003)

Continua →

Continuação →

Machuca (2004)
Whisky (2004)
Play (2005)
Hamaca paraguaya (2006)
O banheiro do papa (2007)
A criada (2009)
El vuelco del cangrejo (2009)
As viagens do vento (2009)
A teta assustada (2009)
Gatos viejos (2010)
Post mortem (2010)
As cores da montanha (2010)
Violeta foi para o céu (2011)
Las malas intenciones (2011)
7 caixas (2012)
No (2012)
A dança da realidade (2013)
Pelo malo (2013)
O Libertador (2013)
Numa escola de Havana (2014)
Carga sellada (2015)
O abraço da serpente (2015)
De longe te observo (2015)
A passageira (2015)
Poesia sem fim (2016)
Uma mulher fantástica (2017)
Cocaine prison (2017)
Uma noite de 12 anos (2018)
As herdeiras (2018)

15. OCEANIA

Austrália

Esse país tão distante do centro nervoso cultural internacional entrou para a história do cinema como o primeiro a produzir um longa-metragem no mundo. Mas os bastidores de *The story of the Kelly Gang* (1906), de Charles Tait, não são dos mais felizes. A trama, que contava a história do fora da lei Ned Kelly, pintava a polícia vitoriana de forma bastante negativa e até simpatizava com o bandido, que foi enforcado 26 anos antes do lançamento do filme. Porém, com o sucesso da produção, a Austrália seguiu a tradição inglesa de abraçar a censura sempre que algo contrariasse os interesses políticos e morais e introduziu uma lei que impedia a produção dos chamados *bushranger films*, os quais abordavam personagens ou ações que contrariassem a lei. A censura só foi retirada nos anos 1940, o que afetou consideravelmente o florescimento da indústria cinematográfica australiana. Para piorar a situação, a censura contribuiu para que *The story of the Kelly Gang* desaparecesse. Até o começo do século 21, menos de 17 minutos de sua duração original de 70 minutos havia sido recuperada. A razão da perda – não só desse filme, mas de grande parte do cinema mudo australiano – é a mesma que acometeu grande parte dos países do mundo: o alto grau de inflamabilidade do nitrato contido nas películas fílmicas. Mas o pouco que sobrou do primeiro longa-metragem mundial revela um pioneirismo dos primórdios da linguagem cinematográfica pouco visto nas primeiras duas décadas. Desafiando todas as limitações tecnológicas – o peso da câmera, as lentes precárias e a falta de iluminação adequada –, Charles Tait soube, também, driblar a própria necessidade de montagem, pois orquestrou muito bem a disposição de personagens e espaços vazios nos cenários, de modo que a atenção do público fosse levada sempre para a ação.

Enquanto isso, o governo australiano contratou Bert Ive para fazer filmes que propagassem positivamente a vida, a natureza e a civilização do país para o mundo. No entanto, com o advento da Segunda Guerra Mundial, o departamento governamental responsável pela produção cinematográfica – The Cinema Branch – passou a produzir filmes de propaganda para fins de mobilização interna e internacional, com coproduções com os Estados Unidos e a Inglaterra. Aliás, o primeiro longa colorido totalmente financiado e feito por australianos foi *The Queen in Australia* (1954), sobre a visita da Rainha Elizabeth II ao país.

Mesmo após tantos anos, o cinema da Austrália continuou fortemente controlado pelo governo, que em 1956, com a Commonwealth Film Unit (CFU), retomou a produção de documentários e ficções que exploravam a natureza dentro e ao redor do país, com destaque para *The way we live* (1959) – filme que mostrava o modo de viver australiano a fim de encorajar a imigração de britânicos. Os povos indígenas nativos do continente só começaram a receber atenção do cinema nos anos 1960. Em 1967, o britânico Ian Dunlop dirigiu o documentário *Desert people* (1967), indicado ao Leão de Ouro no Festival de Veneza, fazendo uma aproximação pioneira – e bastante tardia – das populações nativas, de seus hábitos e de sua cultura.

Nos anos 1970, o CFU ganhou outro nome – Film Australia – e abraçou diretores mais ousados, influenciados pelos movimentos cinematográficos internacionais, a fim de tirar o país do ostracismo audiovisual. A partir desse momento, a cinematografia australiana ganhou tamanho impulso que a imprensa local cunhou até o termo Novo Cinema australiano, um tanto exagerado quando comparado com os novos cinemas da França, da Argentina e do Brasil. Mas a nova onda incluiu, também, muitos filmes comerciais de baixo orçamento, como as comédias *ocker*, expressão usada no país para se referir aos australianos brutos ou incultos. Algumas dessas comédias tinham um texto bem sofisticado, rindo da masculinidade desses brutamontes e da cultura australiana tradicional numa época em que o mundo começava a rejeitar alguns de seus valores.

Logo no início da década, os diretores Brian Hannant, Oliver Howes e Peter Weir filmaram *Three to go* (1971), sobre três jovens australianos e suas decisões relacionadas com o futuro dentro do país. Nesse momento, diversos diretores surgiram, embora grande parte dos seus trabalhos mais notórios tenha aparecido mais tarde. A animação *Leisure* (1976), de Bruce Petty, sobre como não morrer de tédio, deu ao país o Oscar de melhor curta de animação. Outro curta, *Cane toads: an unnatural history* (1988), de Mark Lewis, levou o Bafta ao falar da invasão de uma espécie de sapo da América do Sul que causou um problema social imenso no continente.

Porém, bem antes disso, um longa-metragem de um britânico foi responsável por agitar a produção cinematográfica do país. Nicolas Roeg dirigiu *A longa caminhada* (1971), sobre uma garotinha e seu irmão que veem o pai morrer num piquenique e passam a andar a pé por toda a Austrália. Aos poucos, essa espécie de *road movie* entrega uma linda transformação da cultura britânica em contato com os aborígenes, além de experiências místicas e irracionais ligadas à natureza e ao céu. Quando eles finalmente voltam para o mundo moderno ocidental, sentem-se perdidos e deprimidos.

O filme causou certo mal-estar entre a classe artística australiana: como uma obra tão bem-feita dentro do país precisou de produção estrangeira? O fato é que o filme ajudou a despertar, finalmente, a vontade de fazer cinema nos australianos. Logo Peter Weir dirigiu *Confusão em Paris* (1974), uma saborosa comédia-horror com toques de ficção científica em que acidentes de carros são usados como meio de subsistência. Seu filme seguinte, *Piquenique na montanha misteriosa* (1975), levou o Bafta com o drama de três alunas e uma professora que desaparecem numa excursão no ano de 1900. A trama acompanha as desaparecidas e aqueles que ficaram para trás, trazendo mais perguntas do que respostas. Baseado no romance de Joan Lindsay, o filme foi um enorme sucesso, tanto que as pessoas acharam ter sido baseado em fatos reais. Seu mérito reside também não apenas em explorar bem as paisagens lindíssimas do país, mas pôr em xeque os tradicionalismos arraigados da cultura australiana, sua subserviência aos britânicos e o desprezo pelos aborígenes.

Uma diretora que também ajudou a levantar a produção cinematográfica australiana foi Gillian Armstrong. Seu primeiro filme, *As quatro irmãs* (1979), ambientado no período vitoriano, conta a história de uma jovem de espírito independente, que se rebela contra a pressão para se casar e decide focar na carreira, até que dois pretendentes aparecem. O sucesso do filme foi tão grande que a mocinha, Judy Davis, se tornou uma das atrizes australianas mais requisitadas internacionalmente, trabalhando com diretores como Woody Allen. Contemporâneo a ela foi Phillip Noyce, diretor que soube abordar muito bem um tema esquecido e rejeitado do cinema australiano: o racismo. Noyce fez *Backroads* (1977), sobre dois amigos, um branco e outro negro, que viajam pelos desertos imensos e só encontram problemas. Já o racismo contra os aborígenes foi mais bem trabalhado por Fred Schepisi em *O canto de Jimmie Blacksmith* (1978). Indicado à Palma de Ouro no Festival de Cannes, fala de um rapaz filho de aborígene com pai branco que sofre imensa violência psicológica por ter se casado com uma mulher branca.

O lado positivo de falar o mesmo idioma de Hollywood é poder sediar filmes comerciais que, se bem roteirizados e produzidos, terão a língua como irradiador para as salas de cinemas do mundo todo. Foi essa a sorte do australiano George Miller, cujo primeiríssimo longa-metragem, *Mad Max* (1979), já foi um *hit* internacional e gerou uma trilogia homônima. Outro exemplo de filme australiano que teve grande apelo nas bilheterias dos Estados Unidos foi *Crocodilo Dundee* (1986), que acentuou os clichês imagéticos da Austrália para o mundo, mas abriu um filão de continuações.

O mesmo se pode dizer de Baz Luhrmann, que na carona do sucesso das imagens da Austrália mostradas pelos colegas mundo afora ganhou o Prêmio da Juventude do Festival de Cannes com o primeiro longa, o musical *Vem dançar comigo* (1992) – o que foi suficiente para levá-lo a Hollywood. Também foi o caso de Chris Noonan, que arrebatou multidões nos cinemas com *Babe, o porquinho atrapalhado* (1995) e fez as malas para o Ocidente. E (de novo) o mesmíssimo destino teve P. J. Hogan, que centrou sua narrativa numa personagem desajustada em *O casamento de Muriel* (1994), sobre uma moça do interior que foge para Sidney para se casar e viver a vida da cidade grande, superando desafios maiores do que ela poderia imaginar. Após o longa, o diretor abraçou superproduções norte-americanas e não olhou para trás.

Já Stephan Elliott ainda esperou uma modesta coprodução antes de fazer as malas depois do imenso sucesso de *Priscilla, a rainha do deserto* (1994) – *road movie* musical mais famoso da Austrália, que ressuscitou a era do disco no cinema ao contar a história de três *drag queens* e sua jornada de ônibus de Sidney para Alice Springs. Com diálogos afiados, o sucesso do filme surpreendeu até a Elliott, que também foi roteirista. Enquanto *Mad Max* acentuava o lado macho alfa australiano, *Priscilla* trazia figurinos coloridos (vencedores do Oscar) no meio do deserto – uma comédia que também deu o recado sobre o respeito às minorias num

Priscilla, a rainha do deserto (1994) desafiou o conservadorismo do país e virou um sucesso internacional

país notoriamente machista. Contemporâneo a Elliott é Scott Hicks, que dirigiu *Shine – Brilhante* (1996), um dos mais premiados filmes australianos. A película foi baseada na história verídica do pianista prodígio David Helfgott, que, rejeitado pelo pai e internado numa instituição mental, recupera as forças e o vibrante talento com a ajuda da esposa.

Esses diretores reoxigenaram o cinema australiano e levaram o país aos festivais internacionais, junto com uma nova geração de atores, como Cate Blanchett, Heath Ledger, Nicole Kidman e Geoffrey Rush. Mas justamente por seu talento, eles foram absorvidos rapidamente por Hollywood, deixando, quase sempre, um vácuo cinematográfico nacional. Assim como o caso da Inglaterra, este é o lado negativo do cinema de países que compartilham a mesma língua da indústria do entretenimento mais lucrativa do mundo: fuga de cérebros, rostos e corpos milionários.

FILMES ESSENCIAIS
The story of the Kelly Gang (1906)
The Queen in Australia (1954)
The way we live (1959)
Desert people (1967)
Three to go (1971)
A longa caminhada (1971)
Confusão em Paris (1974)
Piquenique na montanha misteriosa (1975)
Leisure (1976)
Backroads (1977)
O canto de Jimmie Blacksmith (1978)
Mad Max (1979)
As quatro irmãs (1979)
Crocodilo Dundee (1986)
Cane toads: an unnatural history (1988)
Vem dançar comigo (1992)
O casamento de Muriel (1994)
Priscilla, a rainha do deserto (1994)
Babe, o porquinho atrapalhado (1995)
Shine – Brilhante (1996)

Nova Zelândia, Fiji, Papua Nova Guiné e Samoa

Pequena e distante, mas nem por isso fora do circuito cinematográfico, a Nova Zelândia viu florescer alguns talentos que, assim como no caso da vizinha Austrália, foram depois absorvidos por Hollywood. O país é quase tão conhecido quanto seu mais famoso cineasta, Peter Jackson. Mas foi de lá que também vieram Baz Luhrmann e Jane Campion. Essa diretora, por exemplo, foi indicada à Palma de Ouro do Festival de Cannes já no seu primeiríssimo longa-metragem, *Sweetie* (1989), sobre uma mulher introspectiva que vê sua vida mudar completamente com a chegada da irmã desajustada. A obra é um daqueles bons exemplos de como as atuações podem, também, ser um rico retrato da diversidade cultural do mundo: ambas as atrizes principais, Geneviève Lemon e Dorothy Barry, arrebatam emoções bem construídas na trama.

Aproveitando a repercussão de seu primeiro longa, Jane Campion concretizou o sonho de qualquer neozelandês no cinema: levar às telas a história da escritora mais famosa do país: Janet Frame. *Um anjo em minha mesa* (1990) é ambientado nos anos 1930, quando Janet cresce numa família pobre cheia de irmãos. Educada como professora e considerada anormal pela família, é internada numa instituição mental por oito anos com diagnóstico de esquizofrenia, passando por tratamentos com choques elétricos até atingir a fama com seus romances. O filme arrebatou diversos prêmios no mundo, sobretudo no Festival de Veneza, devido à intensa atuação da protagonista, vivida por Kerry Fox. Após esse segundo sucesso, Jane Campion obteve US$ 7 milhões para dirigir uma coprodução com a Austrália, *O piano* (1993). No filme, ela parece se inspirar na repressão real a Janet Frame para falar da repressão histórica contra a mulher – agora na Nova Zelândia dos anos 1850, para onde uma mulher é enviada com a filha a fim de concretizar um casamento arranjado com um dono de terras, mas logo é cobiçada por um trabalhador local. O filme, protagonizado por Holly Hunter e Harvey Keitel, foi um enorme sucesso de crítica, talvez o maior da história do país, levando a Palma de Ouro em Cannes e indicação a oito categorias do Oscar. Aglutinou talentos de todos os cantos do mundo e colocou a Nova Zelândia como cenário brilhantemente fotografado. Seus enquadramentos e planos reforçavam o isolamento daquele canto do mundo, fundamental para a composição da narrativa e dos personagens.

Na época em que Janet lançou seu primeiro filme, Peter Jackson estreou com o longa-metragem *Trash – Náusea total* (1987) – que, como o próprio nome diz, é um filme de horror *trash-cult* sobre o desaparecimento da população de uma pequena cidade, substituída por alienígenas em busca de carne humana para uma cadeia de *fast-food* intergaláctica. Embora tenha tido pouca repercussão de público e nenhuma em festivais significativos, o filme trabalhou com um orçamento minúsculo para o gênero, mostrando o potencial de Jackson como produtor e roteirista de filmes comerciais. À época, ele tinha apenas 26 anos de idade. Seu próximo longa, um terror musical *trash*, foi *Conheça os Feebles* (1989). Contando com o triplo do orçamento, mostrava "adoráveis" insetos que veneravam a morte, uma espécie de *Muppets* para adultos. Com esses dois longas, Peter Jackson conseguiu um orçamento de US$ 3 milhões em seu país para *Fome animal* (1992), que amealhou os mais importantes prêmios dos festivais dedicados a terror e ficção científica. Foi o último filme do diretor feito inteiramente na Nova Zelândia, pois a Miramax o chamou para uma produção internacional: *Almas gêmeas* (1994), estrelado por Kate Winslet e baseado na história real de duas garotas que cometem um crime terrível para poder ficar juntas. Depois, Jackson recebeu US$ 30 milhões da Universal para fazer *Os espíritos* (1996) – sua última obra de terror antes de embarcar na trilogia que tornaria as paisagens da Nova Zelândia conhecidas no mundo inteiro por meio da saga de *O senhor dos anéis*.

Outro talento que migrou após um grande sucesso internacional foi Niki Caro, autora de um dos mais vistos e premiados filmes neozelandeses: *Encantadora de baleias* (2002). Essa coprodução com a Alemanha, narrada segundo a linguagem hollywoodiana, teve como pano de fundo histórias, símbolos e mitos dos maoris, os povos nativos do país, personificados em uma garota de 11 anos, que desafia o avô – e séculos de tradição – ao assumir a chefia de sua tribo. O sucesso do filme abriu caminho para outras coproduções, agora com os Estados Unidos. Foi o caso de *Desafiando os limites* (2005), do australiano Roger Donaldson, baseado na história real do neozelandês Burt Munro – vivido por Anthony Hopkins –, que passou anos reconstruindo uma motocicleta e quebrou o recorde mundial de velocidade nos Estados Unidos na década de 1960.

O primeiro longa-metragem das ilhas Fiji foi o encantador *The land has eyes* (2004), do diretor Vilsoni Hereniko. O filme narra a história de uma jovem, Viki, que tenta escapar das tradições culturais da ilha, mas quando seu pai morre ela se agarra a mitologias de mulheres guerreiras para brigar por liberdade e justiça. Além da atuação eficiente da estreante Sapeta Taito, as paisagens e os ritos locais fazem do filme uma bela estreia do país na cinematografia.

Já o primeiro longa-metragem de Samoa foi uma coprodução com a Nova Zelândia que arrebatou dez prêmios internacionais, inclusive alguns no Festival de Veneza. Dirigido pelo samoano Tusi Tamasese, *The orator* (2011) conta a tocante história do agricultor Saili, casado com Vaaiga, com quem tem a filha adolescente Litia. Cada personagem vive um tipo de conflito e o filme acaba usando dramas pessoais como retrato da cultura samoana, na qual a família é o suporte mais precioso até para lidar com os valores tradicionais sociais. Inspirado no que o próprio diretor viu ao crescer na ilha, o filme foi, para ele, uma espécie de ritual de amadurecimento próprio e conciliação dos valores tradicionais com o mundo do século 21.

Por sua vez, Papua Nova Guiné estreou nos cinemas muito antes, com o docudrama *Wokabaut Bilong Tonten* (1974), financiado pelo governo local com a ajuda da Film Australia. A trama mostra a ascensão do país como nação independente, personificada na trama de Tonten, um jovem em busca do irmão perdido que, durante a busca, se casa com uma garota das montanhas.

O australiano Chris Owen se tornou conhecido por fazer documentários etnográficos sobre os habitantes de Papua Nova Guiné, como *Man without pigs* (1991), sobre o esforço de um homem saído da universidade que tenta se reintegrar ao povo de seu país. Do mesmo ano, a comédia dramática *Tinpis run* (1991), dirigida por Pengau Nengo, conta a história de um dos chefes das tribos das montanhas que é salvo por um garoto da cidade e, em troca, oferece sua filha como agradecimento. Mas o casal arranjado se recusa a ser feliz ante as normas da cultura, ainda que ambos estejam apaixonados.

O filme mais premiado de Papua Nova Guiné é o documentário *Black harvest* (1992), dirigido pelo australiano Robin Anderson. A coprodução do país com a Austrália explora a vida de Joe Leahy, mestiço de pai branco e mãe nativa e líder de uma tribo que controla uma plantação de café. Mas a queda internacional do preço do produto causa uma disputa com o povo ganiga, que trabalha na colheita ganhando menos.

Ainda que esses países tenham uma indústria cinematográfica relativamente pequena, os esforços pessoais e coletivos de alguns artistas do audiovisual tornaram sua cultura visível e eternizada naquela que até hoje é chamada de sétima arte.

FILMES ESSENCIAIS
Wokabaut Bilong Tonten (1974)
Trash – Náusea total (1987)
Conheça os Feebles (1989)
Sweetie (1989)
Um anjo em minha mesa (1990)
Man without pigs (1991)
Tinpis run (1991)
Fome animal (1992)
Black harvest (1992)

Continua →

Continuação →

O piano (1993)
Almas gêmeas (1994)
Os espíritos (1996)
Encantadora de baleias (2002)
The land has eyes (2004)
Desafiando os limites (2005)
The orator (2011)

16. DOCUMENTÁRIO: CONSTRUINDO O REAL

Como se pode notar até aqui, o foco deste livro foi a história do cinema ficcional, que conseguiu construir uma ampla variedade de narrativas, linguagens e elementos técnicos e estéticos para dar conta da complexidade cultural do mundo desde o final do século 19. No entanto, é impossível fechar estas páginas sem falar da imensa contribuição dos documentários para a própria história do cinema. Embora a história dos documentários seja, talvez, tão vasta quanto a da ficção, não se pretende, aqui, aprofundar o tema, mas pontuar alguns dos mais importantes diretores, documentários e propostas – tendo consciência, sempre, de que o assunto merece um livro à parte.

Como vimos no primeiro capítulo, o cinema nasceu no formato que, pouco tempo depois, seria conhecido como documentário, com os primeiros filmes dos irmãos Auguste e Louis Lumière. A partir de então, diversos cineastas partiram da defesa do documentário como método para captar a realidade. O cineasta escocês John Grierson, por exemplo, que ajudou a popularizar o termo "documentário", dizia que este era mais eficiente para explorar a riqueza da vida que a ficção, uma espécie de tratamento criativo para os elementos da atualidade. Já o soviético Dziga Vertov dizia ser missão do documentarista provocar a vida com a câmera, captando-a de surpresa.

Este entusiasmo pelas possibilidades de "registrar" a vida com a nova tecnologia empolgou de tal forma os irmãos Lumière que eles não patentearam sua invenção e até mesmo incentivaram sua circulação pelo mundo, a fim de eternizar os grandes momentos da história da humanidade – como a coroação do czar Nicolau II, ocorrida em Moscou em 18 de maio de 1896. Mas as primeiras películas da história do cinema, como *A chegada do trem à estação* (1895), eram chamadas de filmes de atualidade, pois o termo documentário viria a se popularizar alguns anos depois. Estes primeiros filmetes tinham poucos minutos de duração, ainda que Enoch J. Rector também tenha gravado 90 minutos seguidos de uma luta de boxe, que virou um dos primeiros documentários em longa da história, *The Corbett-Fitzsimmons fight* (1897). A partir de então, o entusiasmo com o cinema fez que muitos captassem todo tipo de imagem, de cirurgias médicas a passeios pelas ruas das cidades.

Mas o mero registro nem sempre era visto como forma eficiente de preservar as histórias humanas. Edward S. Curtis, por exemplo, achou que a melhor forma de mostrar ao mundo a cultura dos kwakiutl, povo original do Canadá, era encenar seus hábitos e diálogos de forma mais aproximada possível da realidade, o que gerou o filme *Land of the head hunters* (1914), que já rompeu com barreiras e definições fáceis do gênero. Afinal, é documentário se existe encenação ou simulação?

A Romênia foi um dos primeiros países a lançar documentários biográficos, com *Eminescu, Veronica, Creanga* (1915), sobre a vida e a relação dos escritores Mihai Eminescu, Veronica Micle e Ion Creanga. Documentários sobre expedições também se tornaram populares, como *South* (1919), de Frank Hurley, sobre a tentativa fracassada da expedição de Ernest Shackleton à Antártida.

O primeiro documentário de grande notoriedade da história do cinema foi *Nanook, o esquimó* (1922), feito por Robert J. Flaherty num estilo influenciado pelo Romantismo e também usando a técnica de encenação de Curtis, pois ele queria registrar como o povo Nanook vivia no Norte do Canadá antes da época das filmagens. Assim, muitas passagens são encenadas, como a construção de iglus e métodos de caça usados séculos antes por aquele povo. Esse estilo foi chamado de "observação participante", na qual o corpo de documentaristas interferia propositadamente no objeto filmado. Ou seja, definir documentário é uma missão difícil desde seus primórdios, porque aqui há encenação para a câmera, sem o registro espontâneo do povo. Flaherty foi criticado por representar de forma simplista e romântica a vida dos Nanooks, tentando, em vão, filmar a vida deles de forma atemporal e imprimindo a visão do branco da cidade sobre o bom selvagem das terras longínquas.

Um grande entusiasta da narrativa documental foi o escocês John Grierson, a tal ponto de dizer que escolher fazer documentários em vez de ficção era uma responsabilidade poética. Fundador da Escola Inglesa de Documentário, foi responsável pela afirmação do gênero e por sua importância social de registro e reflexão das grandes questões da sociedade. Grierson via um potencial imenso no documentário na promoção da cidadania. Seu filme mais famoso foi *Drifters* (1929), que retratou a vida de pescadores no Norte da Grã-Bretanha.

Os movimentos de vanguarda que alcançaram todas as formas de expressão artística nos anos 1920 também influenciaram os documentários, sobretudo um tipo específico que ficou conhecido como "sinfonias urbanas". O Cubismo, o Impressionismo e, principalmente, o Construtivismo foram fundamentais para essa maneira extremamente artística e experimental de captar o movimento das cidades, os hábitos de vida de seus cidadãos e seus detalhes cotidianos. Um dos primeiros foi *Manhatta* (1921), de Paul Strand e Charles Sheeler, que mostrava os trabalhadores, arranha-céus, pontes e ruas de Nova York.

Mas uma das sinfonias urbanas mais importantes da história foi feita por um brasileiro radicado na França, considerado por John Grierson um dos maiores estetas do cinema, capaz de dramatizar a realidade e direcionar a atenção dos espectadores para as questões sociais mais importantes daquela época. Seu nome era Alberto Cavalcanti, diretor da obra-prima *Rien que les heures* [*Somente as horas*] (1926), que mostrou o cotidiano de Paris e, como poucos de sua época, os excluídos sociais e os cantos marginalizados, longe dos cartões-postais da cidade. Num contraponto estético à obra de Cavalcanti, Jean Vigo fez *A propósito de Nice* (1930), que deixou de lado as imagens feias da cidade e mostrou a beleza e o turismo dessa região costeira da França. Observando tudo a distância, seu mérito está no ritmo e na harmonia dos movimentos da cidade com seus habitantes, tudo matematicamente sincronizado pela câmera, com a liberdade narrativa dos melhores artistas de vanguarda daquela época.

Ao lado da sinfonia urbana de Cavalcanti, duas obras-primas igualmente memoráveis foram *Berlim: sinfonia da metrópole* (1927), de Walter Ruttmann, e *Um homem com uma câmera* (1929), de Dziga Vertov. Ruttmann quis captar as imagens de Berlim e editá-las na forma de poesia imagética, escolhendo ângulos e enquadramentos muito subjetivos e pessoais, num ritmo de troca de planos muito ágil para a época, e bem mais rápido que as ficções. Tudo sincronizado com sinfonias musicais que davam o tom emotivo e narrativo à trama.

Mas foi Dziga Vertov em *Um homem com uma câmera* quem, sem dúvida, primeiro revolucionou a linguagem documental. Com seu conceito de cine-olho, pretendia fazer da câmera o instrumento para ver o que os olhos não enxergavam, ir além da mera reprodução, mas sem cair em simbolismos espirituais. Captando instantes, objetos, pessoas e elementos fugazes, Vertov manipulava-os com inversões de projeção, aceleração dos *frames*, sobreposições, fusões, justaposições e ângulos de causar vertigem. Para tradicionalistas como John Grierson, aquilo definitivamente não era documentário, pois passava longe do mero registro compreensível – como se isso fosse o limite natural de um documentário. Amante da vida moderna como os futuristas de sua época, Vertov filmava a velocidade, a mecanização e a industrialização, sendo o homem um elemento harmônico no meio disso tudo. Outro conceito importante para Vertov era o de cinema direto, cuja captação estava essencialmente ligada aos princípios de montagem, negando encenações, mas reconstruindo imagens meramente captadas. As imagens da cidade em ritmo alucinante, dos cidadãos acordando, são contrapostas com o próprio fotograma congelado, denunciando a manipulação fílmica do mundo.

As tais fronteiras entre a ficção e o documentário nunca foram importantes entre os construtivistas russos. Embora Sergei Eisenstein tenha se dedicado à ficção, ele utilizou o tom de documentário para reconstruir os acontecimentos que derrubaram a monarquia, em 1917, até a instalação do regime que daria luz à União Soviética no filme *Outubro* (1927), feito para comemorar o aniversário da revolução.

Muito criticadas pelo tradicionalista John Grierson, que chegou a dizer que tais obras eram tudo que o documentário não deveria ser, as sinfonias urbanas tinham como premissa a ideia de que as pessoas são fruto do ambiente em que vivem; por isso, captar o ambiente, o cotidiano, era desvelar a cultura dos cidadãos e daquela época.

Enquanto os anos 1920 e 1930 entregaram ao mundo as belíssimas sinfonias urbanas, foram também as décadas em que governos totalitários se deram conta do potencial narrativo do cinema como arma de propaganda ideológica. De todos os filmes de propaganda feitos, nenhum é tão importante para ser estudado quanto *O triunfo da vontade* (1935), dirigido por Leni Riefenstahl. Não se trata apenas de um documentário que registrou o primeiro grande comício do Partido Nacional Socialista em Nuremberg, em 1934, após a chegada do nazismo ao poder na Alemanha no ano anterior, com a nomeação de Adolf Hitler como chanceler do país. A diretora montou um arsenal cinematográfico para captar todos os ângulos possíveis do comício, com o objetivo de incentivar a glorificação do partido e a deificação de Hitler. O documentário começa com imagens de algo pairando entre as nuvens e o sol, enquanto lá embaixo milhares de pessoas acenam e olham para o céu. Com uma trilha envolvente, que mistura Richard Wagner e música folclórica alemã, movimentos coreografados de soldados e a onipresença de bandeiras nazistas, logo desce do avião, em clima de suspense, a "salvação" que o povo alemão esperava: Adolf Hitler. Sem abrir mão do dualismo problema-solução em sua narrativa, *O triunfo da vontade* mostrou como única solução o partido e seu líder. É simplesmente assustador saber que uma quantidade imensa de alemães foi disposta em blocos absolutamente lineares para que a câmera de Leni os filmasse de cima, enquanto o líder caminhava triunfante no corredor entre eles. O documentário mostra uma massa pronta para agir, em perfeita harmonia e solidariedade ao país. As únicas imagens humanas que não são filmadas como massa são de Hitler e dos demais líderes nazistas. A câmera está sempre em movimento, sempre tomando o cuidado de mostrar a vontade do povo alemão – que dá nome ao filme – de levar o país à frente, negando qualquer alienação social. Desde a luz do sol que paira sobre a mão de Hitler até o suspense, típico da ficção, com o discurso dele em Nuremberg, tudo foi pensado e autorizado pelo partido, com um batalhão de 120 técnicos e mais de 30 câmeras à disposição da diretora, que morreu aos 101 anos, em 2003, negando ter sido na-

O triunfo da vontade (1935), uma perigosa obra-prima do cinema de propaganda ideológica, de Leni Riefenstahl

zista, mas apenas cumprido ordens de quem a contratou. O fato é que *O triunfo da vontade* acordou o mundo para os danos incalculáveis que o cinema pode causar como arma de propaganda de guerra. As técnicas da diretora até hoje são estudadas e influenciaram algumas cenas dos *blockbusters* mais vistos da história de Hollywood. Mas o grande legado do filme foi a lição de que documentário é tudo menos verdade – ou, até mesmo, realidade.

Em resposta à mobilização dos filmes de propaganda feitos por alemães e italianos, o diretor Frank Capra foi contratado pelo governo dos Estados Unidos para filmar a série composta por sete documentários intitulados *Why we fight* (1942-1945). Trata-se de filmes de propaganda ideológica capitalista, cujo objetivo era mobilizar os norte-americanos a lutar contra o grande inimigo, formado por Itália, Alemanha e Japão. Capra também usou técnicas para demonizar o Eixo, escurecendo as imagens, mostrando violência e caos e ridicularizando o culto ao imperador japonês. Em contraponto, incitou o povo a preservar o "único" sistema capaz de garantir a liberdade individual: o capitalismo.

Com propósito idêntico à obra de Capra, *The Memphis Belle* (1944), de William Wyler, foi produzido pelo Departamento de Guerra dos Estados Unidos. Contou com imagens reais de dezenas de bombardeios dos Aliados, estilizados com os recursos típicos da ficção hollywoodiana, para levantar a moral das tropas num momento decisivo do conflito. Já os britânicos traduziram a vida durante a guerra com os documentários de Humphrey Jennings, como *O homem que ouvia a Grã-Bretanha* (1942) e *Fires were started* (1943), que mostravam a diversidade do povo britânico e como este lidava com as adversidades cotidianas num mundo em conflito.

Nos anos 1950, com forte influência do cinema direto de Vertov, surgiu o cinema-verdade – que graças aos avanços tecnológicos de luz, câmeras mais leves e sincronização de som conseguiu propor um cinema mais próximo da realidade, em contraposição aos filmes enclausurados na "mentira" do estúdio. Tais películas eram filmadas em locações e com equipes menores, assim como as obras de ficção da *Nouvelle Vague*. Por falar nisso, o diretor Louis Malle sempre ficou à margem dos colegas que formaram o movimento francês, mas foi autor de um importante documentário, *O mundo silencioso* (1956). Dirigido com Jacques-Yves Costeau, o filme mostrava a beleza e a brutalidade da vida marinha em diversos pontos do planeta. Já seu ilustre colega do movimento, Alain Resnais, dirigiu um curta documental imprescindível: *As estátuas também morrem* (1953), que investigou, de forma ácida, a arte africana e como ela foi vista e apropriada pelos europeus, inclusive pelos grandes museus.

Com o cinema-verdade da década de 1950, floresceu um cinema de difícil definição. O advento do cinema moderno – cujo representante maior era o Neorrealismo italiano – contaminou o documentário, introduzindo denominações, elementos narrativos e tecnologias que afetavam a relação da obra com a realidade e promoviam um embaçamento ainda maior das fronteiras entre documentário e ficção – bem como de suas respectivas relações com a realidade. Afinal, uma obra de ficção como *Roma, cidade aberta* (1945) era muito mais próxima da realidade do que um documentário destrutivo-manipulador como *O triunfo da vontade* (1935).

Em meados dos anos 1950, Alain Resnais fez *Noite e neblina* (1956), sobre os horrores nazistas. Refletiu, também, sobre como a humanidade pensa a respeito de si própria por meio do acervo da Biblioteca Nacional de Paris, em *Toda a memória do mundo* (1957). Henri-Georges Clouzot documentou o processo criativo de um gênio em *O mistério de Picasso* (1956), e Agnès Varda documentou, com a simplicidade temática da *Nouvelle Vague*, uma agradável viagem em *Ô saisons, ô châteaux* (1958) e as impressões de uma mulher grávida sobre uma rua em *A ópera Mouffe* (1958). Alguns exemplos, bem distintos entre si, que mostram como ficou difícil classificar as formas de documentário a partir do cinema moderno, em virtude da fragmentação de estilos nunca vista até então.

Jean Rouch foi o diretor do documentário mais importante do cinema-verdade. Seu *Crônica de um verão* (1961) é considerado um dos maiores filmes do gênero de todos os tempos. Produzido com o sociólogo Edgar Morin, a obra começa com uma discussão entre ambos sobre se é possível ou não ser sincero diante das câmeras, seguida por pessoas respondendo sobre se são felizes ou não. Uma simples pergunta – "você é feliz?" – foi capaz de desencadear uma infinidade de respostas sobre os mais variados temas urbanos e humanos da população naquele momento, criando um retrato multifacetado e complexo das questões parisienses. No final, eles mostraram a essas pessoas as imagens delas e discutiram o grau de realidade e verdade que o filme conseguira obter. Em outras palavras, foi a primeira vez que documentaristas e documentados ficaram no mesmo "time". "Qual é a sua opinião sobre o material captado?" era mais do que uma pergunta: era o convite para que os documentados interferissem na montagem e criassem a versão final daquilo de que eles próprios haviam sido objetos. Experimental e inovador, *Crônica de um verão* discutiu se o cinema era capaz de abraçar a realidade ou se isso realmente deveria ter importância para a sétima arte.

Durante a Guerra do Vietnã, talvez o mais memorável documentário foi *No ano do porco* (1968), de Emile de Antonio. Sua riqueza reside nas imagens dos bastidores do conflito que não eram usadas pelo governo norte-americano porque sugeriam interpretações controversas que ajudaram o mundo a ficar contra a guerra. Bastante formal em sua narrativa, o filme de Emile tem como mérito uma montagem precisa.

O cinema brasileiro dos anos 1960 – dentro e fora do Cinema Novo – também produziu documentários emblemáticos. Leon Hirszman debateu o analfabetismo em *Maioria absoluta* (1964), Glauber Rocha construiu as bases de suas críticas políticas em *Maranhão 66* (1966) e Paulo César Saraceni cutucou nossos paradoxos diante da diversidade racial e da presença do negro no Brasil em *Integração racial* (1964). Pouco depois, o chileno Patricio Guzmán dirigiu uma trilogia extraordinária, *A batalha do Chile* (1975-1979). Com quase cinco horas de duração no total, a obra documentou os meses que antecederam o golpe militar no país, o próprio golpe de estado e a resistência popular à ditadura, incluindo o material de um cinegrafista que trabalhava enquanto levou um tiro e foi morto. A obra teve de ser finalizada em Cuba e influenciou o documentário militante do mundo inteiro.

Grandes nomes e eventos da música também foram abraçados por documentaristas em inúmeras obras. Vale destacar duas delas em especial. *Woodstock – 3 dias de paz, amor e música* (1970), de Michael Wadleigh, é o mais apaixonante olhar sobre o festival de rock e contracultura ocorrido no estado de Nova York. Wim Wenders se embrenhou na narrativa documental com maestria em *Buena Vista Social Club* (1999), acompanhando o guitarrista Ry Cooder em Cuba para apresentar o grupo musical mais emblemático da ilha.

A relação do documentário com a música gerou outras experiências notáveis no cinema. Se as sinfonias urbanas utilizavam dos conceitos de harmonia e ritmo musicais para o fluxo de imagens proposto na obra, nos anos 1980 outras experiências com música foram feitas. É o caso de *Koyaanisqatsi: uma vida fora de equilíbrio* (1982), de Godfrey Reggio, que registrou fenômenos humanos e da natureza e entrelaçou-os sem seguir necessariamente uma lógica, mas priorizando a emotividade com uma trilha absolutamente impactante e sincronizada com os movimentos das imagens.

O documentário brasileiro ganhou fôlego nos anos 1990. Porém, um ano antes, Jorge Furtado lançou *Ilha das Flores* (1989), curta documental vencedor do Urso de Prata em Berlim. A película foi um soco no estômago de plateias do mundo inteiro, ao revelar o ciclo dos alimentos no local que dá nome ao filme, desprezados por humanos e pelos porcos até virar objeto de disputa de famílias num lixão.

Marcelo Masagão trabalhou com uma série de colagens e imagens de arquivo para discutir o século 20 em *Nós que aqui estamos por vós esperamos* (1999), enquanto João Moreira Salles aprofundou a discussão sobre a violência no Rio em *Notícias de uma guerra particular* (1999), época em que já captava imagens que depois seriam material do seu belíssimo documentário *Santiago* (2006). Já um dos maiores gênios do documentário mundial, o brasileiro Eduardo Coutinho – diretor do já mencionado *Cabra marcado para morrer* (1984) –, fez seus melhores trabalhos a partir dos anos 1990. Capaz de tirar de seus documentados depoimentos, expressões e emoções que pouquíssimos entrevistadores conseguiram com tamanha verdade e originalidade, Coutinho discutiu a religiosidade nas favelas do Rio em *Santo forte* (1999), a pluralidade humana em *Edifício Master* (2002) e chegou ao ápice com *Jogo de cena* (2007), obra-prima que estremece de vez as finíssimas barreiras que separam a ficção do documentário, com mulheres que falam de suas experiências pessoais sem que nunca tenhamos certeza se são atuações ou depoimentos reais. E, talvez, a atuação pareça mais verdadeira do que a própria realidade vivida.

A China também teve importantes documentários feitos nos anos 1990, ainda que reservados para exibições em festivais ou sessões privadas, pois foram proibidos pelo governo. Na época dos protestos da Praça da Paz Celestial, o documentarista Wu Wenguang fez *Bumming in Beijing: the last dreamers* (1990), que mostrava a rotina de artistas, operários, empregados e marginalizados em geral, buscando a autenticidade da vida do outro.

A partir do final do século 20 e início do 21, os documentaristas procuraram, também, formas de narrar que atingissem grandes audiências, como sempre fez a ficção hollywoodiana. Em outras palavras, tradicionalmente o documentário foi visto como uma produção mais enxuta, ágil, democrática e antiestúdio. Mas por que não produzir documentários com toda a superprodução orçamentária dos *blockbusters* da ficção? Deu certo para alguns deles.

O norte-americano Michael Moore, por exemplo, foi hábil em utilizar os aparatos típicos da ficção – trilha envolvente, roteiro com suspense escalonado, enquadramentos que reforçam sentimentos humanos – para endossar sua posição diante de temas muito polêmicos, o que inclui a escolha meticulosa dos dados e pessoas a ser incluídos em (e excluídos de) seus filmes. Foi assim quando ganhou o Oscar por *Tiros em Columbine* (2002), quando discutiu a tara dos norte-americanos pelas armas; e também em *Fahrenheit 11 de setembro* (2004), quando revelou a suposta agenda do então presidente George W. Bush para capitalizar com os ataques terroristas promovendo guerras no Iraque e Afeganistão; já em *Capitalismo: uma história de amor* (2009) mostrou como as grandes corporações sugam dos mais pobres num sistema permanentemente injusto.

A colagem de imagens de outros filmes foi o recurso utilizado pelo britânico Simon Pummell em *Bodysong* (2003), que resgatou registros dos últimos 100 anos do cinema para contar a história da própria humanidade. Já o francês Luc Jacquet usou os mesmos elementos de dramatização de Moore no documentário *A marcha dos pinguins* (2005). Embalado por uma trilha envolvente e enquadramentos imersivos, Jacquet criou um conto de fadas, ao mesmo tempo doce e cruel, sobre a vida selvagem no gelo, com pinguins que só faltam falar de tão bem explorados para emocionar o público.

Por sua vez, a técnica encontrada por Morgan Spurlock foi servir de cobaia para o próprio documentário, *Super size me – A dieta do palhaço* (2004), no qual ele se propôs a passar um mês se alimentando apenas de produtos do McDonald's para ver como seu corpo reagiria em termos de peso, saúde, energia etc. A estratégia de Davis Guggenheim foi caprichar ainda mais na trilha musical – que lhe rendeu um incomum Oscar dessa categoria para documentários – e apelar para autoridades máximas e notórias em *Uma verdade inconveniente* (2006). A película acompanha o ex-vice-presidente e ex-candidato à presidência dos Estados Unidos, Al Gore, em sua cruzada para chamar a atenção do mundo para os danos irreparáveis do aquecimento global.

O advento das tecnologias digitais fez muitos documentaristas – inclusive os brasileiros Eduardo Escorel e João Moreira Salles – se perguntarem qual seria o papel de sua profissão num mundo onde todos podem documentar. A importância do olhar do documentarista e, em consequência, de seu documentário fica clara para o diretor francês Jean-Louis Comolli em seu artigo "Sob o risco do real" (2001):

> Hoje em dia os roteiros não se contentam mais em organizar o cinema de ficção, os filmes de televisão, os jogos de vídeo, as agências matrimoniais, os simuladores de voo. A ambição deles ultrapassa o domínio das produções do imaginário para colocar em sua responsabilidade as linhas de ordem que enquadram aquilo que se deve precisamente nomear "nossas" realidades: da bolsa de valores às pesquisas, passando pela publicidade, meteorologia e comércio. Os "previsionistas" não são utopistas e o poder dos programadores não é virtual. Assim, mil modelos regulam os dispositivos sociais e econômicos que nos mantêm em sua dependência. [...] Por isso é que os roteiros, que se instalam em todo lugar para agir (e pensar) em nosso lugar, se querem totalizantes, para não dizer totalitários. [...] Longe de "toda-ficção de tudo", o cinema documentário tem, portanto, a chance de se ocupar das fissuras do real, daquilo que resiste, daquilo que resta, a escória, o resíduo, o excluído, a parte maldita. Pensemos, por exemplo, "nessas pessoas dos barracos" filmadas por Robert Bozzi, mas também em *Júlia*, filmada por Dominique Gros ou nas crianças de *Grandes como o mundo*, de Denis Gheerbrant – mas poderiam ser ainda os heróis de *Moi, un noir*, Jean Rouch, ou mesmo aquele herói de *Nanook*, Robert Flaherty. Estes personagens são precisamente aqueles que produzem buracos ou borrões nos programas (programas sociais, escolares, médicos ou mesmo coloniais), que escapam da norma majoritária, assim como da contranorma minoritária cada vez melhor roteirizada pelos poderes: contudo, eles vivem, não lhes faltando nem sofrimento nem alegria, presenciando angústias, dúvidas ou felicidades que não são, ou são pouco, aquelas dos modelos englobantes. [...] À sua maneira modesta, o cinema documentário, ao ceder espaço ao real, que o provoca e o habita, só pode se construir em fricção com o mundo, isto é, ele precisa reconhecer o inevitável dos constrangimentos e das ordens, levar em consideração (ainda que para os combater) os poderes e as mentiras, aceitar, enfim, ser parte interessada nas regras do jogo social. Servidão, privilégios. Um cinema engajado, diria eu, engajado no mundo.

Assim, seguindo o pensamento de Comolli, podemos dizer que pouquíssimos cineastas simplesmente subordinaram suas câmeras à realidade. O documentário sempre foi muito além. Trabalhar com todas as tecnologias cinematográficas – lentes, câmeras, luz, sombras, montagem, cor – e todo o talento criativo humano fez que a realidade se subordinasse à câmera e, dessa soma, nascesse uma interpretação, um recorte autoral do mundo, tão rico quanto a ficção, mas igualmente distante da verdade ou, muitas vezes, do próprio real.

FILMES ESSENCIAIS

The Corbett-Fitzsimmons fight (1897)

Land of the head hunters (1914)

Eminescu, Veronica, Creanga (1915)

South (1919)

Manhatta (1921)

Nanook, o esquimó (1922)

Rien que les heures (1926)

Berlim: sinfonia da metrópole (1927)

Um homem com uma câmera (1929)

Drifters (1929)

A propósito de Nice (1930)

O triunfo da vontade (1935)

O homem que ouvia a Grã-Bretanha (1942)

Why we fight (1942-1945)

Fires were started (1943)

The Memphis Belle (1944)

As estátuas também morrem (1953)

Noite e neblina (1956)

O mundo silencioso (1956)

O mistério de Picasso (1956)

Toda a memória do mundo (1957)

O saisons, ô châteaux (1958)

A ópera Mouffe (1958)

Crônica de um verão (1961)

Maioria absoluta (1964)

Integração racial (1964)

Maranhão 66 (1966)

No ano do porco (1968)

Woodstock – 3 dias de paz, amor e música (1970)

A batalha do Chile (1975-1979)

Koyaanisqatsi: uma vida fora de equilíbrio (1982)

Continua →

Continuação →

Ilha das Flores (1989)
Bumming in Beijing (1990)
Buena Vista Social Club (1999)
Santo forte (1999)
Nós que aqui estamos por vós esperamos (1999)
Notícias de uma guerra particular (1999)
Tiros em Columbine (2002)
Edifício Master (2002)
Bodysong (2003)
Fahrenheit 11 de setembro (2004)
Super size me – A dieta do palhaço (2004)
A marcha dos pinguins (2005)
Santiago (2006)
Uma verdade inconveniente (2006)
Jogo de cena (2007)
Capitalismo: uma história de amor (2009)

Referências

ABDULKAREEM, Alithnayn. "Nollywood is not ready to compete globally, despite what they are telling Nigerians". *Zam Magazine* (on-line). Disponível em: <https://www.zammagazine.com/chronicle/chronicle-37/699-nollywood-is-not-ready-to-compete-globally-despite-what-they-are-telling-nigerians>. Acesso em: 19 fev. 2019.

AKANDE, Segun. "Moving Nigerian filmmaking beyond Nollywood". CNN (on-line). Disponível em: <https://edition.cnn.com/2018/10/02/africa/nigeria-nollywood-international/index.html>. Acesso em: 22 abr. 2019.

ALBERA, François. *Eisenstein e o construtivismo russo*. São Paulo: Cosac & Naify, 2002.

ALFORD, Matthew. *Reel power: Hollywood cinema and American supremacy*. Londres: Pluto Press, 2010.

AMORIM, Inesita. "Um pouco de cinema dadaísta". Blog Balaio das 7. Disponível em: <https://balaiodas7.wordpress.com/2017/07/04/um-pouco-de-cinema-dadaista/>. Acesso em: 22 abr. 2019.

ANDREW, J. Dudley. *As principais teorias do cinema: uma introdução*. Rio de Janeiro: Jorge Zahar, 1976.

BAPTISTA, Mauro; MASCARELLO, Fernando (orgs.). *Cinema mundial contemporâneo*. 2. ed. Campinas: Papirus, 2002.

BERNARDET, Jean-Claude. *Cinema brasileiro: propostas para uma história*. Rio de Janeiro: Paz e Terra, 1979.

_____. *Cinema e história do Brasil*. São Paulo: Edusp, 1988.

BALLERINI, Franthiesco. *Diário de Bollywood – Curiosidades e segredos da maior indústria de cinema do mundo*. São Paulo: Summus, 2009.

_____. *Cinema brasileiro no século 21*. São Paulo: Summus, 2012.

_____. *Poder suave (soft power)*. São Paulo: Summus, 2017.

BAMBA, Mahomed; MELEIRO, Alessandra. *Filmes da África e da diáspora: objetos de discursos*. Salvador: Edufba, 2012.

BARBOSA, Haroldo Marinho. *Jean-Luc Godard*. Rio de Janeiro: Record, 1968.

BARNOUW, Erik. *Documentary: a history of the non-fiction film*. 2. ed. Oxford: Oxford University Press, 1993.

BECEYRO, Raul. *Cine y política: ensayos sobre cine argentino*. Santa Fé: Universidad Nacional del Litoral, 1997.

BERRY, Chris (org.). *Perspectives on Chinese cinema*. Londres: BFI, 1991.
BORDWELL, David. *French impressionist cinema: film culture, film theory, and film style*. Iowa: University of Iowa, 1974.
BOSE, Derek. *Brand Bollywood: a new global entertainment order*. Nova Déli: Sage, 2006.
BOSE, Mihir. *Bollywood, a history*. Stroud: Tempus, 2006
BOURDIEU, Pierre. *As regras da arte*. São Paulo: Companhia das Letras, 1996.
BRADLEY, Nicholas; ELLIOTT, Robert James. *Bollywood: behind the scenes, beyond the stars*. Singapura: Marshall Cavendish, 2006.
BRIGHT, Jake. "Meet Nollywood: the second largest movie industry in the world". *Fortune* (on-line). Disponível em: <https://fortune.com/2015/06/24/nollywood-movie-industry/>. Acesso em: 23 mar. 2019.
BUCKMASTER, Luke. "The Story of the Kelly Gang rewatched – the world's first feature-length film". *The Guardian* (on-line). Disponível em: <https://www.theguardian.com/film/2016/mar/06/the-story-of-the-kelly-gang-rewatched-the-worlds-first-feature-length-film>. Acesso em: 22 jun. 2019.
CARDINAL, Roger. *O expressionismo*. Rio de Janeiro: Jorge Zahar, 1984.
CLANFIELD, David. *Canadian film*. Oxford: Oxford University Press, 1987.
COUSINS, Mark. *História do cinema: dos clássicos mudos ao cinema moderno*. São Paulo: Martins Fontes, 2013.
COMOLLI, Jean-Louis; MAIA, Paulo (trad.); QUEIROZ, Ruben Caixeta (trad.). "Sob o risco do real". In: 5º festival do filme documentário e etnográfico/Fórum de antropologia, cinema e vídeo. Belo Horizonte, 9 a 18 dez. 2001. Disponível em: <https://issuu.com/forumdoc/docs/catalogo2001>. Acesso em: 12 maio 2013.
DIAWARA, Manthia. *African cinema: politics and culture*. Londres: Bloomington, 1992.
DIRKS, Tim. "Documentary films". FilmSite. Disponível em: <https://www.filmsite.org/docfilms.html>. Acesso em: 22 jun. 2019.
DWYER, Rachel. *100 Bollywood films*. Londres: BFI, 2005.
EBERSPACHER, Sarah. "Chasing a dream in Chinawood". *The Week* (on-line). Disponível em: <https://theweek.com/captured/445985/chasing-dream-chinawood>. Acesso em: 14 abr. 2019.
ELSAESSER, Thomas. *The new German cinema: a history*. Nova Jersey: University Press, 1989.
_____. *Early cinema: space-frame-narrative*. Londres: British Film Institute, 1990.
EPSTEIN, Edward Jay. *O grande filme*. São Paulo: Summus, 2008.
FABRIS, Mariarosaria. *O Neorrealismo cinematográfico italiano*. São Paulo: Edusp, 1996.
FELLINI, Federico. *Fazer um filme*. Rio de Janeiro: Civilização Brasileira, 2000.
FRANCISCO, Luiz. "Nollywood: vítima de sua própria receita de sucesso". *Público* (on-line). Disponível em: <https://www.publico.pt/2009/07/05/culturaipsilon/noticia/nollywood--vitima-da-sua-propria-receita-de-sucesso--235832#gs.fksZYWQY>. Acesso em: 29 mar. 2019.
GOMES, Paulo Emílio Sales. *Cinema: trajetória do subdesenvolvimento*. São Paulo: Paz e Terra, 1996.
GOMES DE MATTOS, Antonio Carlos. *O outro lado da noite: filme noir*. Rio de Janeiro: Rocco, 2001.

GUGUEN, Guillaume. "Chinawood hopes to challenge Hollywood for cinematic dominance". France 24. Disponível em: <https://www.france24.com/en/20180430-chinawood-challenge-hollywood-cinema-qingdao-oriental-movie-metropolis>. Acesso em: 29 mar. 2019.

HASIJA, Namrata. "Chinawood: not yet up to Hollywood?" Institute of Peace and Conflict Studies. Disponível em: <http://www.ipcs.org/comm_select.php?articleNo=3544>. Acesso em: 12 fev. 2019.

HILL, John; McLOONE, Martin. *Big picture, small screen: the relations between film and television*. Bloomington: Indiana University Press, 1996.

HOPEWELL, John. *El cine español después de Franco*. Madri: El Arquero, 1989.

IGWE, Charles. "How Nollywood became the second largest film industry". British Council. Disponível em: <https://www.britishcouncil.org/voices-magazine/nollywood-second-largest-film-industry>. Acesso em: 23 abr. 2019.

JEDLOWSKI, Alessandro. "Is Netflix Nollywood dreams falling?" CNBC Africa. Disponível em: <https://www.cnbcafrica.com/news/west-africa/2019/01/02/is-netflixs-nollywood-dream-failing/>. Acesso em: 29 mar. 2019.

KELLNER, Douglas. *A cultura da mídia – Estudos culturais: identidade e política entre o moderno e o pós-moderno*. Bauru: Edusc, 2001.

KEMP, Philip. *Tudo sobre cinema*. Rio de Janeiro: Sextante, 2011.

MASCARELLO, Fernando (org.). *História do cinema mundial*. Campinas: Papirus, 2012.

McNAMARA, Melissa. "Will 'Chinawood' challenge Hollywood?" CBS Evening News (on-line). Disponível em: <https://www.cbsnews.com/news/will-chinawood-challenge-hollywood/>. Acesso em: 14 set. 2018.

McINTOSH, Andrew; WISE, Wyndham. "History of the Canadian film industry". The Canadian Encyclopedia (on-line). Disponível em: <https://www.thecanadianencyclopedia.ca/en/article/the-history-of-film-in-canada>. Acesso em: 22 jul. 2019.

MELEIRO, Alessandra. *O novo cinema iraniano: arte e intervenção social*. São Paulo: Escrituras/Fapesp, 2006.

MONTEFIORE, Clarissa Sebag. "Is Chinawood the new Hollywood?". BBC (on-line). Disponível em: <http://www.bbc.com/culture/story/20140207-is-chinawood-the-new-hollywood>. Acesso em: 10 out. 2018.

NATIONAL FILM AND SOUND ARCHIVE OF AUSTRALIA. "100 years of film Australia". Disponível em: <https://www.nfsa.gov.au/latest/film-australia-chronology>. Acesso em: 22 jun. 2019.

OLIVERI, Ricardo Garcia. "Historia del cine argentino". In: RODICIO, Emilio Casares (org.). *Diccionario del cine iberoamericano: España, Portugal y América*. v. 1. Madri: SGAE, 2011, p. 420-42.

OROZCO, Federico Dávalos; CIUK, Perla. "Historia del cine mexicano". In: *Diccionario del cine iberoamericano: España, Portugal y América*. v. 5. Madri: SGAE, 2011, p. 698-724.

OVERHOFF FERREIRA, Carolin (org.). *África: um continente no cinema*. São Paulo: Ed. Unifesp: 2014.

PAQUET, Darcy. "A short history of Korean film". Koreanfilm.org. (on-line). Disponível em: <http://koreanfilm.org/history.html>. Acesso em: 14 set. 2018.

ROCHA, Glauber. *Revisão crítica do cinema brasileiro*. São Paulo: Cosac & Naify, 2003.

SADOUL, Georges. *O cinema: sua arte, sua técnica, sua economia*. Rio de Janeiro: Casa do Estudante do Brasil. 1948.

_____. *The dictionary of films*. Oakland: University of California Press, 1992.

SCHNEIDER, Steven Jay. *1001 filmes para ver antes de morrer*. Rio de Janeiro: Sextante, 2008.

SHAW, Lucas. "Can Netflix beat Bollywood?" Bloomberg. Disponível em: <https://www.bloomberg.com/news/articles/2018-06-28/can-netflix-beat-bollywood>. Acesso em: 12 nov. 2018.

SKLAR, Robert. *Film: an international history of the medium*. Nova York: Harry N. Abrams, 1996.

SMITH, Geoffrey Nowell. *The Oxford history of world cinema*. Oxford: Oxford University Press, 1999.

TEIXEIRA, Francisco Elinaldo (org.). *Documentário no Brasil: tradição e transformação*. São Paulo: Summus, 2004.

THOMPSON, Kristin; BORDWELL, David. *Film history: an introduction*. Nova York: McGraw-Hill, 2009.

TRUFFAUT, François. *Os filmes da minha vida*. Rio de Janeiro: Nova Fronteira, 1989.

TRUFFAUT, François; SCOTT, Helen. *Hitchcock/Truffaut: entrevistas*. São Paulo: Companhia das Letras, 2004.

UECHI, Gabi. "Nollywood: a explosão do cinema nigeriano". Afreaka. Disponível em: <http://www.afreaka.com.br/notas/nollywood-a-explosao-do-cinema-nigeriano/>. Acesso em: 18 jan. 2019.

VÁRIOS AUTORES. *O livro do cinema*. São Paulo: Globo, 2016.

VILLAR, Nicolás. "Chinawood: la pujante industria china del cine que promete superar a EEUU en los próximos años". Infobae. Disponível em: <https://www.infobae.com/america/entretenimiento/2017/02/08/chinawood-la-pujante-industria-del-cine-china-que-promete-superar-a-eeuu-en-los-proximos-anos/>. Acesso em: 19 ago. 2017.

XAVIER, Ismail. *Sétima arte: um culto moderno*. São Paulo: Perspectiva, 1978.

_____. *Cinema brasileiro moderno*. Rio de Janeiro: Paz e Terra, 2001.

XIANDONG, Rong; XU, Pingting; WEIJUE, Yan. "The dawn of Chinawood". *China Daily* (on-line). Disponível em: <http://www.chinadaily.com.cn/china/2011-11/15/content_14100822.htm>. Acesso em: 23 mar. 2018.

ÍNDICE ONOMÁSTICO

17 anos, 83, 86
2 filhos de Francisco, 168, 171
5 pal peso, 250, 253
7 caixas, 275, 277
20 dedos, 219, 221
71 fragmentos de uma cronologia do acaso, 200, 202
'76, 102, 105
1810 o Los libertadores de México, 255, 261
2001 – Uma odisseia no espaço, 15, 64, 69, 72, 179
2046 – Os segredos do amor, 80, 82
...E o vento levou, 37, 41

A

Abacha, Sani, 100
abraço da serpente, O, 273, 277
abraço partido, O, 252, 254
Abuladze, Tengiz, 179
Academia de Artes e Ciências Cinematográficas, 35
Academia de Cinema de Pequim, 76, 77
Academia Mexicana de Ciências e Artes Cinematográficas, 256
A caminho de Kandahar, 218, 221
Accattone – Desajuste social, 140, 144
Achhut Kanya, 89, 98
Acossado, 149, 154
ad-Din, Ibrahim Izz, 236
Adeus à linguagem, 154, 155
Adeus, minha concubina, 83, 86, 154, 155
Adiós, Roberto, 249, 253
Afolayan, Kunle, 103
África sobre o Sena, 228, 234
Agadati, Baruch, 221
Aguirre, a cólera dos deuses, 127, 130
A. I. – Inteligência artificial, 65, 70
Aiye, 100, 104
Ajami, 224, 226
Ajani Ogun, 100, 104
Ajuda-me a viver, 246, 252
Ajudante desastrado, 31, 33
Akbari, Mania, 219
Akhtar, Farhan, 91
Alam Ara, 89, 98
Alassane, Moustapha, 233
Alatriste, 198, 202
Alazraki, Benito, 257

Alberini, Filoteo, 132
al-Dighidi, Inas, 237
Alemanha, ano zero, 134, 135, 136, 137, 138, 141, 143
Alemanha, mãe pálida, 128, 130
Alemanha no outono, 128, 130
Além da linha vermelha, 67, 70
Além das fronteiras, 222, 225
Alessandrini, Goffredo, 132
A leste de Bucareste, 201, 202
Alexandria, 224, 235, 237, 238
Algo diferente, 182, 185
Alice nas cidades, 128, 130
Alighieri, Dante, 131
Allá en el Rancho Grande, 255, 261
Allá en el setenta y tantos, 246, 252
Allégret, Yves, 148
Allende, Salvador, 272, 273
Allen, Woody, 66, 251, 281
alma del bandoneón, El, 246, 252
Almas em leilão, 192, 195
Almas gêmeas, 285, 287
Almodóvar, Pedro, 197, 198, 251
alô, alô, Brasil, 158, 169
Alphaville, 151, 154
Altman, Robert, 44, 57, 58
al-Tukhi, Ahmad, 236
Alva, irmãos, 254
Álvarez, Santiago, 271
Alves, Francisco, 158
Alvorada de glória, 159, 169
Amadeus, 182
Amadori, Luis César, 246
Amanita pestilens, 264, 269
Amante por um dia, 154, 155
amantes de Pont-Neuf, Os, 153, 155
amantes, Os, 152, 153, 154, 155
Amarga esperança, 54
América, 42, 45
amigo americano, O, 128, 130
Amor, 201, 202
Amor à flor da pele, 80, 81, 82
amor é mais frio que a morte, O, 126, 130
Amor e patriotismo, 159, 169
Amores brutos, 260, 262
Amor maternal, 246, 252
Amor, sublime amor, 40, 41
Anand, Chetan, 91
Anderson, Lindsay, 192, 193
Anderson, Robin, 286
Andersson, Bibi, 188

Andersson, Harriet, 188
Andrade, Joaquim Pedro de, 160, 163, 164
Andrei Rublev, 178, 180
Andrews, Julie, 40
Angelopoulos, Theodoros, 199
ani-E'temad, Rakhshan, 219
anime, 203, 209, 213
Anjo do mal, 50, 55
anjo em minha mesa, Um, 284, 286
anjo exterminador, O, 257, 261
anões também começaram pequenos, Os, 127, 130
ano passado em Marienbad, O, 151, 154
Anos no oçá luta, 243
Antes da chuva, 184, 185
Anticristo, 190, 191
Antônio Conselheiro, 161
Antonio, Emile de, 295
Antonioni, Michelangelo, 79, 81, 138, 139, 140
Anyaene, Chineze, 103
apando, El, 258, 262
aparecimento do Islã, O, 236, 237
Aparicio, Yalitza, 260
apartamento, O, 127, 220, 221
Apocalypse now, 61, 63
Apollinaire, Guillaume, 114
apóstol, El, 245, 252
A propósito de Nice, 291, 299
Aquarius, 168, 171
À queima-roupa, 58, 62
Arase, Frank Rajah, 101
Arbeláez, Carlos César, 274
Arcand, Denys, 267, 268
Arca russa, 180, 181
Aristarain, Adolfo, 248, 249
Armas selvagens, 44, 45
Armstrong, Gillian, 281
Arnim, Achim von, 126
Arnold, Jack, 51, 52
Aropin N'Tenia, 100, 104
Arraes, Guel, 168
Arrebentando em Nova York, 81, 82
Arrependimento sem perdão, 179, 181
Arroz amargo, 134, 144
Arsenal, 178, 180
arte de viver, A, 78, 79
artista, O, 31
Arvelo, Alberto, 275
árvore da vida, A, 67, 70

Às armas, 159, 169
Asas quebradas, 224, 225
Ascensor para o cadafalso, 152, 154
Às cinco da tarde, 218, 221
Asif, Karimuddin, 90
Asoka, 93, 98
Assassinato, 111, 213, 215
Assassinato em Marselha, 111
Assis Brasil, Giba, 167
Atalante, O, 116, 118
Ata-me, 198, 202
Atanarjuat: o corredor, 268, 270
Através de um espelho, 188, 191
Attenborough, Richard, 193
Audição, 209, 210
Augusto, Sergio, 12, 272
Aurora, 125, 130
Autant-Lara, Claude, 145
auto da Compadecida, O, 167, 171
automóvel cinza, O, 255, 261
Avatar, 72, 74
Avellar, José Carlos, 12
aventuras de Ngunga, As, 241
aventuras extraordinárias de Mister West no país dos bolcheviques, As, 176, 180
Aviso aos navegantes, 159, 169
Axelrod, Nathan, 221
Ayala, Fernando, 248
Ayala, Violeta, 275
Ayo n imo fe, 100
Azcárraga, Emilio, 256
Azevedo, Alinor, 159
Azevedo, Aluísio, 159
Azevedo, Ana Luiza, 167
Azevedo, Licínio, 242

B

Babangida, Ibrahim, 100
Babenco, Héctor, 166, 168
Babe, o porquinho atrapalhado, 282, 283
Bachchan, Amitabh, 92
Bachir, Yamina, 231
Backroads, 281, 283
Back to God's country, 263, 269
Bacurau, 168, 171
Bad company, 238
Badgley, Frank, 263
Bafta, 194, 280, 281
Bagnol, Brigitte, 242
Bairnsfather, Bruce, 263
balada de Narayama, A, 208, 210
Balé mecânico, 113
Balogun, Ola, 100
Bal poussière, 233, 234
Balzac, Honoré de, 148, 151
Bamako, 232, 234
Bambi, 39

Bancroft, Ann, 57
banda, A, 70, 73, 123, 224, 226
bandeira, A, 116, 118
Bandeirantes, 159, 169
Bandele, Biyi, 103
Bandera, Manuel de la, 255
Bandido da Luz Vermelha, O, 164, 170
banheiro do papa, O, 274, 277
banho, O, 71, 95, 141, 211, 236, 237
Banu, Saira, 90
Barbash, Uri, 222
Bardot, Brigitte, 56, 150
Barravento, 161
Barril de pólvora, 184, 185
Barro humano, 159, 169
Barroso, Ary, 158
Barry, Dorothy, 65, 69, 284
Barry Lyndon, 65, 69
bastardos de Pequim, Os, 82, 86
batalha do Chile, A, 295, 299
Batalha dos impérios, 85, 86
Batman: o retorno, 68, 124
Battisti, Carlo, 136
Baudelaire, Charles, 109
Bauer, Yevguêny, 175
Bayyumi, Muhammad, 235
Bazin, André, 134, 135, 137, 146, 147
Beaufort, 224, 226
bebê de Rosemary, O, 58, 62
bebê santo de Mâcon, O, 193, 196
Becker, Jacques, 145
Bela aldeia, bela chama, 184, 185
bela da tarde, A, 197, 201
Bellas de noche, 258, 262
Bellot, Rodrigo, 275
Belmondo, Jean-Paul, 150
Bemani, 218, 221
Benedetto, Leonor, 249
Benegal, Shyam, 94
Ben-Hur, 44, 52, 55, 164
Benigni, Roberto, 142
Bentes, Ivana, 168
Bergman, Ingmar, 66, 127, 147, 186-90
Bergman, Ingrid, 35, 38, 133
Bergman, Nir, 224
Berlim: sinfonia da metrópole, 291, 299
Berlin Alexanderplatz, 128, 130
Berlusconi, Silvio, 143
Bernal, Gael García, 260, 273
Bernard, Claude Ferdinand, 33, 254
Bernstein, Carl, 60
Bertolucci, Bernardo, 142
Bertuccelli, Jean-Louis, 231
Bhuvan Shome, 94, 98

Bianco e Nero, 132
Biberkopf, Franz, 129
bicicletas de Belleville, As, 71, 154, 155
Bickle, Travis, 60
Bigelow, Kathryn, 72
Billy Elliot, 195, 196
Bilwamangal, 89, 98
Björk, 190
Black harvest, 286
Blackton, James Stuart, 39
Blade runner, o caçador de androides, 49, 66, 69, 124
Blanchett, Cate, 283
Blasetti, Alessandro, 133
Blomberg, Erik, 187
Blow-up: depois daquele beijo, 139, 144
Bodysong, 297, 300
Bogart, Humphrey, 35, 37, 38
boinas verdes, Os, 61, 62
Bojórquez, Alberto, 257
Bolaños, Roberto Gómez, 258
bolha, A, 224, 225
Bolívar, Simón, 275
bonde chamado desejo, Um, 53, 55
Bonequinha de seda, 158, 169
Bong Joon-ho, 213, 214
Bonnie e Clyde, uma rajada de balas, 56, 62
Bonnière, René, 264
bons débarras, Les, 266, 270
Bons homens, boas mulheres, 78, 79
Boorman, John, 58, 194
Borges, Jorge Luis, 246, 247
Borgneth, Mário, 242
Borom sarret, 228, 234
borrachera del tango, La, 246, 252
Borsos, Phillip, 266
Bortnik, Aída, 251
Bouchareb, Rachid, 231
boulevard do crime, O, 118
Boyle, Danny, 194
Braddock, Benjamin, 57
Braga, Sonia, 168
Branca de Neve e os sete anões, 39, 41
Brando, Marlon, 50, 53, 54, 59
Brasil, Edgar, 158, 159
Bravura indômita, 45, 46
Brechner, Álvaro, 274
Brecht, Bertolt, 125
Bressane, Júlio, 164
Bresson, Robert, 145, 147, 152
Breton, André, 113, 114
Breve cielo, 248, 253
Brincando nos campos do Senhor, 166
Brody, Adrien, 85

Bronco Billy, 42
Brooks, Louise, 125
brutos também amam, Os, 43, 45
bruxa de Blair, A, 72, 74
Buena Vista Social Club, 296, 300
Buffalo 66, 57, 63
Bullfrog in the sun, 100, 104
Bumming in Beijing: the last dreamers, 296
Buntinx, Fátima, 275
Buñuel, Luis, 114, 115, 196, 197, 256
Burle, José Carlos, 159
Burman, Daniel, 251, 252
Burns, Gary, 267
Burton, Tim, 68
Buscemi, Steve, 68
Bwana, o demônio, 52
Bye bye Africa, 231, 234

C
Cabeça de vaca, 258, 262
Cabíria, 23, 24, 25, 131, 140, 143, 144
Cabra marcado para morrer, 162, 170, 296
caça, A, 44, 50, 54, 95, 117, 186, 197, 201, 275, 290
caçadores da arca perdida, Os, 62, 63
Caché, 200, 202
Cães de aluguel, 67, 69
cafajestes, Os, 160, 170
Café com limão, 222, 225
Caiçara, 159, 169
Cairo, Humberto, 66, 69, 235, 245
Cais das sombras, 116, 118
caixa de Pandora, A, 125, 130
Calafrios, 266, 270
California dreamin', 201, 202
Calles, Guillermo, 255
Cameron, James, 62, 71, 72, 263, 269
Cameron of the Royal Mounted, 263, 269
Campanella, Juan José, 251
Campion, Jane, 284
Camurati, Carla, 166
Camus, Albert, 249
Camus, Germán, 255
canção da estrada, A, 95, 98
Canção da noite, 76, 77
canção de Lisboa, A, 199, 201
canção do Sul, A, 50
Cane toads: an unnatural history, 280, 283
cangaceiras eróticas, As, 164, 170
cangaceiro, O, 160, 161, 162, 169
Canoa, 258, 262
Cantando na chuva, 40, 41

canto de Jimmie Blacksmith, O, 281, 283
Canto do coração, 235, 237
cantor de jazz, O, 31, 33
Canudo, Ricciotto, 25
cão andaluz, Um, 114, 115
capadócios da Cidade Nova, Os, 158, 169
Capitalismo: uma história de amor, 297, 300
Capone, Al, 36
Capra, Frank, 38, 50, 293
captura de Roma, A, 132, 143
Carandiru, 12, 168, 171
Carax, Leos, 153
Cardoso, Fernando Henrique, 167
Cardoso, José, 242
Cardoso, Margarida, 242
Carga sellada, 275, 277
Caridad, 255, 261
Carle, Gilles, 265, 266
Carlmar, Edith, 187
Carlota Joaquina, princesa do Brazil, 166, 170
Carnaval no fogo, 159, 169
Carné, Marcel, 116, 117, 118, 145
Carranza, Venustiano, 255
carrascos também morrem, Os, 38
Carrera, Carlos, 258
Carreras, Michael, 44
Carrie, a estranha, 60, 62
Carril, Hugo del, 246
carrossel da vida, O, 34
carruagem fantasma, A, 186, 190
Carruagens de fogo, 193, 195
Carry on, sergeant!, 263, 269
Carter, Peter, 265
Casablanca, 38, 41
casa del ángel, La, 247, 253
casamento de Esteves, O, 158, 169
casamento de Maria Braun, O, 128, 130
casamento de Muriel, O, 282, 283
casamento de Tuya, O, 84, 86
Caserini, Mario, 131
Cassavetes, John, 57, 58
Castellari, Enzo, 44
castelo animado, O, 209, 211
castelo da pureza, O, 258, 261
castelo de Cagliostro, O, 209, 210
castelo no céu, O, 209, 210
Castro, Fidel, 271
Cavalcanti, Alberto, 110, 111, 160, 291
Cavaleiros de ferro, 178, 180
cavalgada do circo, A, 246, 252
Cavalier, Alain, 154
cavalos de fogo, Os, 179, 180
Cazals, Felipe, 257, 258

Cedar, Joseph, 224
Celi, Adolfo, 159
Central do Brasil, 12, 167, 171
Chaath, Galeb, 237
Chabrol, Claude, 147, 148, 152, 153
chacal de Nahueltoro, El, 272, 276
Chahine, Youssef, 236, 237
chamado, O, 209, 211
Chandralekha, 89, 98
chanfle, El, 258, 262
Chan, Jackie, 81, 85
Chantagem e confissão, 40, 192, 195
Chaplin, Charles, 30, 31, 32, 33, 39, 66, 192
Charlone, César, 274
chat dans le sac, Le, 265, 269
Chattopadhyay, Sarat Chandra, 89
Chaves, 258
Chávez, Hugo, 275
chegada do trem à estação, A, 20, 25, 289
Chikly, Chemama, 227
Chinatown, 49, 50
Ching Siu-tung, 80
Chinnamul, 90, 98
Chitre, Nanabhai Govind, 88
Choi Dong-hoon, 213
Chomet, Sylvain, 71, 154
Chopra, Aditya, 92
Chopra, Yash, 92
Christensen, Benjamin, 186
Christie, Agatha, 40
Chuji tabinikki daisanbu goyohen, 204, 210
Chytilová, Vera, 181, 182
Cidadão Kane, 46, 47, 48, 49, 134, 146
Cidade de Deus, 168, 171
Cidade de hibiscos, 77
cidade do desencanto, A, 78, 79
Cidade dos sonhos, 65, 70
cidadela, A, 38, 41
cigarra não é um bicho, A, 248, 253
cilada para Roger Rabbit, Uma, 62, 63
Cinco vezes favela, 161, 170
Cinearte, 158, 159
cine de rumberas, 258
Cinema anêmico, 112, 113
Cinema Marginal, 164
Cinema noir, 46
Cinema Paradiso, 142, 144
Cinzas e diamantes, 182, 185
Círculo de fogo: a revolta, 85
Cissé, Souleymane, 232
Clair, René, 112
Clark, Larry, 57

Clayton, Jack, 192
Clément, René, 145, 147
Cleópatra, 55, 56
Close-up, 216, 220
cloud-capped star, The, 95
Clouzot, Henri-Georges, 294
Cocaine prison, 275, 277
Cocteau, Jean, 145
Coen, Ethan, 45, 68
Coen, irmãos, 45, 68
Coen, Joel, 45, 68
Coffee and cigarettes, 57, 63
Cohen, Eli, 222
coisas simples da vida, As, 79
Coixet, Isabel, 198
colheita do diabo, A, 242, 243
Colina 24 não responde, 221, 225
Columbine, 68, 297, 300
Comboio da Canhoca, 241, 243
comédia do poder, A, 153, 155
comerciante das quatro estações, O, 127, 130
Cominetti, Edmo, 246
Como era verde meu vale, 47, 49
Comolli, Jean-Louis, 298
concha e o pastor, A, 114, 115
condenado à morte escapou, Um, 145, 154
condição humana, A, 116, 206, 210
conformista, O, 142, 144
Confusão em Paris, 281, 283
Confusion Na Wa, 102, 105
Conheça os Feebles, 285, 286
consequências do amor, As, 143, 144
Construindo uma nação, 238, 240
Contatos imediatos de terceiro grau, 152
Conto cruel da juventude, 208, 210
Conto de cinema, 213, 215
Conto de inverno, 154, 155
Conto de outono, 154, 155
Conto de primavera, 154, 155
Conto de verão, 154, 155
Contos da lua vaga, 205, 210
contos de Canterbury, Os, 140, 144
convento, O, 199, 202
cool sound from hell, A, 264, 269
Cooper, James Fenimore, 42
Coppola, Francis Ford, 53, 59, 60, 61, 67
Coppola, Sofia, 58
Coração fiel, 111
coração manda, O, 133, 143
Corbett-Fitzsimmons fight, The, 290, 299
Corbucci, Sergio, 44
cor da romã, A, 179, 180
cores da montanha, As, 274, 277

Corman, Roger, 52-53
corpo que cai, Um, 40, 41
Correspondente estrangeiro, 38, 40, 41
Corsários das nuvens, 264
cortiço, O, 159, 169
cortina de ferro, A, 50, 55
Corvos e pardais, 76, 77
Cosimi, Nelo, 246
Costa-Gavras, Constantin, 199
Costeau, Jacques-Yves, 294
Coutard, Raoul, 150
Coutinho, Eduardo, 162, 296
Couto, Mia, 242
cozinheiro, o ladrão, sua mulher e o amante, O, 194, 196
Crane, Lila, 55
Crawford, Joan, 35, 54
creación del himno, La, 245, 252
Creanga, Ion, 290, 299
Crepúsculo dos deuses, 48, 49
Cría cuervos, 197, 201
criada, A, 272, 277
Crichton, Michael, 71
Crocodilo Dundee, 281, 283
crocodilo, O, 142, 144
Cronenberg, David, 115, 265, 266, 268
Crônica de um verão, 295, 299
Cronos, 259, 262
Cruise, Tom, 65
Cry freedom, 100, 104
Cuando los hijos se van, 256, 261
Cuando los padres se quedan solos, 256, 261
Cuarón, Alfonso, 258, 260
Cuidadoso, 267, 270
Cukor, George, 37
culpa dos pais, A, 133, 143
cumpleaños del perro, El, 258, 262
Curtis, Edward S., 49, 290
Curtiz, Michael, 38, 48, 264
Cusack, John, 85

D
Da aurora à meia-noite, 122, 129
Dadaísmo, 109, 112, 113, 115
Dafoe, Willem, 85
Daguerre, Louis, 19
Daldry, Stephen, 195
Dalí, Salvador, 115
d'Almeida, Neville, 164
dama de espadas, A, 175, 180
dama do lotação, A, 165, 170
Damon, Matt, 85
dança da realidade, A, 273, 277
Dançando no escuro, 190, 191
dangerous age, A, 264, 269
Daniel Filho, 167, 168

Daranas, Ernesto, 272
Dardenne, Jean-Pierre, 153
Dardenne, Luc, 153
Darín, Ricardo, 251
Da-Rin, Silvio, 12
Davies, Terence, 193, 194
Davis, Bette, 48
Davis, Judy, 281
Dawi, Enrique, 249
Dayan, Assi, 222
Day-Lewis, Daniel, 193, 194
Dean, James, 53, 54
Decálogo, 183, 185
Decameron, 140, 144
declínio do império americano, O, 268, 270
Deewaar, 91, 92, 98
Delannoy, Jean, 147
Delicada relação, 224, 225
Delluc, Louis, 110, 111
De longe te observo, 275, 277
Del Rey, Geraldo, 161
del talón, Las, 258, 262
Demare, Lucas, 246, 247
demônio da Argélia, O, 117, 118
De Niro, Robert, 60
Denis, Claire, 153, 298
De olhos bem fechados, 65, 70
De Palma, Brian, 53, 60
Dependência sexual, 275, 276
De pernas pro ar, 168
Depois da morte, 175, 180
Derba, Mimí, 255
De Robertis, Francesco, 132
Desafiando os limites, 285, 287
desafio, O, 12, 81, 82, 85, 88, 99, 161, 170, 276
descobrimento do Brasil, O, 159, 169
Desejo e obsessão, 153, 155
deserdados, Os, 238, 240
Desert people, 280, 283
desespero de Veronica Voss, O, 129, 130
De Sica, Vittorio, 135, 136
Desmond, Norma, 48
Desnoes, Edmund, 271
Despedida de ontem, 126, 130
Después del silencio, 247, 253
destino do Poseidon, O, 58
desumana, A, 110, 111
Determinação, 236, 237
Detrás de un largo muro, 247, 253
deuda interna, La, 249, 253
Deus e o diabo na terra do sol, 161, 162, 170, 233
Deus lhe pague, 246, 252
Devdas (1928), 88, 89, 98
Devdas (2002), 91, 98
De Voortrekkers, 238, 240

Dez, 72, 103, 183, 217, 219, 221
dez mandamentos, Os, 52, 189
Dhulfeqar, Mahmood, 236
diabo a quatro, O, 32, 33
Dia do Perdão, O, 223, 225
dia em que me tornei mulher, O, 218, 220
dia em que o porco caiu no poço, O, 212, 215
Diário para meu pai e minha mãe, 183, 185
Diário para meus amores, 183
Diário para minhas crianças, 183, 185
Dias de glória, 231, 234
Días de odio, 246, 252
dias, Os, 82, 86
Dias selvagens, 80, 82
Dickens, Charles, 192
Dickinson, Thorold, 221
Dickson, William K. L., 19, 21
Diegues, Cacá, 160, 161, 163
Dietrich, Marlene, 49, 125
Dillinger, John, 36
Dilwale Dulhania Le Jaynege, 92, 98
Dingjun Shan, 75, 77
dinheiro, O, 110, 111
Dios y ley, 255, 261
Dirty, 61, 63, 267, 270
Dirty dancing – Ritmo quente, 63
Disney, Walt, 39, 61
Disque M para matar, 52, 55
Django, 44, 45, 46
Django livre, 45, 46
Dobermann, 153, 155
Doblin, Alfred, 129
doce vida, A, 141, 144
Døden er en kjærtegn, 187, 191
Dogville, 190, 191
Dolores del Río, 256
Don, 91, 98
Dona Flor e seus dois maridos, 165, 170
Donen, Stanley, 40
Dongyang, 84
Doniol-Valcroze, Jacques, 147
Doniphon, Tom, 43
Do outro lado da lei, 251, 254
Double happiness, 267, 270
Douglas, Kirk, 31, 35, 48, 54, 127
Doutor Jivago, 55, 56
Dovzhenko, Alexander, 176, 178
Doze homens e uma sentença, 53, 55
Drabinsky, Garth H., 266
Drácula, 36, 122
dragão da maldade contra o santo guerreiro, O, 161, 163, 170
Dragojevic, Srdjan, 184
Dreyer, Carl, 127, 146

Dreyer, Carl T., 186, 187
Dr. Fantástico, 64, 69
Drifters, 290, 299
Dr. Mabuse: o jogador, 122, 123, 129
Duas mulheres, 136, 144
Duca, Joseph-Marie, Lo, 147
Duchamp, Marcel, 112
Duelo a pistola en el bosque de Chapultepec, 254, 261
Dulac, Germaine, 53, 110, 111, 115
Dunaway, Faye, 56
Dunlop, Ian, 280
Duparc, Henri, 233
Duvall, Robert, 249
Duvivier, Julien, 116, 117

E
Eastwood, Clint, 44, 45
E a vida continua, 216, 220
Ecaré, Désiré, 233
Echevarría, Nicolás, 258
eclipse, O, 144
Edeson, Arthur, 46
Edifício Master, 296, 300
Edison, Thomas, 19, 20, 21, 23, 27, 28, 34, 254, 263
Edward Mãos de Tesoura, 68, 69, 124
Egoyan, Atom, 268
Einstein, Albert, 177
Eisenstein, Serguei, 30, 135, 175, 175, 177, 178, 292
Eisner, Lotte, 126
Ekberg, Anita, 141
Ekman, Hasse, 187
Ela quer tudo, 67, 69
Eldorado, 111, 127
Elefante, 68, 70
Elegia de Osaka, 205, 210
Eles não usam black-tie, 165, 170
Elliott, Stephan, 282, 283
embalos de sábado à noite, Os, 61, 62
Em busca do cálice sagrado, 194, 195
Em busca do ouro, 32, 33
Eminescu, Mihai, 290, 299
Eminescu, Veronica, Creanga, 290, 299
Emmer, Luciano, 138
Em nome do pai, 195, 196
Encantadora de baleias, 285, 287
Encina, Paz, 276
Encontros e desencontros, 58, 63
encouraçado Potemkin, O, 176, 180
enigma de Kaspar Hauser, O, 127, 130

Enraivecida na fúria do sexo, 266, 270
Entreato, 112, 113
Epstein, Edward J., 39
Epstein, Jean, 110, 111
era da inocência, A, 268, 270
Eraserhead, 65, 69
Era uma vez em Tóquio, 206, 207, 210
Era uma vez na América, 67, 69
Era uma vez no Oeste, 44, 45
Eros, 80
Escorel, Eduardo, 297
Escuderia do poder, 266, 270
espelho, O, 32, 179, 181, 188, 191, 219, 220
Esperando o messias, 251, 253
espíritos, Os, 187, 209, 285, 287
Esposas ingênuas, 34
esquecidos, Os, 14, 256, 261
estalagem em Tóquio, Uma, 205, 210
estátuas também morrem, As, 294, 299
Esther, 222, 225, 255
estrada da vida, A, 140, 144
estranguladores, Os, 158, 169
estranho no ninho, Um, 62, 182
Estranhos no paraíso, 57, 63
E sua mãe também, 260, 262
eternidade em um dia, A, 199, 202
Eu sei que vou te amar, 165, 170
Eu sou Cuba, 271, 276
Eustache, Jean, 154
evangelho segundo São Mateus, O, 140, 144
Evangeline, 263, 269
exilada, A, 111
Exílio no Iraque, 218, 221
exorcista, O, 58, 62
expresso polar, O, 72, 74
Êxtase, 181, 185
exterminador do futuro 2, O, 71
exterminador do futuro 2, O – O julgamento final, 71, 74
exterminador do futuro 3, O, 52
exterminador do futuro – Gênesis, O, 213
exterminador do futuro, O, 62, 63

F
Fabrizi, Aldo, 133, 138
Faça a coisa certa, 68, 69
faca na água, A, 182, 185
Faca na cabeça, 128, 130
fada dos repolhos, A, 22, 25
Fad'jal, 229, 234
Fagundes, Adalberto de Almada, 158

Fahrenheit 11 de setembro, 297, 300
Fairbanks, Douglas, 31
Falconetti, Maria, 186
falecido Mathias Pascal, O, 111
Fale com ela, 197, 202
falls, The, 193, 195
Family viewing, 269, 270
Fantasia, 39, 41
Fantasma, 122, 129
fantasma da ópera, O, 76
Fantasma por acaso, 159, 169
fantástico mundo de la María Montiel, El, 248, 253
Fantômas I, 114, 115
Fargo, 68, 69
Farhadi, Asghar, 220
Faria, António, 241
Farias, Roberto, 165
Farrow, Mia, 58
Fases cômicas de faces engraçadas, 39
Fassbinder, Rainer Werner, 80, 126, 127, 128, 129
fatal hour, The, 29
Fatat men Falastin, 236
Faye, Safi, 56, 228, 229
Feios, sujos e malvados, 142, 144
felicidade não se compra, A, 50, 55
Felizes juntos, 80, 82
Fellini, Federico, 66, 133, 140, 141, 197
Femme, villa, voiture, argent, 233, 234
Fenelon, Moacyr, 159
Fernández, Emilio, 256
Fernández, Enrique, 274
Fernández, Esther, 255
Ferreri, Marco, 196
Ferreyra, José A., 246
Festa de família, 189, 191
festa espanhola, A, 111
Festim diabólico, 146
Festival de Cinema de Tribeca, 224
Festival de Curtas-Metragens de Oberhausen, 126
Festival Internacional de Cinema de Chicago, 229
Festival Internacional de Cinema de Locarno, 275
Festival Internacional de Cinema de Mar del Plata, 250
Festival Internacional de Cinema de Miami, 276
Festival Internacional de Cinema de Roterdã, 82
Festival Internacional de Cinema de Toronto, 268
Festival Pan-Africano de Cinema e Televisão de Ouagadougou, 229

Feuillade, Louis, 114
Feyder, Jacques, 116
Fiberesima, Ibinabo, 101
Fifty, 103, 105
Figgis, Mike, 194
Fighting blood, 42
filho da noiva, O, 251, 254
Filhos da aristocracia, 235, 237
filhos do medo, Os, 266, 270
Filho único, 205, 210
filmeur, Le, 154, 155
Finye, 232, 234
Fique frio, 83
Fires were started, 294, 299
fita branca, A, 200, 202
Fitzcarraldo, 128, 130
flagelados do vento leste, Os, 241, 244
Flaherty, Robert J., 290, 298
Flashdance, 61, 63
Fleming, Victor, 37, 38
Flicka och hyacinter, 187, 191
Flor de durazno, 246, 252
Flor silvestre, 256, 261
fogueira ardente, A, 111
Folman, Ari, 224
Fome animal, 285, 286
Fonds Sud, 83, 231
Fonseca, José Henrique, 167
Fons, Jorge, 257
Fontes, Ipojuca, 166
Footloose, 61, 63
Ford, John, 34, 38, 43, 47, 207
Forgiveness, 239
Forman, Miloš, 181, 182
Forrest Gump: o contador de histórias, 69, 72
fortaleza escondida, A, 208, 210
Foster, Jodie, 47, 60
Fox, Eytan, 224
Fox, Kerry, 284
Fox, William, 125
Frame, Janet, 284
Francisco, arauto de Deus, 72, 136, 144
Franco, Celso, 276
Franco, Francisco, 196, 197
Frankenheimer, John, 51
Frankenstein, 36
Frank, Nino, 46
fraternidade é vermelha, A, 183
Frears, Stephen, 193, 195
Freer, James, 262
Free zone, 223, 225
Freud, Sigmund, 142
Friedkin, William, 58
From the drain, 265, 270
Fronteiras de sangue, 242, 243
Fuentes, Fernando de, 255

Fulford, Robert, 265
Fuller, Samuel, 50, 147
Furie, Sidney J., 264
Furtado, Celso, 165
Furtado, Jorge, 167, 296
Furyo – Em nome da honra, 208, 210
fusilamiento de Dorrego, El, 245, 252
fuzis, Os, 160, 170, 178

G

gabinete do dr. Caligari, O, 120, 121, 129
Gable, Clark, 35, 37
Galeen, Henrick, 121
Galindo, Alejandro, 258
Gallo, Mario, 245
Gallo, Vincent, 57
Gamboa, Zézé, 241
Gance, Abel, 110, 207
Gandhi, Indira, 91
Gandhi, Mohandas, 193, 195
Ganga bruta, 158, 169
Ganga Zumba, rei dos Palmares, 161, 163, 170
Garam Hawa, 90, 98
Garbo, Greta, 38, 76, 81, 89, 186
García Bernal, Gael, 260, 273
García-Montero, Rosario, 275
Gardel, Carlos, 246
Garota 6, 67, 69
garoto, O, 32, 33
Garotos de programa, 68, 69
Garrel, Philippe, 154
Gatos viejos, 273, 277
Geisha no teodori, 203, 210
general, A, 30, 33, 248, 254, 272
Gênio indomável, 68
Genu Hongmudan, 75, 77
Genuine, 122, 129
George VI, 263
Geração, 182, 185
Gerbase, Carlos, 167
Gerima, Hailé, 233
Gertie, o dinossauro, 39
Ghatak, Ritwik, 94, 95
Ghobadi, Bahman, 218
Ghosh, Nemai, 90
Gilsoddeum, 212, 214
Gitaï, Amos, 222, 223
Gladiador, 72, 74
G-men contra o império do crime, 37
Godard, Jean-Luc, 146-52, 154, 164, 182
Goebbels, Joseph, 121
Goin' down the road, 265, 270
Goldman, William, 60

golem, O, 121, 129
Gollum, 72
Gomes, Flora, 241, 243
Gomes, Paulo Emílio Sales, 12
Gonçalves, Dercy, 159, 241
Gonzaga, Adhemar, 158, 159
Goode, Frederic, 100
Goodman, John, 73
Gopalakrishnan, Adoor, 94
Gorbachev, Mikhail, 179
gordo e o magro, O, 31
Gore, Al, 297
Gorivets, Leonid, 222
Gosto de cereja, 216, 220
Gosto de sangue, 68, 69
gotejar da luz, O, 242, 244
Gout, Alberto, 256
Gowarikar, Ashutosh, 93
Graciaadió, 250, 253
Gran Casino, 256, 261
grande arte, A, 166
grande beleza, A, 143, 144
grande cidade, A, 161, 170
grande desafio, O, 81, 82, 85, 88
grande ditador, O, 32, 33
grande golpe, O, 67
grande ilusão, A, 116, 118
grande muralha, A, 85, 86
Grande Otelo, 128, 159
grande roubo do trem, O, 23, 25, 42
Grandes esperanças, 192, 195
grande vigarista, O, 266, 270
Grant, Cary, 37
Grant, Hugh, 194
Grease – Nos tempos da brilhantina, 61, 63
Greenaway, Peter, 193, 194
Greene, Graham, 192
greve, A, 176, 180
Grierson, John, 193, 264, 289-92
Griffith, D. W., 28, 29, 31, 33, 37, 42, 146, 176
Grisebach, Valeska, 201
Grobet, Xavier Pérez, 258
Groulx, Gilles, 265
Gründgens, Gustav, 183
Guazzoni, Enrico, 23
gueixa, A, 158, 169
Guenifi, Nacer, 228
Guerra ao terror, 72, 74
Guerra, Ciro, 273
Guerra dos mundos, 46
Guerra e humanidade, 208, 210
Guerra e paz, 178
guerra gaucha, La, 246, 252
Guerra nas estrelas – Uma nova esperança, 208
Guerra, Ruy, 160, 242
Guggenheim, Davis, 297

Guízar, Tito, 255
Gusman, Martina, 251
Gutiérrez Alea, Tomás, 271, 272
Guy-Blanché, Alice, 22
Gwangju, 212
Gyang, Kenneth, 102

H
Ha-bayit berechov Chelouche, 222, 225
Halachmi, Chaim, 221
Hamaca paraguaya, 276, 277
Hamza, Nadia, 237
Haneke, Michael, 199
Hanks, Tom, 72
Hannah e suas irmãs, 66, 69
Hannant, Brian, 280
Hanson, Curtis, 49
Hanyo, a empregada, 211, 214
Haqeeqat, 91, 98
Hardy, Oliver, 31
Haroun, Mahamat Saleh, 231
Harry Potter, 71, 74
Hasfari, Shmuel, 222
Ha-Shoter Azulai, 222, 225
Hastings, Reed, 97
Hauff, Reinhard, 128
Hausner, Jessica, 201
Hawks, Howard, 36, 37, 38, 40, 147, 207
Häxan – A feitiçaria através dos tempos, 186, 190
Hayek, Salma, 258
Haynes, Todd, 54
Hays, Will H., 33
Hazanavicius, Michel, 31
Hearst, William Randolph, 47
Heffner, Avraham, 222
Hekmat, Manijeh, 218
Helfgott, David, 283
Hepburn, Katharine, 37
Herbier, Marcel, L', 110, 111
herdeiras, As, 168, 276, 277
herdeiros, Os, 161, 163, 170
Hereniko, Vilsoni, 285
Hermosillo, Jaime Humberto, 257, 258
herói de mil faces, O, 61
herói, O, 241, 244
Herzog, Werner, 126, 127, 128
Heston, Charlton, 49
Hicks, Scott, 283
Hienas, 229, 234
Hiroshima, meu amor, 148, 151, 154, 208
Hirsch, Emile, 73
Hirszman, Leon, 160, 165, 295
história chinesa de fantasmas, Uma, 80, 81

história oficial, A, 249, 253
Hitchcock, Alfred, 38, 40, 52, 54, 55, 146, 147, 177, 187, 192
Hitler, Adolf, 33, 121, 124, 292
Hitler, um filme da Alemanha, 128, 130
Hoffman, Dustin, 57, 58, 60
Hogan, P. J., 282
Holden, William, 48
Hombre de la esquina rosada, 247, 253
homem com a cabeça de borracha, O, 22
homem com uma câmera, Um, 291, 299
homem de mármore, O, 183, 185
homem dos olhos de raio X, O, 53, 56
homem que matou o facínora, O, 43, 45
homem que ouvia a Grã-Bretanha, O, 294, 299
homem sério, Um, 68, 70
homens preferem as loiras, Os, 40, 41
Homs, Juan de, 255
Hondo, Med, 227, 232
Hong Sang-soo, 212, 213
Hong se niang zi jun, 76, 77
Honor militar, 255, 261
Hood, Gavin, 36, 239
Hoover, J. Edgar, 50
Hopkins, Anthony, 285
hora da estrela, A, 165, 170
hora de los hornos, La, 248, 253
hora mais escura, A, 72
Hor b'Levana, 222
horse in motion, The, 19
hospedeiro, O, 213, 215
Howes, Oliver, 280
Hsiao-Hsien, Hou, 78
Hudson, Hugh, 54
Hudson, Rock, 193
Hu Jintao, 83
Hunte, Otto, 123
Hunter, Holly, 284
Huppert, Isabelle, 200
Hurley, Frank, 290
Hurt, William, 249
Huston, John, 46

I
Ichikawa, Kon, 208
idade do ouro, A, 115
idiotas, Os, 189, 191
ídolo caído, O, 192, 195
igualdade é branca, A, 183
Ijé: the journey, 103, 105
ilha, A, 213, 215
Ilha das Flores, 296, 300

ilha dos escravos, A, 241, 244
ilha dos prazeres proibidos, A, 164, 170
iluminado, O, 65, 69
ilusão viaja de bonde, A, 257, 261
Imamura, Shôhei, 208
Im Kwon-taek, 212
imperdoáveis, Os, 45, 46
império dos sentidos, O, 208, 210
Império dos sonhos, 65, 70
Impressionismo, 109, 110, 111, 112, 120, 290
Iñarritu, Alejandro González, 260
Ince, Thomas H., 42
incompreendidos, Os, 148, 149, 151, 154, 193
incrível homem que encolheu, O, 51
Independence Day, 72, 74
indomáveis, Os, 45, 46
Infância roubada, 239, 240
Inferno, 131, 143
Infiltrado na Klan, 68, 70
Ingênua até certo ponto, 53
inglesa e o duque, A, 154, 155
Integração racial, 295, 299
Intolerância, 29, 30
intruso, O, 152, 153, 155
invasões bárbaras, As, 268, 270
invencível, O, 95, 98
Irani, Ardeshir, 89
Irigoyen, Julio, 246
irmandade da guerra, A, 214, 215
irmãs de Gion, As, 205, 210
Irmãs de palco, 76, 77
Irreversível, 153, 155
Ito, Daisuke, 204
Ive, Burt, 279
I've heard the mermaids singing, 267, 270
Iwerks, Ub, 39

J
Jabor, Arnaldo, 161
Jackson, Peter, 284, 285
Jacquet, Luc, 297
Jaiyesimi, 100, 104
Jancsó, Miklós, 183
Janela indiscreta, 40, 41
Jannings, Emil, 124
Jarmusch, Jim, 57
Jayu manse, 211, 214
Jennings, Humprhrey, 294
Jesus de Montreal, 268, 270
Jeunet, Jean-Pierre, 153
Jodorowsky, Alejandro, 115, 273
Jogador nº 1, 85
Jogo de cena, 296, 300
Jogos, trapaças e dois canos fumegantes, 97, 194, 196

Johnny Guitar, 54, 55
Jordan, Neil, 195
jóvenes viejos, Los, 247, 253
Joyce, James, 177
Jules e Jim – Uma mulher para dois, 151
Julian, Rupert, 34, 264
Julia, Raul, 249
Jurassic World: o mundo dos dinossauros, 213
Jury, Jorge Zuhair, 248
Jutra, Claude, 265, 267
Juventude transviada, 54, 55

K
Kaboré, Gaston, 233
Kaddu Beykat, 228, 234
Kadosh – Laços sagrados, 223, 225
Kaeriyama, Norimasa, 204
Kafka, Franz, 120
Kaige, Chen, 77, 83
Kaiser, Georg, 120
Kalatozov, Mikhail, 271
Kaliya Mardan, 91, 97
Kamchatka, 251, 254
Kanal, 182, 185
Kane, Charles Foster, 46, 47, 48, 49, 134, 146
Kang Dae-jin, 211
Kang Je-gyu, 212, 214
Kannywood, 101
Kano, 101
Kaul, Mani, 94
Kazan, Elia, 50, 53, 54
Keaton, Buster, 30, 66
Keitel, Harvey, 284
Kelani, Tunde, 100
Kelly, Gene, 40
Kelly, Grace, 41
Kelly, Ned, 279
Keoma, 44, 46
Kes, 193, 195
Khali Balak mn Zozo, 236
Khan, Aamir, 93
Khan, Mehboob, 90
Khan, Salman, 93
Khan, Shah Rukh, 92, 93
Kiarostami, Abbas, 216, 217, 219, 224, 276
Kidman, Nicole, 65, 190, 283
Kids, 57, 63
Kieslowski, Krzysztof, 183
Kim Hak-sun, 213
Kim Jong-il, 212
Kim Ki-duk, 213, 214
Kim Ki-young, 211
king and the clown, The, 213
King Hu, 80
King Kong, 37, 41

King, Stephen, 37, 38, 40, 41, 60, 80
Kinugasa, Teinosuke, 204
Kisan Kanya, 89, 98
Kishon, Ephraim, 222
Kitchen party, 267, 270
Klimov, Elem, 179
Kluge, Alexander, 126, 127
Knightley, Keira, 92
Kobayashi, Masaki, 208
Kolirin, Eran, 224
Kolya, uma lição de amor, 182
Kongi's harvest, 100, 104
Korda, Zoltan, 238
Kounen, Jan, 153
Koyaanisqatsi: uma vida fora de equilíbrio, 296, 299
Kubrick, Stanley, 15, 44, 61, 64, 65, 67, 179
Kuhn, Rodolfo, 247
Kuleshov, Lev, 175, 176
Kumar, Ashok, 89
Kumar, Dilip, 90
Kumar, Kishore, 90
Kurosawa, Akira, 44, 80, 207, 208
Kuxa Kanema – O nascimento do cinema, 242, 244

L
Labaki, Amir, 12
Labios de churrasco, 250, 253
labirinto do fauno, O, 260, 262
Ladrões de bicicleta, 44, 134, 135, 144
Lagaan – Era uma vez na Índia, 93, 98
lágrimas amargas de Petra Von Kant, As, 130
Lágrimas de mulher, 256
Lakhdar-Hamina, Mohammed, 228, 229
Lakshya, 91, 98
Lamarque, Libertad, 246, 256
land has eyes, The, 285, 287
Land of the head hunters, 290, 299
Lange Zambrano, Samuel, 275
Lang, Fritz, 15, 48, 68, 122, 123, 124, 125
Langlois, Henri, 146
Lanka Dahan, 88, 97
Lanternas vermelhas, 83, 86
Lantos, Robert, 266
Laranja mecânica, 65, 69
Larraín, Pablo, 273
Laslo, Hana, 223
Laurel, Stan, 31
Leahy, Joe, 286
Le'an ne'elam Daniel Wax?, 222
Léaud, Jean-Pierre, 149

Ledger, Heath, 283
Lee, Ang, 45, 78, 79
Lee, Bruce, 80
Lee, Daniel, 85
Lee Joon-ik, 213
Lee, Spike, 67, 68, 213
Léger, Fernand, 112
lei do desejo, A, 197, 201
Leigh, Janet, 40, 49
Leigh, Mike, 193, 194, 195
Leigh, Vivien, 37
Leila, 218, 220
leis de família, As, 252, 254
Leisure, 280, 283
Leite de Vasconcelos, 242
Lelio, Sebastián, 273
Lembranças de minha infância, 266, 270
Lemmon, Jack, 90
Lemon, Geneviève, 284
Leni, Paul, 125, 292
Leonera, 251, 254
Leone, Sergio, 44, 67, 80, 207
Leroux, Gaston, 76
Levada da breca, 37, 38, 41
Lewgoy, José, 128
Lewis, Mark, 280
liberdade é azul, A, 183, 185
Libertador, O, 275, 277
Liberté, la nuit, 154, 155
Lieberman-Livne, Tzvi, 221
Lili Marlene, 129, 130
Lima Barreto, Vitor, 160
Lima Jr., Walter, 162
Lima, Pedro, 158, 159
Lin Cheng-sheng, 78
Lingyu, Ruan, 76, 81, 82
Lionheart, 103, 105
Lisbela e o prisioneiro, 168, 171
lista de Schindler, A, 67, 69
Littín, Miguel, 272
Live bait, 267, 270
Living in bondage, 101, 104
Llosa, Claudia, 274
Loach, Ken, 193, 194
Lockwood, Don, 40
locura del rock'n roll, La, 257, 261
Lolita, 64, 69, 92
Lollobrigida, Gina, 138
longa caminhada, A, 280, 283
Longe dela, 268, 270
Longe do paraíso, 54
Longfellow, Henry Wadsworth, 263
longo adeus, O, 179, 181
López Portillo, José, 258
Lord, Peter, 71
Loren, Sophia, 138
Los Angeles: cidade proibida, 49, 50

Loucos, 239, 240
Lourdes, 201, 202
Love, 153, 155
Lubitsch, Ernst, 38
Lucas, George, 56, 60, 61, 208, 246, 247
Lucía, 272, 276
Lúcia e o sexo, 198, 202
Luciano Serra, piloto, 132, 143
Lúcio Flávio, o passageiro da agonia, 165, 170
lugar no mundo, Um, 249, 253
Luhrmann, Baz, 282, 284
Lumière, Auguste, 20, 221, 289
Lumière, irmãos, 20, 21, 22, 24, 25, 203, 215, 227, 254, 289
Lumière, Louis, 20, 221, 289
Luppi, Federico, 248, 249
Luthria, Milan, 91
luz, A, 232, 234
Luzes da cidade, 32, 33
Luzes de Nova York, 31
luz: tríptico de la vida moderna, La, 255, 261
Lynch, David, 49, 65, 115

M

Mabu, 211, 214
maçã, A, 218, 220
MacGillivray, William D., 267
Machatý, Gustav, 181
Machuca, 272, 277
Macunaíma, 163, 170
Macy, William, 68
Madam, Jamsetji Framji, 88, 89
Maddin, Guy, 267
Madeleine is..., 265, 270
Mad Max, 281, 282, 283
Madre querida, 255, 261
Maduegbuna, Jane, 104
mãe, A, 176, 180
Mãe e filho, 180, 181
maffia, La, 248, 253
Magalhães, Yoná, 161
mágico de Oz, O, 38, 41
Magnani, Anna, 133
Maiakovski, Vladimir, 178
Makhmalbaf, Marzieh, 218
Makhmalbaf, Mohsen, 218
Makhmalbaf, Samira, 218
Makino, Masahiro, 204
Makino, Shozo, 203
Mala noche, 68, 69
mala sinistra, A, 158, 169
malas intenciones, Las, 275, 277
M'al hahuravot, 221, 225
Malle, Louis, 152, 294
maluco do avião, O, 40
Malu Tianshi (Street angel), 76, 77

Malvada, 192, 195
malvada, A, 48, 50
maman et la putain, La, 154, 155
Mambéty, Djibril Diop, 229
Manchevski, Milcho, 184
Mandabi, 228, 229, 234
Mandala, 212, 214
Manderlay, 190, 191
Maneglia, Juan Carlos, 275
Manfredi, Giorgio, 133
Mangold, James, 45
Manhatta, 291, 299
Mankiewicz, Francis, 267
Mankiewicz, Joseph L., 48
Mann, Klaus, 183
Manso, Francisco, 241
Man without pigs, 286
mão, A (1965), 181, 185
mão, A (2004), 80, 82
mãos de Orlac, As, 124, 129
Mao Tsé-Tung, 76
Maranhão 66, 295, 299
marca da maldade, A, 49, 50
marcha dos pinguins, A, 297, 300
Marco Polo, 85
Mar de ilusões, 237, 238
mariachi, El, 57, 63
Marker, Chris, 152
Markovich, Carlos, 258
marquesa d'O, A, 154, 155
Marriage story, 212, 215
Martel, Lucrecia, 251
Martinessi, Marcelo, 276
Martín Fierro, 248, 253
Martin, Karl Heinz, 49, 53, 57, 60, 122, 128
martírio de Joana d'Arc, O, 186, 190
Marx, Groucho, 66
Marx, irmãos, 32
Marx, Karl, 142
Mary Poppins, 39, 41
Marzouk, Sahid, 236
Masagão, Marcelo, 296
máscara maldita, A, 264, 269
M*A*S*H, 58, 62
Masina, Giulietta, 138
Masini, Mario, 242
Massacre do Dia de São Valentim, 54
Mastroianni, Marcello, 141
Matador, 197, 201
matador, O, 58, 80, 81
Matarazzo Sobrinho, Francisco, 159
Matar ou morrer, 43, 45
Match point, 66, 70
Maté, Rudolph, 187
Matewan – A luta final, 57, 63
Matrix, 73, 74

Matthan, John Mathew, 91
Matthau, Walter, 90
Mauro, Humberto, 158, 159
Mazzaropi, Amácio, 160
Mazzola, Frank, 54
McCarthy, Joseph, 51
McCay, Winsor, 39
McDonald, Bruce, 268, 297
McDormand, Frances, 68
McKellar, Don, 268
McLuhan, Marshall, 269
Medem, Julio, 198
médico e o monstro, O, 36, 41
Medo, 64, 236, 237
medo devora a alma, O, 127, 130
Medo e desejo, 64
Medos privados em lugares públicos, 154, 155
Mehrjui, Dariush, 218
Meia-noite em Paris, 66, 70
Meirelles, Fernando, 167, 168, 274
Melancolia, 190, 191
melhores anos de nossas vidas, Os, 50
Méliès, George, 21, 22, 203, 245
Mello, Fernando Collor de, 165
Memória de Helena, 163, 170
Memórias de um assassino, 214, 215
Memórias do subdesenvolvimento, 271, 276
Memphis Belle, The, 294, 299
Mendes, Otávio Gabus, 159
Mendonça Filho, Kleber, 168
Menem, Carlos, 249, 250
menina santa, A, 251, 254
Menino de engenho, 162, 170
Meninos de Tóquio, 205, 210
Menzel, Jirí, 181, 182
Mephisto, 183, 185
Merleau-Ponty, Maurice, 11
meses y los días, Los, 257, 261
mestre das marionetes, O, 78, 79
mestre dos jogos 2, O, 85, 86
Mészáros, Márta, 183
Metrópolis, 15, 68, 123, 124, 129
Metsing, Simon, 238
Mettler, Peter, 268
Meu ódio será tua herança, 43, 45
Meu pai, meu senhor, 224, 226
Meu pé esquerdo, 193, 196
Meu tio, 152, 154
Meyerhold, Vsevolod, 176
Mi alazán tostao, 246, 252
Michel, Majid, 31, 101, 150
Micle, Veronica, 290
Midway, a batalha do Pacífico, 38
Miike, Takashi, 209
Milagre em Milão, 135, 144
mile from home, A, 104, 105
Miles, Vera, 55

mil e uma noites, As, 140, 144
Milk, a voz da igualdade, 68, 70
Miller, Claude, 154
Miller, George, 281
Milusos 1, El, 258, 262
Milusos 2, El, 258, 262
Ming-liang, Tsai, 79
Minha adorável lavanderia, 193, 195
Minha mãe é uma peça 2, 168
Minha vida sem mim, 198, 202
Miranda, Carmen, 158
Mirren, Helen, 193
Mirt sost shi amit, 233
Mirza, Saeed, 90, 94
mistério de Picasso, O, 294, 299
Miyagawa, Kazuo, 205
Miyazaki, Hayao, 209
Mizoguchi, Kenji, 205
Mizrahi, Moshé, 222
moça de Cartagena, A, 227, 234
Moeda estrangeira, 219, 220
Moleque Tião, 159, 169
Monet, Claude, 109
Monika e o desejo, 188, 191
Mon oncle Antoine, 265, 270
Monroe, Marilyn, 35, 40, 54
Montanha dos Sete Abutres, A, 48, 50
montanha do tesouro, A, 178
Montenegro, Fernanda, 167
Moolaadé, 232, 234
Moore, Julianne, 54
Moore, Michael, 297
Morango e chocolate, 272, 276
Morangos silvestres, 188, 191
Moreau, Jeanne, 56, 150, 151
Moreno, Antonio, 255
Moretti, Nanni, 142
Morin, Edgar, 295
Morricone, Ennio, 44, 142
morte cansada, A, 122, 129
morte do cisne, A, 175, 180
morte do Sr. Lazarescu, A, 201, 202
morte num beijo, A, 50, 55
morte passou por perto, A, 64
Mortu nega, 241, 243
mosca, A, 266, 270
Mosebolatan, 100, 104
Mosjoukine, Ivan, 111
Mother India, 90, 98
motim, O, 93, 98
M, o vampiro de Dusseldorf, 123, 130
Mr. Vingança, 213, 215
Mueda, memória e massacre, 242, 243
Mu, Fei, 76
Mughal-E-Azam, 90, 98

Múgica, Francisco, 246, 247
mulher de Benjamín, A, 258, 262
Mulheres, 237, 238
Mulheres à beira de um ataque de nervos, 197, 201
mulheres amam por conveniência, As, 164, 170
mulher fantástica, Uma, 273, 277
mulher inseto, A, 208, 210
Müller, Robby, 128
Munch, Edvard, 120
mundo de Apu, O, 94, 95, 98
Mundo grúa, 251, 253
mundo, O, 86
mundo silencioso, O, 294, 299
Muñequitas porteñas, 246, 252
Munro, Burt, 285
Muratova, Kira, 179
Murmúrio da juventude, 78, 79
Murnau, Friedrich Wilhelm, 122, 124, 125, 146
Música feroz, 251, 253
Mussolini, Benito, 132
Mussolini, Vittorio, 132
Muybridge, Eadweard J., 19, 20
Muzhi, Yuan, 76

N
Na cidade vazia (2004), 241, 244
Nakata, Hideo, 209
Nanook, o esquimó, 290, 299
Não deixarei os mortos (A harpa birmana), 208, 210
Não matarás, 183, 185
Na praia à noite sozinha, 213, 215
Nascido em 4 de julho, 61, 63
Nascido para matar, 61, 63, 65
nascimento de uma nação, O, 29, 30
Nas garras do vício, 148, 154
Nashville, 58, 62
nave bianca, La, 132, 143
Neame, Ronald, 58
negocíon, El, 247, 253
Negrete, Jorge, 256
Nelson, Yvonne, 101, 160, 166, 241
Nemescu, Cristian, 201
Nem Sansão nem Dalila, 159, 169
Nengo, Pengau, 286
Neorrealismo italiano, 14, 25, 35, 53, 56, 57, 67, 118, 131-39, 140, 143, 228, 246, 250, 256, 271
Nero, Franco, 44
Neves, David, 160, 163
Next of kin, 269, 270
N'Hada, Sana Na, 241, 243
Nichols, Mike, 56
Nicholson, Jack, 53, 65
Nicolau II, 20, 289
Niépce, Joseph Nicéphore, 19

Night train, 83, 86
Nihalani, Govind, 94
Nilsson, Leopoldo Torre, 246, 247, 248
Ninfomaníaca – Volumes 1 e 2, 191
Ninguém falará de nós quando estivermos mortos, 198, 202
Ninotchka, 38, 41
Nixon, Richard, 60
Nnaji, Genevieve, 102, 103
Nnebue, Kenneth, 101
No, 273, 277
No ano do porco, 295, 299
Nobleza gaucha, 245, 252
Nobody waved goodbye, 264, 269
Noé, Gaspar, 153
noire de..., *La*, 227, 228, 234
noite de 12 anos, *Uma*, 274, 277
Noite e neblina, 294, 299
Noites de Cabíria, 140, 144
noiva cadáver, *A*, 68, 70
Noiva e preconceito, 92
Noivo neurótico, noiva nervosa, 66, 69
Noonan, Chris, 282
No país de Tutankhamon, 235, 237
Northern limit line, 213, 215
Nosferatu: uma sinfonia do horror, 122, 129
No silêncio da noite, 54
Nosotros los pobres, 256, 261
Nós que aqui estamos por vós esperamos, 296, 300
Nós que nos amávamos tanto, 142, 144
Nossa música, 154, 155
No tempo das diligências, 43, 45
Notícias de uma guerra particular, 296, 300
Nouvelle Vague, 14, 36, 47, 53, 56, 58, 94, 116, 117, 118, 126, 129, 143, 145, 146, 147, 148, 149, 150, 151, 152, 153, 157, 161, 181, 189, 193, 196, 222, 247, 257, 265, 294, 295
Nove vidas, 187, 191
noviça rebelde, *A*, 40, 41
Novoa, Francisco Defilippis, 246
Now!, 271, 276
Noyce, Phillip, 281
N'tturudu, 241, 243
Numa escola de Havana, 272, 277
Nykvist, Sven, 186, 189

O
Obaltan, 211, 214
Obsessão, 133, 143
October 1, 103, 105
Oded Hanoded, 221, 225
Odeio essa mulher, 192, 195
O dreamland, 212, 215
Ogunde, Hubert, 100
Ogunyemi, Wale, 100
Oh, Sandra, 267
Oito e meio, 141, 144
Ojukokoro, 102, 105
Ojukwu, Izu, 102
Olaitan, Dare, 102
Olaiya, Moses, 100
Oldboy, 213, 215
olhos azuis de Yonta, *Os*, 243
Oliveira, Manoel de, 199
Oliveira, Orlando Fortunato de, 241
Oliveira, Vinícius de, 167
Olivera, Hector, 248
Oliver Twist, 192, 195
Ondas do destino, 186, 191
Onde fica a casa do meu amigo?, 216, 220
Onde os fracos não têm vez, 45, 46
Onoe, Matsunosuke, 204
Operação dragão, 80, 81
ópera Mouffe, *A*, 295, 299
orator, *The*, 285, 287
Orfi, Wedad, 235
organito de la tarde, *El*, 246, 252
Orgulho e preconceito, 92
Oro, Juan Bustillo, 256
Orol, Juan, 255
Orozco y Berra, Fernando, 255
Orun Mooru, 100, 104
Oscarito, 159
Oshima, Nagisa, 208
Ouro e maldição, 34, 41
outro lado da cidade proibida, *O*, 83, 86
outro, *O*, 236, 238
Outubro, 177, 180, 292
Owen, Chris, 264, 286
Ozu, Yasujirô, 204, 205, 206, 207, 208

P
Pabst, Georg Wilhelm, 125
Pacino, Al, 60
Pacto de sangue, 48, 49
Padilha, José, 168
Padosan, 90
página de loucura, *Uma*, 204, 210
Painter, Baburao, 88
Paisà, 135, 143
Paisagem na neblina, 199, 201
Paixão dos fortes, 43, 45
Pakula, Alan J., 60
palavra, *A*, 187, 191
Palermo ou Wolfsburg, 128, 130
Panahi, Jafar, 219
pântano, *O*, 251, 254

Parajanov, Serguei, 179
Parangsae, 212, 214
pardal, *O*, 237
Parineeta, 91, 98
Paris adormecida, 112, 113
Paris nos pertence, 150, 154
Park Chan-wook, 213
Park, Nick, 71, 213
Parolini, Gianfranco, 44
Parque dos dinossauros, 72, 74
Parra, Violeta, 272
parte del león, *La*, 248, 253
Páscoa de sangue, 134, 144
pasión según Berenice, *La*, 258, 262
Paskaljevic, Goran, 184
Pasolini, Pier Paolo, 128, 140
passageira, *A*, 274, 277
passante, *La*, 228, 234
Pasternak, Boris, 55
Pastrone, Giovanni, 23, 131, 132
Patagonia rebelde, *La*, 248, 253
Pathé, irmãos, 22
pátio das cantigas, *O*, 199, 201
Peck, Gregory, 35
Peckinpah, Sam, 44
Pedro, o negro, 181, 185
Pelo malo, 275, 277
Penn, Arthur, 44, 56
Pepetela, 241
pequena Lili, *A*, 154, 155
pequenas margaridas, *As*, 182, 185
Perdão, lei, 237, 238
Perdidos na noite, 58, 62
Perdón, viejita, 246, 252
Peredo, Luis, 255
Pereira, Miguel, 249
Pérez-Reverte, Arturo, 198
pérola, *A*, 256, 261
Perrone, Raúl, 250
peste, *A*, 188, 249, 253
Peter Pan, 39
Petty, Bruce, 280
Peuple en marche, 228, 234
Phalke, Dadasaheb G., 88, 91, 96
Phoenix, River, 68
Phone swap, 104, 105
piano, *O*, 200, 202, 284, 287
Pickford, Mary, 31
Pietà, 189, 213, 214, 215
pilota ritorna, *Un*, 132
Piloto das selvas, 264, 269
Piñeyro, Marcelo, 251
Pinochet, Augusto, 272, 273
Pinóquio, 39
Pintilie, Adina, 201
Piquenique na montanha misteriosa, 281, 283
Pissarro, Camille, 109
Plane crash, 102, 105

Plata dulce, 249, 253
Plata quemada, 251, 253
Play, 272, 277
Playtime – Tempo de diversão, 152, 155
Plouffe, Les, 266, 270
poderoso chefão, O, 59, 62, 67
Podeswa, Jeremy, 268
Poesia sem fim, 273, 277
pointe courte, La, 148, 154
Polanski, Roman, 49, 58, 182
Polley, Sarah, 198, 268
Ponyo – Uma amizade que veio do mar, 209, 211
Poquianchis, Las, 258, 262
pornógrafo, O, 164
Por que lutamos, 38, 41
Por que ri o mar?, 235, 237
portas da noite, As, 118
Porter, Edwin S., 23
Portman, Natalie, 223
Porto das caixas, 161, 170
Porumboiu, Corneliu, 201
Por um punhado de dólares, 44, 45, 207
Por uns dólares a mais, 44, 45
Pós-Neorrealismo, 139, 140, 141, 142
Post mortem, 273, 277
povo contra Larry Flint, O, 182
Pra frente, Brasil, 165
pranto de um ídolo, O, 193, 195
Prazeres desconhecidos, 83, 86
precio de la gloria, El, 255, 261
Preminger, Otto, 53
Presley, Elvis, 41
Prévert, Jacques, 116
Primavera numa pequena cidade, 76, 77
Primavera, verão, outono, inverno e… primavera, 213, 215
primeira noite de um homem, A, 56, 62
primos, Os, 148, 154
princesa Mononoke, A, 209, 210
princípio da incerteza, O, 199, 202
Priscilla, a rainha do deserto, 282, 283
Prisioneiros da terra, 246, 252
Prisioneros de una noche, 247, 253
professora de piano, A, 200, 202
profissional, O, 153, 155
Prokófiev, Serguei, 178
Protazanov, Yakov, 175
Psicose, 40, 54, 56, 68
Pudóvkin, Vsevolod, 176
Puenzo, Lucía, 249
Puenzo, Luis, 249
Puiu, Cristi, 201

Pulp fiction, 67, 69
Pummell, Simon, 297
Pundalik, 88, 97
Puzo, Mario, 59
Py, Eugenio, 245

Q

Quan'an, Wang, 84
Quando a mulher erra, 136, 144
Quando duas mulheres pecam, 188, 191
Quando elas querem, 158, 169
Quanto mais quente melhor, 54, 55
Quatro casamentos e um funeral, 194, 196
quatro irmãs, As, 281, 283
queda da casa de Usher, A, 111
queda de Troia, A, 131, 143
Queen in Australia, The, 280, 283
Queiroz, Eça de, 199
que le pasó a Reynoso, Lo, 247, 253
Querelle, 129, 130
quinto elemento, O, 153
Quo vadis?, 23, 25, 52

R

Rachedi, Ahmed, 228
Rachida, 231, 234
Rai, Aishwarya, 89, 92
Raíces, 257, 261
rainha, A, 195, 196
Ramáiana, 88
Ram Teri Ganga Maili, 95
Rani, Devika, 89
Rank, Joseph Arthur, 192
rapids, The, 263, 269
raposa cinzenta, A, 266, 270
Rapsódia em agosto, 208, 210
Rashomon, 207, 210
Raskolnikov, 122, 129
Rastros de ódio, 43, 45
Ray, Man, 112
Ray, Nicholas, 54
Ray, Satyajit, 94, 95
Reagan, Ronald, 57
Realismo Poético francês, 109, 115, 116, 118, 145
Rebeca, 40
Rebella, Juan Pablo, 274
Redford, Robert, 60
Reed, Carol, 97, 192
Reeve, Christopher, 61
Reeves, Keanu, 68, 73
Reggio, Godfrey, 296
regra do jogo, A, 116-18, 148
regresso de Cabral, O, 243
Reichenbach, Carlos, 164
rei das crianças, O, 77
rei Harischandra, O, 88, 97

Reisz, Karel, 192, 193
Reitz, Edgar, 126
Relatos selvagens, 251, 254
Relíquia macabra, 46, 49
Remparts d'argile, 231, 234
rena branca, A, 187, 191
Renoir, Jean, 116, 117, 132, 145, 146, 147, 148
Renoir, Pierre-Auguste, 116
resgate do soldado Ryan, O, 67, 70
Resident evil, 71, 74
Resnais, Alain, 148, 151, 152, 154, 294
Retorno à razão, 112, 113
retrato de mulher, Um, 48, 49
revolución de mayo, La, 245, 252
Revolución orozquista, 254, 261
Ribeiro, Francisco, 199
Ribeiro, Luís Severiano, 159
Richardson, Tony, 192
Richler, Mordecai, 266
Riefenstahl, Leni, 292
Riff-raff, 194, 196
Rih al Awras, 228, 229, 234
Ringu, 209
Rien que les heures, 291
Rio, 40 graus, 160, 169
rio, O, 79
Ríos, Leopoldo Torres, 247
Ripstein, Arturo, 257, 258
Ritchie, Guy, 194
Riva, Emmanuelle, 201
Rivette, Jacques, 147, 148, 150, 152, 153
Robards, Jason, 60
Robson, Mark, 58
Rocco e seus irmãos, 140, 144
Rocha, Álvaro, 159
Rocha, Glauber, 160, 161, 162, 163, 295
roda, A, 27, 28, 110, 111
Rodrigues, César, 168
Rodriguez, Robert, 57, 80
Roffman, Julian, 264
Rohmer, Éric, 147, 150, 152, 153
Rojas González, Francisco, 257
Rojo, María, 259
Roma, 260, 262
Roma, cidade aberta, 133-35, 137, 139, 143, 294
Romero, George A., 57
Rondón, Mariana, 275
Rônin-gai, 204, 210
Roodt, Darrell, 239
Roosevelt, Franklin D., 38
Roquette-Pinto, Edgard, 159
rosa púrpura do Cairo, A, 66, 69
Rosas, Enrique, 255
Rosemberg Filho, Luiz, 164

Rossellini, Roberto, 132-39, 141, 147, 148
Rosti, Estefan, 227, 235
Rostos de mulheres, 233, 234
Roth, Cecilia, 197, 249, 251
Roth, Tim, 200
Rouanet, Sérgio Paulo, 166
Rouch, Jean, 228, 295, 298
Rousseff, Dilma, 168
rowdyman, The, 265, 270
Rowlands, Gena, 57
royal visit, The, 263, 269
Rozema, Patricia, 267, 268
Ruan Lingyu, 76, 81, 82
Ruiz Navia, Óscar, 273
Ruiz, Raúl, 272, 273
Rusari abi, 219, 220
Rush, Geoffrey, 283
Ruttmann, Walter, 291

S
Saavedra, Catalina, 272
Sabata, 44
Sadoul, Georges, 147
saga de Gösta Berling, A, 186, 190
Sai da frente, 160, 169
saisons, ô châteaux, O, 295, 299
Salama está bem, 236, 237
Sallah Shabati, 222, 225
Salles, João Moreira, 167
Salles, José Roberto da Cunha, 157
Salles, Walter, 166, 167
Salò, ou os 120 dias de Sodoma, 140, 144
Samaritana, 213, 214, 215
Sanders-Brahms, Helma, 126, 128
Sansores, Manuel Cirerol, 255
Santa, 197, 255, 261, 273, 277
Santa sangre, 273, 276
Santiago, 296, 300
Santo forte, 296, 300
Santo ofício, 258, 261
Santos, Carmen, 158
Santucci, Roberto, 168
São Bernardo, 159, 165, 170
Saraceni, Paulo César, 160, 161, 295
Sarandon, Susan, 73
Sarfarosh, 91, 98
Sarney, José, 165
Sathyu, M. S., 90
Saudade, 201, 202
Saura, Carlos, 197
Savkari Pash, 88, 97
Sayles, John, 57
Scanners: sua mente pode destruir, 266, 270
Scarface – A vergonha de uma nação, 36, 41

Schémbori, Tana, 275-76
Schepisi, Fred, 281
Scherson, Alicia, 272
Schickele, René, 120
Schlesinger, Isidore, 238
Schlesinger, John, 58
Schlöndorff, Volker, 126, 128
Schroeter, Werner, 128
Schüfftan, Eugen, 124
Scola, Ettore, 142
Scorsese, Martin, 49, 50, 53, 57, 60
Scott, Ridley, 49, 66, 283
Seberg, Jean, 150
Se eu fosse você, 168, 171
segredo de Brokeback Mountain, O, 45, 46
segredo dos seus olhos, O, 251, 254
Segredos e mentiras, 195, 196
Segretto, Alfonso, 157
Seif, Abu, 236
Sélavy, Rrose, 112
Selbe, 229
Selecta, 158
Selznick, David O., 37, 40
Sembène, Ousmane, 227-30, 232
senhor dos anéis, O: a sociedade do anel, 72, 74
senhor dos anéis, O (trilogia), 71, 285
Senhorita Júlia, 187, 191
Sen, Mrinal, 94
sentido da vida, O, 190, 194, 195
separação, A, 90, 220, 221
Sequence, 192
Ser ou não ser, 38, 41
sete samurais, Os, 207, 210
sétimo continente, O, 199, 202
sétimo selo, O, 188, 191
sexo de los pobres, El, 258, 262
Sexo, mentiras e videotape, 57, 63
Sganzerla, Rogério, 164
Shackleton, Ernest, 290
Shakespeare, William, 192
Shaw, Harold, 33, 238
Sh'chur, 222, 225
Shebib, Donald, 265
Sheeler, Charles, 291
Sheridan, Jim, 193, 195
Shine – Brilhante, 283
Shin Sang-ok, 212
Shipman, Ernest, 263
Shipman, Nell, 263
Shiri – Missão terrorista, 212, 215
Shirin Farhad, 89
Shlosha yamim veyeled, 222
Sholay, 91, 98
Short cuts – Cenas da vida, 69
Shou ji, 83, 86

Shrek, 71, 74
Shum, Mina, 267
silêncio dos inocentes, O, 69
Silva, Carlos Coelho da, 199
Silva, Sebastián, 272
Silveira, Breno, 168
Sinais de vida, 126, 130
Sinatra, Frank, 41
Sindicato de ladrões, 50, 53, 55
Sinhá moça, 160, 169
Siodmak, Robert, 48, 125
Sippy, Ramesh, 91
Sirk, Douglas, 54, 127
Sissako, Abderrahmane, 232
Siu, Catrina, 85
Sjöberg, Alf, 187
Sjöström, Victor, 186
Skladanowsky, Emil, 19, 20
Skladanowsky, Max, 19, 20
Skolimowski, Jerzy, 182
Skouen, Arne, 187
Skywalker, Luke, 61
Sob o domínio do mal, 51, 56
Sob uma árvore, 222, 225
Soderbergh, Steven, 57, 81
Soffici, Mario, 246
Sokurov, Alexander, 180
Solaris, 178, 181
Solar, Salvador de, 274
Solás, Humberto, 272
Soleil Ô, 227, 232, 234
solidão de uma corrida sem fim, A, 193, 195
Sólo con tu pareja, 258, 262
Sombras (1923), 122, 129
Sombras (1958), 57, 62
Sombras do outro lado, 237
Songneunghan, 213, 215
Song Neung-han, 213
sonho azul, O, 82, 86
Sonho de valsa, 158, 169
Sonhos com Xangai, 84, 86
Sordi, Alberto, 138
Sorge, Reinhard Johannes, 120
Sorrentino, Paolo, 143
sorridente Madame Beudet, A, 111
Sorrisos de uma noite de amor, 188, 191
South, 240, 290, 299
Spartacus, 64, 69
Speer, Albert, 124
Spielberg, Steven, 39, 60, 62, 65, 67, 72, 85, 152, 224
Spring, Sylvia, 265
Spurlock, Morgan, 297
Stálin, Josef, 178, 179, 183
Stark, Jim, 54
Star wars, 56, 60, 61, 62, 72, 124
Stations, 2678, 270

Stevens, George, 43
Stiller, Mauritz, 186
Stocker, Bram, 122, 123
Stoll, Pablo, 274
Storaro, Vittorio, 142
story of the Kelly Gang, The, 23, 279, 283
Strand, Paul, 291
Strindberg, August, 187
Stroheim, Eric von, 34, 48, 116
Subiela, Eliseo, 115, 249
suburbanators, The, 267, 270
Subway, 153, 155
Super-Homem, 61, 63
Super size me – A dieta do palhaço, 297, 300
Surcos de sangre, 246, 252
Surrealismo, 39, 65, 109, 112, 113, 257
Suzuki, Koji, 209
Svérak, Jan, 182
Swanson, Gloria, 48
Sweeney, Bruce, 74, 267
Sweetie, 284, 286
Syberberg, Hans Jurgen, 126, 128
Sylwan, Kari, 189
Szabó, István, 183
Szifron, Damián, 251

T

Tabío, Juan Carlos, 272
Tait, Charles, 23, 279
Taito, Sapeta, 285
Tamasese, Tusi, 285
tambor, O, 128, 130
tango de Satã, O, 183, 185
Tango with me, 104, 105
Tao Hua Qi Xue Ji, 76, 77
Tarantino, Quentin, 45, 50, 67, 80, 198
Tarkovsky, Andrei, 178, 179
Tarr, Béla, 183, 183
Tarzan, o filho das selvas, 35, 238
Tati, Jacques, 152
Taunay, Afonso d'Escragnolle, 159
Taxi driver, 49, 50, 60
Telmo, José Cottinelli, 199
Tempo de revanche, 248, 253
Tempos modernos, 32, 33
Ten years in Manitoba, 262, 269
Teorema, 140, 144
Teoria Realista, 134, 146
terceira geração, A, 128, 130, 164
terceiro homem, O, 192, 195
Terra amarela, 77
Terra em transe, 162, 163, 170
Terra estrangeira, 12, 166, 170
terra prometida, A, 272, 276
Terra sonâmbula, 242, 244

terra treme, A, 134, 137, 144
Terremoto, 58, 62
testamento do senhor Napumoceno, O, 241, 244
teta assustada, A, 274, 277
Thatcher, Margaret, 193, 194
Thelma & Louise, 69
Thomas, Daniela, 166
Three to go, 280, 283
Thulin, Ingrid, 188
Tieta do agreste, 167, 170
tigresa, La, 255, 261
Time code, 194, 196
Tinayre, Daniel, 248
Ti Oluwa ni ile, 100, 104
Tiros em Columbine, 297, 300
Tisse, Eduard, 178
Titanic, 72, 74, 212
Tito, Josip Broz, 184, 255
tocha de zen, A, 80, 81
Toda a memória do mundo, 294, 299
Todos a bordo, 67, 69
Todos os homens do presidente, 60, 62
Toland, Gregg, 48, 134
Tolstói, Leon, 178
Tonacci, Andrea, 164
Tornatore, Giuseppe, 142
Torney, Ramchandra Gopal, 88
Toro, Guillermo del, 258, 259, 260
Torres, Cláudio, 167, 247
Tortura do desejo, 187, 191
Touch me not, 201, 202
Touki Bouki, 229, 234
Toula ou le génie des eaux, 233, 234
Touro indomável, 60, 63
Toy story, 71, 74
Trágica perseguição, 134, 143
Trágico amanhecer, 117, 118
Traídos pelo desejo, 195, 196
Trainspotting: sem limites, 194, 196
Transfer, 265, 269
Trapalhões, Os, 165
Trapero, Pablo, 251
Trash – Náusea total, 284, 286
tregua, La, 248, 253
Trens estreitamente vigiados, 182, 185
Três homens em conflito, 44, 45
Três tristes tigres, 272, 276
Tres veces Ana, 247, 253
Trier, Lars von, 186, 189, 189
Trilogia da Depressão, 190
Trinta segundos sobre Tóquio, 38
Triste fim de uma vida de prazeres, 158, 169
triunfo da vontade, O, 292, 293, 294, 299

Trnka, Jirí, 181
Troisi, Massimo, 142
Tron – O legado, 71
Tropa de elite, 168, 171
Trotta, Margarethe von, 126, 128
Truffaut, François, 146, 147, 148, 149, 150, 151, 152, 193
Tubarão, 60, 62
Tu cuna fue un conventillo, 252
Tudo começou no sábado, 193, 195
Tudo que o céu permite, 54, 55, 127
Tudo sobre minha mãe, 197, 202
turba, A, 38
Turmin Danya, 101, 104
Tutancâmon, 139
Twist, locura de juventud, 257, 261

U

U'kset, Umban, 241
Ullmann, Liv, 188
última cartada, A, 116, 118
Últimas imágenes del naufragio, 249, 253
último guerreiro das estrelas, O, 71
últimos dias de Pompeia, Os, 131, 143
último voo do flamingo, O, 242, 244
Uma mulher sob influência, 57, 62
Umberto D, 136, 144
Underground – Mentiras de guerra, 184, 185
Uomini sul fondo, 132, 143
uomo dalla croce, L', 132, 143
Uski Roti, 94, 98
Ustedes los ricos, 256, 261

V

Vacas, 198, 202
Vá e veja, 179, 181
vagabundo, O, 30, 31, 33
Valenti, Jack, 267
Valle, Federico, 245
Valsa com Bashir, 224, 226
Vampiro de almas, 50
vampiro, O, 187, 190
van Hoddis, Jakob, 120
Van Sant, Gus, 68
van Vicker, Joseph, 101
Varda, Agnès, 148, 152, 294
Vargas Weise, Julia, 275
Vasan, S. S., 90
Vega, Daniela, 273
Velimirovic, Zdravko, 242
Veloso, Caetano, 80, 197
Veludo azul, 49, 50, 65
Vem dançar comigo, 282, 283
Vendredi soir, 153, 155

Vendrell, Fernando, 242
vento nos levará, O, 217, 220
vento sopra do norte, O, 242, 243
Verão na cidade, 128, 130
verdade inconveniente, Uma, 297, 300
Vermelhos e brancos, 183, 185
Vertov, Dziga, 175, 178, 289, 291, 294
Veyre, Gabriel, 254
Viagem à Lua, 21, 22, 25
Viagem ao mundo da alucinação, 53
Viagem ao princípio do mundo, 199, 202
viagem de Chihiro, A, 209, 211
Viagem do doutor Campos Salles a Buenos Aires, 245, 252
viagem dos comediantes, A, 199, 201
viagens do vento, As, 273, 277
Viany, Alex (Almiro Viviani Fialho), 12
Vício e beleza, 78, 79
vida de acordo com Agfa, A, 222, 225
vida de Brian, A, 194, 195
vida de um bombeiro americano, A, 23, 25
vida é bela, A, 142, 144
vida é doce, A, 194, 196
vida é um milagre, A, 184, 185
Vidas amargas, 54, 55
vida secreta das palavras, A, 198, 202
Vidas secas, 160, 163, 170
Vidas tenebrosas, 36
vídeo de Benny, O, 200, 202
Videódromo — A síndrome do vídeo, 266, 270
Vidor, King, 38
vie heureuse de Léopold Z, La, 265, 269
Vieyra, Paulin Soumanou, 228, 243
Vigas, Lorenzo, 275
Vigo, Jean, 115, 116, 291
Villa-Lobos, Heitor, 161
Vinterberg, Thomas, 189
Violência gratuita, 200, 202
Violeta foi para o céu, 272, 277
virgem desnudada por seus celibatários, A, 213, 215
virgens suicidas, As, 58, 63
Viridiana, 197, 201
Visconti, Luchino, 133, 134, 137, 140
Vítimas da tormenta, 134, 143
vitória do Islã, A, 236, 237
viúva alegre, A, 158, 169
Vive l'amour, 79
Voiight, Jon, 58
Volach, David, 224
Volpi, Mário, 235
voz do carnaval, A, 158, 169
Vozes distantes, 194, 196
vuelco del cangrejo, El, 273, 277
Vukovar, 184, 185

W

Wachowski, Lana, 73
Wachowski, Lily, 73
Waddington, Andrucha, 167
Wadleigh, Michael, 296
Wagang, Bu, 76
Wahbi, Yusuf, 235
Wajda, Andrzej, 182, 183
Walden, Herwarth, 120
Wallace & Gromit, 71
Wanderley, Paulo, 159
Wang, Jianlin, 84
Warhol, Andy, 57, 68
Watts, Naomi, 200
Wayne, John, 35, 43
way we live, The, 280, 283
Wedekind, Frank, 120
Wegener, Paul, 121
Weibang, Ma-Xu, 76
Weir, Peter, 280, 281
Wei, Wei, 76
Welles, Orson, 46, 47, 48, 49, 146
Wells, H. G., 46
Wenders, Wim, 126, 127, 128, 207, 296
Wend Kuuni, 233, 234
Wengang, Wu, 296
Wenrong, Xu, 84
Westworld – Onde ninguém tem alma, 71, 74
Whisky, 274, 277
Why we fight, 293, 299
Widad, 236, 237
Wiene, Robert, 120, 122, 124
Wilder, Billy, 48, 54
Williams, John, 60
Williams, Tennessee, 53
Winsler, Kate, 285
Wise, Robert, 40
Wokabaut Bilong Tonten, 286
Wolf, Alfred, 221
Wong Kar-Wai, 80, 81
Wood, Andrés, 272
Wood, Natalie, 54
Woodstock – 3 dias de paz, amor e música, 296, 299
Woodward, Bob, 60
Woo, John, 80
Wyler, William, 50, 294
Wyman, Jane, 54

X

Xavier, Ismail, 12, 241, 258
Xiaogang, Feng, 83
Xiaoping, Deng, 82
Xiaoshuai, Wang, 82, 84
Xie Jin, 76
Xime, 241, 244
XXY, 249, 254

Y

Yanes, Agustín Díaz, 198
Yang, Edward, 79
Yesterday, 239, 240
Yi ban zhi ge (The dividing wall), 76, 77
Yimou, Zhang, 83, 85
Yinan, Diao, 83
Yojimbo, 44, 205, 207, 210
Yoo Hyun-mok, 211
Yuan, Zhang, 76, 82, 83

Z

Zampari, Franco, 159, 160
Zanussi, Krzysztof, 182
Zavattini, Cesare, 134
Zazie no metrô, 152, 154
Zeller, Wolfgang, 187
Zemeckis, Robert, 62, 72
Zendan-e zanan, 218, 221
Zero de conduta, 115
Zhangke, Jia, 83
Zhuangzhuang, Tian, 82
Zinnemann, Fred, 43
Zir-e poost-e shahr, 219, 221
Zohar, Uri, 222
Zot hi haaretz, 221, 225